Heinz Fischer
Kathrin Kunstmann

DIE BESTEN METHODEN, NEUE KUNDEN ZU FINDEN

Heinz Fischer

Kathrin Kunstmann

DIE <u>BESTEN</u> METHODEN,

NEUE KUNDEN

ZU FINDEN

FFF Fachverlag für Finanzen und Wirtschaft
Blücherstr. 23
85195 Wiesbaden

Druck: Hubert & Co., Göttingen

Satz: C. P. J.

Umschlagbild: Norbert Itten, Hamburg, Tel.: 0 40 / 550 60 75

Inhalt

TEIL I

Die besten Methoden, neue Kunden zu finden

Stürzen wir uns übergangslos ins „Gefecht“. Wissen Sie, worin *unsere* „beste“ Methode besteht, neue Kunden zu finden? Sie erraten sie? Nein, nicht? Gut, gedulden Sie sich noch einen Augenblick, wir werden *unsere* Erfolgsformel sofort preisgeben.

Zuvor jedoch erlauben Sie uns noch folgendes vorwegzunehmen: „Eigentlich“ kann dieses vorliegende Buch gar nicht geschrieben werden. Und zwar aus mindestens zwei Gründen:

1. Die vielen existierenden Branchen sind so unterschiedlich, daß man sie nie und nimmer über einen Kamm scheren kann. Insofern gibt es die „besten“ Methoden nicht; es gibt allenfalls für bestimmte *Branchen* die besten Methoden! Und selbst innerhalb einer Branche gibt es 1001 Geschäftskonzepte, gibt es Tausende von Erfolgsformeln, die so unterschiedlich sind, daß hier wiederum nicht generell die „besten“ Methoden herausgefiltert werden können.
   Die „beste Methode, neue Kunden zu finden“ ist also ein Titel, der Unsinn ist, mit Verlaub gesagt.
2. Außerdem gibt es so etwas wie den *individuellen Faktor* beim Verkauf bzw. in Vertrieb und Marketing. Das heißt, was für den einen Verkäufer oder für das eine Unternehmen blendend funktioniert, beißt bei dem anderen wiederum gar nicht. Oder nur mäßig.
   Der einzelne, der individuelle Verkäufer wie auch das einzelne Unternehmen sind also Unbekannte in der Gleichung. Auch aus diesem Grunde kann man von *den* „besten“ Methoden schlicht und ergreifend nicht sprechen.

Warum, so könnten Sie nun in sympathischer Offenheit fragen, wurde dieses Buch dennoch geschrieben? Und vor allem so genannt? Nun, ebenfalls aus zwei Gründen:

1. Es gibt auf dem Markt der unbegrenzten Möglichkeiten heute tatsächlich kaum ein Buch, in dem auf übersichtliche und anschauliche Weise vernünftiges Know-how zusammengetragen wurde, das dem Verkäufer, dem Vertriebsleiter oder Marketingchef bzw. dem Unternehmer (oder auch dem, der erst in den Anfängen steckt), wirklich gediegenes Wissen an die Hand gibt. Es gibt ein paar Bücher, die sind nicht schlecht, zugegeben; aber

sie sind zum Teil hoffnungslos überaltert. Und darüber hinaus oft nicht einmal auf den deutschsprachigen Raum zugeschnitten. Die schiere Notwendigkeit, das Fehlen eines vernünftigen Buches, war also die erste Motivation für dieses Buch.

2. Zugegeben, es gibt die „besten“ Methoden nicht – für alle Branchen und Geschäftskonzepte. Deshalb haben wir innerhalb dieses Buches auch verschiedene Experten, Top-Experten, vorgestellt, die *ihre* Methoden verraten. Diese Fachleute wurden mit Bedacht aus den verschiedensten Branchen ausgewählt:
   - ❐ Aus der Direktwerbe-Branche
   - ❐ Aus der Telefonmarketing-Branche
   - ❐ Aus der Logistik-Branche
   - ❐ Aus der Branche des Tele-Shopping
   - ❐ Aus der Branche der Unternehmensberater
   - ❐ Aus der Branche der Werbe- und Geschenkartikel
   - ❐ Aus der Finanzdienstleistungs-Branche
   - ❐ Aus der Verkaufstraining-Branche

Das heißt, es konnte natürlich nur ein repräsentativer *Ausschnitt* aus den zahlreichen Branchen, die da existieren, ausgesucht und aufgenommen werden. Wodurch jedoch zumindest ein bescheidener Anfangspunkt gesetzt wurde!

Der kluge Leser, der clevere Leser, wird aus den verschiedenen Aussagen der Fachleute indes folgende zwei Punkte sehr schnell ersehen:

1. Er wird erkennen, welche Methoden *immer und immer* wieder genannt werden! Allein aus der Häufigkeit der genannten Methoden mag er seine Rückschlüsse ziehen, was die „besten“ Methoden sind.
2. Er wird blitzschnell sehen, welche Methoden für *seine* Branche und für sein Geschäftskonzept die „besten“ sind, sprich die passenden Methoden. Er muß sich die „besten“ also *selbst* herauspicken.

Insofern durften wir, die Autoren, dieses vorliegende Buch also doch die „besten Methoden, neue Kunden zu finden“ nennen.

So weit zu dem Titel dieses Buches.

Bevor wir nun unser eingangs getätigtes Versprechen einlösen, *unsere* erfolgreichste Methode zu verraten, noch eine letzte Bemerkung:

Sollten Sie durch dieses Buch nur eine *einzige* Methode kennenlernen, wie man neue Kunden findet, und diese erfolgreich in Ihrem Geschäft oder Unternehmen umsetzen, dann würde sich der Kauf des vorliegenden Buches für Sie bereits vielfach bezahlt machen. Nun ja – genau das wünschen wir Ihnen natürlich! Aber wir knüpfen in diesem Fall daran eine Bedingung! Also, sollten Sie eine *neue*, funktionierende Methode kennenlernen, bitten wir Sie in diesem Fall, das Buch, das Sie gerade in den Händen halten, sofort weiterzuempfehlen!

Denn *unsere* „beste“ Methode, neue Kunden zu finden, besteht natürlich darin (und damit lösen wir unser Versprechen ein), *gute Bücher* zu verfassen, so daß wir weiterempfohlen werden! Guten Service zu liefern, so lautet die erste Erfolgsformel, neue Kunden zu finden.

Aber nun endlich, was gibt es noch?

Beginnen wir, indem wir jene Fachleute zu Wort kommen lassen, die aus erster Hand, aus der Praxis, ihre erfolgreichen Wege zu neuen Kunden verraten.

Heinz Fischer

„Die Aufforderung zum Tun ist wichtig, die Action nach der AIDA-Formel: Attention, Interest, Desire, Action.“

Heinz Fischer vorzustellen heißt eigentlich Eulen nach Athen zu tragen. Aber gestatten wir uns immerhin ein paar Randbemerkungen: Heinz Fischer, der 1921 in Berlin das Licht der Welt erblickte, war ein Mann der ersten Stunde, was das Direktmarketing anbelangt. Viele sagen sogar, *der* Mann der ersten Stunde. Er begann seine Laufbahn als Journalist und Bibliograph – und avancierte schließlich zum Fachmann in Sachen Marketing und Werbung. Scholz oHG Berlin/Springe, RMA Direktmarketing Bad Homburg und PAN-Adress Direktmarketing in München sind nur einige seiner professionellen Stationen.

Zwei Aufgaben widmete sich Heinz Fischer in besonderem Maße: der Nachwuchsförderung und der Verbandsarbeit auf nationaler und internationaler Ebene. Kein Wunder, daß ihm immer wieder neue Ämter angetragen wurden. Er ist heute Ehrenpräsident des Deutschen Direktmarketing Verbandes DDV, Gründungspräsident der EDMA (European Direct Marketing Association) und andere Ehrenposten in verschiedenen Gremien der Kommunikationswirtschaft sind nur einige seiner Auszeichnungen. Seine Tätigkeiten als Dozent und Lehrer (Berlin, Frankfurt, München und seit 1981 in Hamburg) und als (Mit)Begründer des Montreux Symposiums für Communication seien dabei nicht einmal erwähnt. 1986 wurden seine Verdienste durch die Verleihung des Bundesverdienstkreuzes gewürdigt.

Heute verfügt Heinz Fischer (Sitz Hamburg-Bergstedt) mittlerweile über die größte Fachbibliothek mit über 1.000 Titeln aus dem Bereich Direktmarketing. Die Bücher wurden aus allen westlichen Industrieländern zusammengetragen. „Nebenbei" führt er gemeinsam mit seiner Frau eine Versandbuchhandlung im eigenen Unternehmen (Fischer + Partner Direktmarketing GmbH).

Doch genug der Lobeshymnen; fest steht, daß wir es hier mit einem Fachmann par excellence zu tun haben. Der den Markt des Direct-Mailings und Direktmarketings wie seine eigene Westentasche kennt. Wir, die Autoren, waren auf dieses Interview deshalb mehr als gespannt...

„Herr Fischer, wann kann man vom Beginn des Direct-Mailings, auf das wir uns konzentrieren wollen, sprechen?"

Heinz Fischer: „Tatsächlich gibt es Leute, die behaupten, daß der ganze Spaß schon in der Antike angefangen hat. Die Briefe der Römer kann man eigentlich als die ersten Direct-Mailings bezeichnen. Darüber hinaus gibt es Urkunden, die so um 1400 zu datieren sind, die bezeugen, daß damals mit großen Papierbögen und Kurieren die Leute zur Baseler Messe eingeladen wurden. Das echte Direct-Mailing oder das direkte Ansprechen von Konsumentengruppen begann jedoch erst in dem Moment, da die Post beschloß, überall Briefkästen aufzustellen. Ein Generalpostmeister im Jahre 1823 verfügte das!"

„Aber das professionelle Direct-Mailing, so wie wir es heute kennen...?"

Heinz Fischer: „...begann natürlich erst Ende des letzten Jahrhunderts. Damals entstanden die ersten Adressenverlage. Die Adressen wurden in Adreßbüchern erfaßt. Aus diesen wurden die Adressen abgeschrieben. Anfänglich sah das noch so aus, daß man an großen Stehpulten mit Ärmelschonern die Adressen per Hand abschrieb. Stellen Sie sich vor! Der erste Adressenverlag wurde 1890 gegründet. Dieser Verlag hieß ‚Welt' und war in Leipzig angesiedelt."

„Aber die sehr ausgeklügelten Direct-Mailings, wie wir sie heute kennen – wann ging das los?"

Heinz Fischer: „Die zweite Welle rollte nach dem Ersten Weltkrieg an. Zu diesem Zeitpunkt begann man Adressen maschinell zu verarbeiten. Größere Adressenbestände wurden auf Metallplatten gespeichert. Die großen, auch heute noch bekannten Adressenverlage entstanden. Meine alte Firma, *Scholz-Schustermann*, wurde 1924 gegründet. Es folgten Unternehmen in Stuttgart, es folgte *Schober*. 1933 bis 1945 wurde es ein bißchen still um das Geschäft. Danach jedoch ging es jedoch wieder steil bergauf. Es bildeten sich die sogenannten Full-Service-Adressen-Verlage."

„Also im Jahre 1947?"

Heinz Fischer: „Ja! 1947 und 1948 wurde auch der erste Verband gegründet, den ich später jahrelang leitete. Heute heißt er DDV – Deutscher Direktmarketing Verband. Die Firma *Merkur* entstand und viele andere. Allerdings operierte man natürlich noch nicht so technisch perfekt. Die technische Perfektion setzte Mitte der 60er Jahre mit dem Computer ein."

„Und die Branche machte eine rasante Entwicklung?"

Heinz Fischer: „Korrekt! Der IBM 1401 war mein erster Computer. Eine riesige Maschine mit großen Rädern! Der Computer übernahm schließlich auch die Produktion der Adressen, die Produktion der Werbemittel, die Adressierung von Briefen, Prospekten usw. Danach gab es High-Tech-Vorstöße in Richtung Druck. Der Laserdrucker änderte vieles. Er kam Ende der 70er, Anfang der 80er Jahre."

„Die nächste Frage darf man eigentlich nicht stellen. Wer sind heute die besten Profis auf dem Markt, Ihrer Einschätzung nach?"

Heinz Fischer: „Nun, der DDV in Wiesbaden verfügt über eine Liste der besten Profis. Hierin sind 600 bis 700 Mitglieder erfaßt. Die führenden Stellungen nehmen ein: *AZ*, *Bertelsmann*, *Schober*, *Koop* und *Merkur*. Auch *Pan-Adress* in München zählt dazu. Das sind Firmen, die bis zu 800 Mitarbeiter beschäftigen. Von der Adressenpflege bis hin zur Adressensammlung und -speicherung wird hier alles gemacht. Briefe werden bearbeitet und gedruckt und versandt. Diese riesigen Servicezentren bieten alles aus einer Hand. Daneben gibt es eine ganze Menge sehr, sehr viel kleinerer, aber trotzdem wirklich guter und mitunter qualitativ sogar besserer Läden, die sich spezialisiert haben. Direct-Mail-Adreß München, die sich nur um den ganzen EDV-Bereich z. B. kümmern, um EDV-Händler und Software-Häuser also, ist ein Beispiel. Also neben den ganz Großen gibt es die branchenspezialisierten Unternehmen. Es gibt den *Albrecht* in München, der für den Einzelhandel gut ist oder die AWA, die nur Landwirte bedienen oder der *Jannausch* und und und. Für die Bauwirtschaft gibt es ebenfalls einen Spezialverlag, für Autoadressen gibt es einen besonderen Verlag und so fort."

„Die Entwicklung geht also in Richtung Spezialisierung?"

Heinz Fischer: „Ja, morgen oder übermorgen wird es ganz sicher keine solchen Servicezentren in dieser Größenordnung mehr geben, wie es heute *Schober* z. B. ist, mit 30 Millionen Adressen, weil die keiner mehr pflegen kann – in der Geschwindigkeit, wie sie sich ändern."

„Aber die Postadressen..."

Heinz Fischer: „Gut, wenn ich so ein 08/15-Mailing machen will, dann kann ich getrost die Post mit ihren Adressen anheuern. Aber wenn ich spezialisierte Adressen brauche, dann gehe ich zu besonderen Unternehmen, zum Beispiel zur *Crefo, Creditreform* oder zu *Hoppenstedt*. Die befragen eine Anzahl von – sagen wir mal – 100.000, 200.000, 300.000 Firmen jedes Jahr. Dadurch verfügen sie über qualitativ gute Adressen."

„Kommen wir nun zu unserem eigentlichen Thema: ‚Die besten Methoden, neue Kunden zu finden', in unserem Fall per Direct-Mailing. Was, würden Sie sagen, sind die wichtigsten Bestandteile des Direct-Mailings, die Resultate garantieren, in der Reihenfolge der Wichtigkeit?"

Heinz Fischer: „Die Erfahrung beweist: Das wichtigste sind natürlich die Adressen. Wenn die Adressen nicht stimmen, können Sie das Beste vom Besten anbieten. Sie verkaufen nichts. Danach ist das Angebot wichtig, selbstredend. Wenn das Angebot stimmt, zum Markt paßt und die Zielgruppe in Ordnung ist, können Sie den Brief theoretisch auf Klopapier schreiben. An dritter Stelle steht die Kreativität. Also ich will die Kreativen nicht schlecht machen, aber sie kommen erst jetzt. Und hier gilt folgendes: Im kreativen Bereich ist natürlich das Bild wichtiger als das Wort. Die Länge des Textes spielt eigentlich nur eine untergeordnete Rolle. Ich kann natürlich einen Drei-Seiten-Brief schreiben; wenn ich das, was ich verkaufen will, wirklich herüberbringe, gewinne ich. Also nochmals, die Reihenfolge lautet:

1. Angebot
2. Adresse
3. Kreativität."

„Umgekehrt gefragt, was sind die häufigsten Fehler beim Direct-Mailing?"

Heinz Fischer: „Ein Fehler besteht darin, den Brief nicht wie ein Gespräch aufzuziehen. Und wenn Sie zweitens zum Schluß nicht sagen, was der Kunde tun soll, klingelt es ebenfalls nicht. Man kann also mit anderen Worten nicht nur einen tollen Brief schreiben, am Ende muß stehen: *Schicken Sie die Karte ab*. Oder: *Rufen Sie an*. Oder: *Schreiben Sie mir*. Oder was auch immer!"

„Die Aufforderung zum Tun ist also wichtig, die Action nach der AIDA-Formel: Attention, Interest, Desire, Action!“

Heinz Fischer: „Exakt! Ich meine, das Rad muß ja nicht immer wieder neu erfunden werden. Ich habe das als Unternehmer auf die ganz harte Tour gelernt. Die Action, die Aufforderung ist wichtig. Sie steht über der Kreativität!“

„Weitere prominente Fehler?“

Heinz Fischer: „Anfänger begehen oft den Fehler, daß sie den Brief in der Ich-Form schreiben. *‚Ich, ich, ich.‘* Sie denken nicht daran, wer ihnen vis-à-vis gegenübersitzt. Wer den Brief lesen soll. Also das absolut subjektive Schreiben ist fatal. Wenn ich immer von mir spreche oder von wir, *Wir haben ...‘, ‚Wir sind Deutschlands größter ....‘, ‚Wir können...‘,* dann sind das Kardinalfehler. Man muß sich fragen: Was ist die Botschaft? Der Leser legt solche Briefe ansonsten sofort beiseite. Er will nicht wissen, wer der andere ist, er will wissen, was er für einen *Nutzen* bringt. Das Vergessen des Gegenübers, das Nicht-Hinüberbringen des Vorteils der Botschaft oder des Angebotes, das killt das Direct-Mailing! Man darf also nicht zu sehr von sich ausgehen. Man muß den Vorteil hinüberbringen!“

„Weitere Fehler?“

Heinz Fischer: „Darüber hinaus darf man einen Brief nicht überladen. Und: Die grafischen Elemente sind wichtig: Schließlich muß dem Auge des Betrachters auch Ruhe gegeben werden. Weiß er nicht, wohin seine Aufmerksamkeit wandern soll, verliert der Direct-Mailer. Es muß einen Blickfang geben! Das kann man auch mit einem Wort, mit einer Headline machen, mit einem raffinierten Briefanfang, wie auch immer! Soweit einige prominente Fehler! Briefe werden zu oft geschrieben wie ein Büro- oder Verwaltungsbrief. *Nicht* wie ein Gespräch. Und das ist der Anfang vom Ende. Ansonsten können Sie nicht viel falsch machen. Wenn da das Angebot stimmt, wenn der Zeitpunkt stimmt, wenn die Adresse stimmt – gewinnen Sie!“

„Was würden Sie Einsteigern raten, die das Direct-Mailing testen wollen, wie sollen sie starten, in welcher Größenordnung und worauf müssen sie achten?“

Heinz Fischer: „Also zunächst muß man darauf achten – ich komme noch einmal darauf zurück – daß man die richtigen Adressen besitzt. Man beginnt stets mit der eigenen Kundendatei. Der Einsteiger muß sich überlegen, wen will er ansprechen, welches Produkt will er verkaufen. Er muß sich vorstellen, er ist ein *Verkäufer.* Zur Hilfestellung sollte er sich außerdem das eine oder andere Fachbuch besorgen. Siegfried Vögele als Autor ist empfehlenswert. Informieren sollte sich der Einsteiger nicht gleich bei einer Agentur, die für die Konzeption gleich 50.000 Mark berechnet. Man sollte ganz klein anfangen, mit einem einzelnen Werbeberater. 5.000 bis 10.000 DM reichen für das Anfangsinvestment. Auch das eine oder andere Seminar ist empfehlenswert.

„Mit welchen Investitionen muß der Einsteiger generell rechnen?"

Heinz Fischer: „Das ist abhängig von der Größe des Marktes, der angesprochen werden soll. Dennoch: Ich rate am Anfang vorsichtig zu testen. Wenn Sie eine kleine Kundengruppe haben, zum Beispiel 2.000 oder 3.000 Kunden, können Sie heute schon für 1,50 bis 2 Mark ein sehr vernünftiges Mailing produzieren. 10.000 bis 20.000 DM muß man also schon anlegen."

„Das ist eigentlich ein sehr anständiger, sehr fairer Preis, verglichen mit anderen Werbemitteln."

Heinz Fischer: „Unbedingt. Was können Sie denn heute mit 2 Mark machen? Ein Vertreter kostet ungleich mehr!"

„Herr Fischer, was waren die erfolgreichsten Mailings, die Sie beobachtet haben?"

Heinz Fischer: „Ich vertreibe hier ein Buch mit dem Titel: *‚Million Dollar Mailings'*, hierin sind die 75 besten Mailings seit 1970 aufgelistet. Da sind 25 Jahre Beobachtung drin. Sie glauben nicht, was das für Briefe sind! Sie sind so simpel! So einfach! Es sind Briefe der *Times*, Briefe großer Verlage, Briefe von *IBM*, Briefe von *General-Motors*. Und da ist zum Beispiel ein *Mercedes*-Brief dabei, mit dem der 180er Mercedes-Diesel, 2.000 Stück!, die in Boston im Hafen lagerten, innerhalb von sechs Wochen mit *Mailings* verkauft wurden!"

„Hier stimmten die Details."

Heinz Fischer: „Der Brief ist raffiniert. Es handelt sich um einen vier Seiten langen Brief. Der Texter macht zunächst den Wagen mies, es ist unvorstellbar! Er sei teuer, auf Benzin könne er nicht laufen, es gäbe nur an bestimmten Stationen Diesel in den USA, er sei laut, wenn er anliefe, man denke er sei ein Maschinengewehr und, und, und! Und dann zum Schluß, natürlich, kommen die Vorteile: *‚Sie dürfen diesen Wagen zunächst einmal 500 Meilen umsonst fahren!' ‚Diesel gibt es genug. Tankstellen auch.' ‚Sie werden zwei Jahre lang keine Schraube anziehen müssen!' ‚Es wird keinen Rostfleck geben'*. Und, und, und. Die 2.000 Wagen waren innerhalb von zwei Wochen weg!"

„Welche Rolle spielt der Gag im Direct-Mailing?“

Heinz Fischer: „Eine geringe Rolle! Also der Gag allein macht es nicht! Ich würde immer wieder sagen: In erster Linie müssen Sie tatsächlich etwas anbieten können, was die Zielgruppe gebrauchen kann, was toll ist. Wenn das Produkt nicht stimmt, können Sie alles vergessen. Da können Sie noch so gute und richtige Adressen haben. Selbst wenn Sie wissen, diese Zielgruppen sind Brillenträger – wenn die Brille nichts taugt, kauft der Kunde nicht.“

„Was ist noch von Bedeutung?“

Heinz Fischer: „Also das Produkt muß marktgerecht sein, wie gesagt. Dann spielen noch ein paar weitere Dinge eine Rolle: Bequemlichkeit und Schnelligkeit, die Zahlungsweise und der Preis! Sicherlich hilft auch die eine oder andere gute Idee.“

„Das sind wertvolle Hinweise. Unsere letzte Frage: Wie schätzen Sie die Zukunft des Direct-Mailings ein? Was sehen Sie für neue Entwicklungen am Horizont?“

Heinz Fischer: „Mailings haben weiterhin eine wichtige Funktion: als Kundenbeziehungsmedium und zur Neukundengewinnung! Und morgen und übermorgen werden die großen und elektronischen Medien zuschlagen. Aber Kunden finden und Kunden halten – das wird überwiegend die Zielsetzung der Mailings bleiben. Wenn der Mensch, der Verkäufer, zu teuer wird, tritt das Mailing an seine Stelle. Also: Als Kundenbindungsmittel, als Kundengewinnungsinstrument ist das Mailing unschlagbar. Diese Entwicklung wird sich fortsetzen. Im breiten Markt, im Generalbusiness – Versicherungen und Banken beispielsweise zählen dazu – werden die Kunden über alle möglichen Medien gewonnen und in der Folge in der Datei festgehalten werden. Dann muß man sie binden per Mailings. Das Direct-Mailing hat hier eine goldene Zukunft.“

„Herr Fischer, ein perfektes Schlußwort, wir bedanken uns für das Interview!“

Merkur

Direktwerbegesellschaft mbH & Co. KG

„Die direkte Beziehung zum individuellen Verbraucher entscheidet letztendlich darüber, wer im Markt, wer im Konkurrenzkampf Sieger bleibt.“

Direktmarketing ist ein wichtiges und zuverlässiges Instrument der Neukundengewinnung. Aber ob man dabei viel Lehrgeld zahlt oder wenig, hängt ganz davon ab, wie genau man die Regeln und Gesetzmäßigkeiten dieses Werkzeugs kennt und befolgt. Dieses Rad muß nämlich wirklich nicht mehr neu erfunden werden, und das gilt sogar ohne Einschränkung in einer Zeit, da sich auch andere wirksame Mittel und Wege der Kundengewinnung durchzusetzen beginnen. Der Stellenwert, den Direktmarketing einnimmt, ist jedoch uneingeschränkt hoch; kaum eine andere Methode der Neukundengewinnung besitzt eine so exakte Meßbarkeit im Hinblick auf ihren Erfolg. Doch welches ist nun der wirksamste und vom Kosten-/Nutzen-Verhältnis her günstigste Weg, dieses Instrument für das eigene Unternehmen zu nutzen – und ab welcher Größenordnung lohnt es sich wirklich?

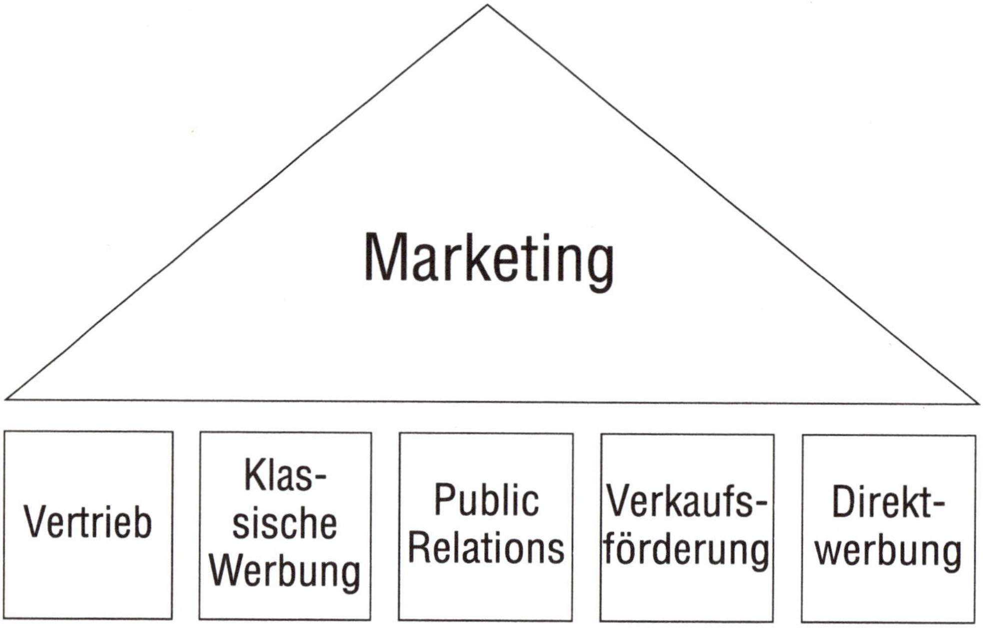

Direktwerbung ist Bestandteil des Marketing

Der schnellste Weg, sich darüber Gewißheit zu verschaffen, besteht natürlich darin, die Marketingprofis zu befragen. Wir haben es getan. Einige der Tops der Branche standen uns dafür zur Verfügung – so Heinz-Dieter Sommer und Manfred Holthusen, Geschäftsführer der Merkur Direktwerbegesellschaft, sowie Hartmut Henne und Heike Raband, ebenfalls leitende Mitarbeiter von Merkur. Warum gerade Merkur? Die Wahl dieses Partners ist uns ehrlich gestanden nicht schwer gefallen: zählt doch Merkur zu den Tops der Adreßverlage und Direktmarketing-Spezialisten. Und wenn wir sagen Tops, dann sprechen wir von den drei oder vier *Besten* des Marktes. Und genau zu diesen gehört Merkur nach Expertenmeinung ohne jeden Zweifel.

Folgende Informationen werden im nachfolgenden Beitrag vermittelt:

- ❐ Welche Bereiche umfaßt Direktmarketing?
- ❐ Wann ist Direct-Mailing am effektivsten?
- ❐ Für welche Unternehmen ist es geeignet?

- ❐ Wie werden Zielgruppen-Analysen durchgeführt?
- ❐ Was ist Database-Marketing?
- ❐ Wie nutzt man die Angebote des List Broking?

Kunden finden – Kunden binden

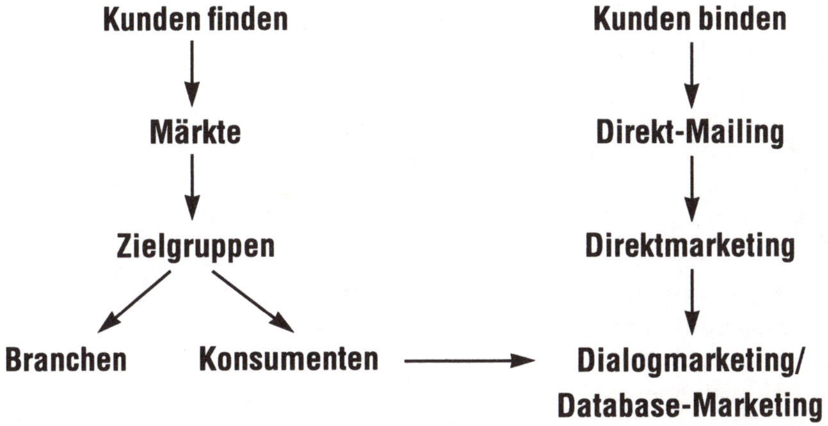

Doch zunächst einige Eckdaten zur Unternehmensgeschichte.

Nur knapp einen Monat nach Kriegsende, am 1. Juni 1945, gründete Hans Otto Müller den Merkur-Werbedienst in Einbeck. Ziel des Unternehmens war es, den Menschen ein Forum zu bieten, im Tauschgeschäft Ware gegen Ware zu erhalten. Auf den Plakaten im Schaufenster des Merkur-Werbedienstes war beispielsweise zu lesen:

Tausche Bügeleisen gegen Kochtopf

oder

Biete ein Paar Filzhausschuhe, suche einen Tintenkuli.

Eine weitere für die Menschen wichtige Rubrik wurde der „Suchdienst", über den Angehörige die Ihren wiederfinden konnten. Doch auch Heiratsanzeigen wurden veröffentlicht.

Im Oktober 1945 wurde erstmals der Merkur-Anzeiger herausgegeben, der weite Bevölkerungskreise in Niedersachsen und Hamburg erreichte. Eine rege Anzeigenvermittlung wurde mit vielen Zeitungen Westdeutschlands aufgebaut.

Ein umfangreicher *Adressenservice* wurde ebenfalls im Zuge dessen eingerichtet. Die Adressen wurden teilweise mit der Hand auf Wachsmatrizen geschrieben, später auf Schablonen, die mit Spiritus vervielfältigt und gedruckt wurden. Bereits 1954 führte man Adressierautomaten ein, und Merkur war der erste Adressenverlag, der die Direktbeschriftung anbieten konnte. Übrigens, wen es interessiert: Massendrucksachen kosteten damals 3 Pfennige, 1.000 Adressen waren für 18 DM erhältlich. Der Adressenbestand wuchs auf eine Länge, die – fortlaufend hintereinander geschrieben – über den gesamten Atlantik gereicht hätte. Die Zahl der Beschäftigten stieg in den 50er Jahren auf über 100. 1958 lieferte Merkur 20 Prozent aller in der BRD versandten Massendrucksachen aus.

Im Jahr 1969 verkaufte Hans Otto Müller das erfolgreiche Unternehmen an zwei große Verlagsgruppen und an private Teilhaber. Das *Einbecker Direktwerbeseminar*, kurz EDS, wurde ins Leben gerufen. 1970 erfolgte die Neubenennung in *Merkur Direktwerbegesellschaft mbH & Co. KG*, ein Jahr später wurde der Produktionsbereich enorm vergrößert und eine EDV-Anlage zur Bearbeitung von nahezu 2 Millionen Adressen pro Tag in Betrieb genommen. Die Anzahl der gespeicherten Privat- und Branchenadressen war zu diesem Zeitpunkt auf über 20 Millionen angestiegen.

1980 eröffnete das Unternehmen die Zweigstelle Merkur München mit etwa 20 Beschäftigten; die Zahl der in der Hauptstelle beschäftigten Mitarbeiter betrug nun über 300. Die Verwaltungs- und Produktionsgebäude mußten in den 80er Jahren weiter vergrößert werden, mit 4,2 Millionen Berufs- und Branchenadressen wurde die meistfrequentierte Datenbank Europas aufgebaut.

Ab 1989 erfolgte eine systematische mikrogeografische Marktsegmentierung in enger Zusammenarbeit mit dem *infas-Institut* in Bad Godesberg. „Local Direct" entstand, ein modernes Hochleistungsprogramm zur Auswahl qualifizierter Zielgruppen (wir kommen darauf zurück). Ab 1991 entstand die Datenbank der Haushalte „Deutschland privat", die erstmals das wissenschaftlich fundierte Marketing-Knowhow von *Lifestyle-Typologien* in die Datenbanken einbrachte (auch darüber gleich mehr). – 1993 bestand eine neue Herausforderung durch die Umstellung der Postleitzahlen und mehrere gravierende Änderungen im System der Massendrucksache; diese wurde bekanntlich durch die Infopost ersetzt. Was das für einen Adressen- und Direktmarketingverlag an Umstellungen und Kosten mit sich brachte, braucht hier kaum im Detail ausgebreitet zu werden.

1993 wurden parallel mit der Postumstellung Produktionshallen („MERKUR 2000") in Betrieb genommen, die wohl zu den modernsten ihrer Art in Europa zählen dürften. Das Unternehmen führt heute über 28 Millionen Consumer- und 4,5 Millionen Busineßadressen in seinem eigenen Bestand und verwaltet darüber hinaus als *List Broker* über 600 Postkäuferadreßlisten. Das sind gemietete Adressen anderer Unternehmen, die teilweise Verkäufe auf dem Postweg an ihre Kunden tätigen oder einen festen Kundenstamm führen, der nachweislich auch für Postverkäufe geeignet ist. Daß dahinter ein ganzer Aktenberg an Know-how steckt, vermutet man nicht auf den ersten Blick; tatsächlich jedoch ist Direct-Mailing an die durch List Broking vermittelten potentiellen Neukundenlisten eines der werbewirksamsten Instrumente, um neue Käuferschichten zu erschließen.

Doch stellen wir zunächst ganz einfach einmal folgende Frage in den Raum: Was ist Direktmarketing? Wie wird es definiert? – In einer Studie des Deutschen Direktmarketing Verbandes (DDV) und der Deutschen Bundespost lautet die Begriffsdefinition wie folgt:

„Direktmarketing ist die direkte Ansprache von Zielgruppen über die verschiedensten Medien mit der Absicht, die Angesprochenen zu einer sofortigen Reaktion zu veranlassen."

Man beachte das Wort „sofortigen"! Die Hohe Kunst der Direktwerbung besteht also darin, eine *Spontanreaktion* zu evozieren. Daher ja auch „Direkt" – die direkte Ansprache des Kunden, mit der direkten Antwort. Wie dies im einzelnen erreicht werden kann, hängt selbstverständlich vom Medium ab, dessen man sich bedient. Bei Printwerbung allgemein besteht eine gewisse Chance, daß sich der Empfänger der Werbung diese aufhebt und zu einem späteren Zeitpunkt noch reagiert; allerdings ist der Prozentsatz der Spontanreaktion immer der allein ausschlaggebende für den Erfolg.

Genaueres über Direktwerbung ist in der Publikation „Programmierte Direktwerbung" von Heinz Hell, herausgegeben von der Merkur Direktwerbegesellschaft, nachzulesen. Dort sind auch die üblichen Instrumente des Direktmarketing aufgeführt. Diese seien hier kurz zitiert:

- ❒ Adressierte Werbesendungen
- ❒ Anzeigen und Beilagen mit Responseelementen
- ❒ Aktives und passives Telefonmarketing
- ❒ Postwurfsendungen
- ❒ Haushaltswerbung
- ❒ TV- und Funkwerbung mit Responseelementen
- ❒ Tele-Shopping, Video, CD, Datex-J (Btx) mit Responseelementen[1]

Im Unterschied zur Anzeigenwerbung will Direktwerbung also *mit einem einzigen Anstoß* eine Reaktion auslösen[2] (siehe Abb. nächste Seite):

1 Heinz Hell: Programmierte Direktwerbung. Hrsg. Merkur Direktwerbegesellschaft. Einbeck 1992^4, S. 8

2 a.a.O., S. 11

Anzeigenwerbung

Das Ziel - der einmalige oder wiederholte Kaufentschluß - wird in der klassischen Werbung durch viele Kurz-Signale aufgebaut. Die AIDA-Formel muß hier fortlaufend wirken, oft sogar über einen längeren Zeitraum.

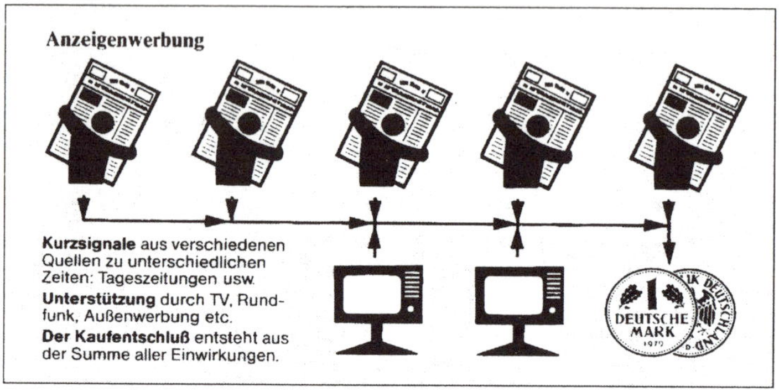

Direktwerbung

Das Ziel - die unmittelbare Reaktion - muß mit einem einzigen Anstoß aufgebaut und ausgelöst werden.

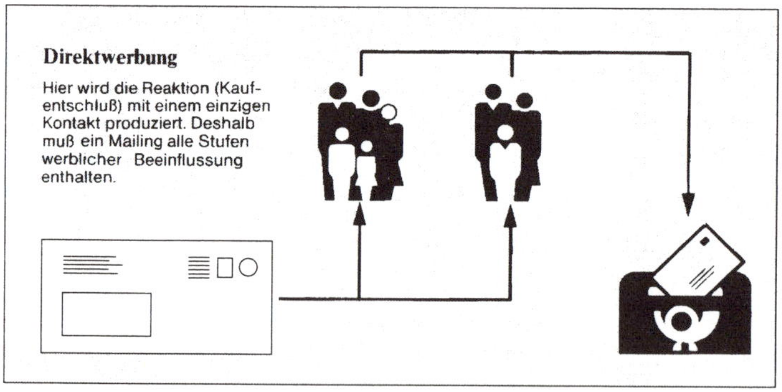

Diese Gegenüberstellung beweist drei wesentliche Grundsätze der Direktwerbung:

1. Direktwerbung hat andere (eigene) Gesetze und Regeln.
2. Direktwerbung hat eigene Zielsetzungen.
3. Direktwerbung muß neben der Werbung für das jeweilige Angebot, auch eine spontane Reaktion auslösen.

Die Zauberformel der Werbung ist nicht neu, sie ist leicht zu merken: AIDA. Diese vier magischen Buchstaben stehen für:

A = Attention (Aufmerksamkeit)
In der ersten Stufe soll der Angesprochene bewogen werden, die Werbebotschaft wahrzunehmen, seine Aufmerksamkeit soll gewonnen werden.

I = Interest (Interesse)
Um den Angesprochenen jetzt bei der Stange zu halten, wird sein Interesse, seine Neugier geweckt.

D = Desire (Wunsch)
Nachdem das Interesse geweckt ist, soll sich der Wunsch entwickeln, das Angebotene zu besitzen oder auszunutzen.

A = Action (Handeln)
Diese letzte Stufe gibt den Anstoß zur Reaktion. Das Angebot – Kauf oder Anforderung – wird wahrgenommen.[3]

Direktwerbung hat genau abgegrenzte Wirkungsfelder, die sich in sieben Zielkategorien einteilen lassen. Diese sind:

Die sieben Hauptziele:

Die sieben häufigsten Werbeziele der Direktwerbung

1. Der direkte Weg zum neuen Kunden über Direktverkauf.
2. Der indirekte Weg zu neuen Kunden über die Interessentenwerbung. Ziele: Vorbereiteter Direktverkauf oder Heranführen an die Marke.
3. Umsatzsteigerung durch optimale Nutzung der Kundendatei (Kundenpflege, Kundenbindung).
4. Aktivieren „schlafender" (inaktiver) Kunden.
5. Motivation des Außendienstes. Unterstützung des Handels.
6. Einladen, Informieren, Erinnern.
7. Markt- und Zielgruppen-Analysen: Beschaffen von Daten und Meinungen, Ermittlung von Kaufgewohnheiten für Database-Marketing (s.u.).[4]

Die beiden wichtigsten Instrumente sind zweifellos Nr. 1 und Nr. 2, wobei allerdings auch Nr. 3 nicht zu unterschätzen ist. An dieser Stelle kurz einige Erläuterungen zu den beiden erstgenannten Punkten:

3 a.a.O., S. 10
4 a.a.O., S. 13

Der direkte Weg zu neuen Kunden

Man mag es kaum glauben, aber der einfachste und effektivste Weg, neue Kunden zu finden, ist oftmals schlicht der, sie direkt und persönlich anzusprechen. Man spricht daher auch von einem *personalisierten* Mailing. Obwohl Sie den Empfänger des Briefes nicht kennen und er Sie möglicherweise auch nicht, sprechen Sie ihn so persönlich an wie einen Geschäftspartner. Sie unterbreiten ihm ein Kaufangebot, geben ihm Gelegenheit, dieses wahrzunehmen und nehmen ihn, wenn er kauft, in Ihre Kundendatei auf.

Die sieben Hauptvorteile:

1. Direktwerbung spricht mit dem Empfänger wie ein wirklicher Gesprächspartner.
2. Direktwerbung hat kein störendes Umfeld.
3. Direktwerbung hat Tiefen- und Langzeitwirkung.
4. Direktwerbung hält das Risiko in vertretbaren Grenzen.
5. Direktwerbung ist vielseitig.
6. Direktwerbung ist flexibel und schnell.
7. Direktwerbung blüht im Verborgenen.

Dieser einstufige Weg hat jedoch seine Grenzen. Der Preis der angebotenen Ware oder Dienstleistung darf nicht zu hoch sein. Die notwendige Produktinformation darf nicht zu umfangreich sein. Dem Kunden muß es möglich sein, jederzeit auszusteigen (Geld-zurück-Garantie o.ä.). Kaufkraft, Bedarf und Kaufgewohnheiten der Zielgruppe müssen bekannt sein. Die Empfänger müssen „Postkäufer“ sein, also bereits andere Postangebote wahrgenommen haben (Risiko des Streuverlusts ist sonst zu groß). Der Empfänger muß das Angebot „genau jetzt“ gebrauchen können.

Unter diesen Voraussetzungen ist der direkte Weg aber auch der effektivste. Das Mailing enthält eine Antwortmöglichkeit, die zugleich einen Kauf bedeutet. Reagiert der Kunde, dann hat er gekauft (mit Rückgaberecht o.ä.).

Der indirekte oder *zweistufige Weg* zu neuen Kunden findet Anwendung, wenn die notwendigen Produkt- oder Verkaufsinformationen zu umfangreich sind, um innerhalb eines Mailings dargestellt zu werden; wenn die Zielgruppe und damit das Risiko der Streuverluste zu groß ist; wenn das Angebot einen hohen Preis hat oder wenn langfristige Bindungen eingegangen werden müssen (Versicherungen, Abonnements etc.).

Das Mailing beim indirekten Weg enthält zunächst kein Kaufangebot. Der Kunde fordert weitere Information an. Diese erhält er entweder mit der Post, per Telefon oder in einem persönlichen Beratungsgespräch. Oder er fordert eine Probelektion an (bei Fernstudium z.B.). Jeder, der auf dieses erste Mailing reagiert, ist Interessent. Interessenten werden mit der angeforderten Information versorgt. Das zweite Mailing *verkauft* ihm das Angebot – oder er kauft im Rahmen eines Beraterbesuchs oder wenn er mit dem Gutschein in Ihr Geschäft kommt etc.

Beispiel:
Ein Fertighaushersteller macht ein Mailing an angemietete Adressen (Zielgruppe: „Junge Familien"). Da es sich bereits um eine vorausgewählte Zielgruppe handelt (Junge Familien sind zu einem bestimmten Prozentsatz potentielle Häuslebauer), ist die Gefahr eines Streuverlustes gering. Es wäre jedoch illusorisch, mit einem einstufigen Mailing ein Fertighaus verkaufen zu wollen. Der Mailing-Empfänger kann mit der Antwortkarte einen Katalog anfordern. Dieser ist für ihn kostenlos.

Mit dem zweiten Mailing – dem Katalog – erhält er z.B. einen *Beratungsgutschein*. Mit diesem besucht er eine Fertighausausstellung in der Nähe. Dort erhält er eine unverbindliche Beratung im Hinblick auf sein Wunschhaus. So kann er möglicherweise zum Kunden werden.

Solange er Interessent ist – die Beratung nicht wahrgenommen hat – wird er aus der Interessentendatei heraus mit aktuellen Informationen des Fertighausherstellers in regelmäßigen Abständen versorgt.

Der zweistufige Weg ist immer dann zu empfehlen, wenn für den eigentlichen Kauf ein ausführliches Verkaufsgespräch (z.B. per Brief, Katalog o.ä.) nötig ist. Denn dafür wäre ein einstufiges Mailing zu aufwendig und zu teuer. Das erste Mailing dient also dazu, einen engen Kreis von „heißen" Interessenten herauszufiltern, diese werden in einem kostengünstigen Mailing gewonnen. Aber erst das zweite Mailing wird zeigen, ob die gesamte Aktion „sich gerechnet hat"; daher kann die Wirtschaftlichkeitsanalyse einer solchen Aktion sehr viel länger dauern als bei einem einstufigen Mailing.

So viel zu einigen Details, die mit Direct-Mailing verbunden sind; wie gesagt, mehr darüber in dem bereits erwähnten Arbeitsbuch von Heinz Hell. – Wir sprachen mit Merkur über Hintergründe und Details, die Sie in keinem Handbuch nachlesen können, die aber für die Praxis der Direktwerbung von enormer Bedeutung sind. Denn: sie bedeuten bares Geld!

Adreßermittlung

Zielgruppenermittlung nach Qualitätskriterien:

- ❐ Haben die Adressen einen normierten Aufbau?
- ❐ Sind die Adressen aktuell?
- ❐ Sind die Adressen vollständig?
- ❐ Sind die Adressen selektionsfähig?
- ❐ Sind die Adressen überschneidungsfrei?
- ❐ Ist die Schriftauswahl der Adressenreproduktion groß genug?
- ❐ Sind die Adressen so aufgebaut, daß sie mit persönlicher Anrede versehen werden können?
- ❐ Sind die Adressen auch für spezielle Adressier- und Personalisierungsverfahren geeignet?
- ❐ Können den Adressen individuelle Merkmale, Kenziffern oder Funktionszeilen zugeordnet werden?
- ❐ Sind die Adressenpreise den gebotenen Leistungen angemessen?

„Wie ist das Direkt-Mailing hierzulande entstanden?"

Merkur: „Eigentlich ist Direct-Mailing beinahe 100 Jahre alt. Vor dem Zweiten Weltkrieg kannte man es allerdings fast nur im Busineß-Bereich. Erst mit dem Wandel der Märkte in den 50er und 60er Jahren kam Direct-Mailing an Konsumenten, an Privathaushalte zur Geltung. Am prominentesten dabei waren zunächst natürlich die Versandhäuser sowie die Buchklubs. Erst etwa ab Mitte der 60er Jahre ging diese Entwicklung dann mit den ersten Großrechnern rasant voran. Von da an war es möglich, Adressen wirklich auf breitester Ebene systematisch zu erfassen und die Bestände immer besser zu pflegen."

„Was waren die Hauptlinien dieser Entwicklung, so weit es die Adressenverlage oder -anbieter angeht?"

Merkur: „Im wesentlichen waren es zwei große Schienen: die Anbieter gewerblicher Adressen, dazu zählt auch Merkur, ebenso z.B. Koop, geprägt von Herrn Müller bzw. Herrn Koop. Diese spezialisierten sich auf industrielle Direktwerbung. Dann gab es die Entwicklung der Konsumentenmärkte, der Privathaushalte, die mittels Mailing für Käufe geworben werden konnten. Marktführer waren hier natürlich Schickedanz bzw. das Haus Quelle sowie Bertelsmann. Als dritte Schiene – nach US-amerikanischem Vorbild – entwickelte sich das *Broker*-Geschäft, sprich die Vermittlung von Adressen anderer Firmen, die diese an Nicht-Konkurrenten anbieten."

„Im wesentlichen gilt es also, zwei sehr unterschiedliche Bereiche voneinander zu trennen: die gewerbliche Adresse und die Adresse des Privatmanns, des Privathaushaltes?"

Merkur: „Genau. Denn die gesetzlichen Bestimmungen sind sehr unterschiedlich. Die Privatadresse ist in sehr starkem Maße geschützt; sie können und dürfen keine personenspezifischen Daten dazu abspeichern. Auch sind die Widerrufsbestimmungen für den postalischen Kauf von Waren genauestens geregelt. Anders bei den geschäftlichen Adressen, hier gelten ganz andere Bestimmungen. Man darf z.B. sehr genaue Informationen über das jeweilige Unternehmen abspeichern und hat diese, wenn nötig, jederzeit abrufbereit."

„Jede Mailing-Aktion muß also schon einmal von vornherein dahingehend spezifiziert werden, ob es sich an ein anderes Busineß, an einen Geschäftsführer, Vertriebsleiter, Einkäufer etc. richtet, oder an einen Privatmann?"

Merkur: „Das ist die erste Frage, die selbstverständlich schnell und leicht zu beantworten ist. Aber davon hängt die weitere Vorgehensweise bei der Adreßauswahl ab."

„Bevor wir in die Details gehen, eine Frage zu Ihrem Unternehmen. Sie zählen zu den Marktführern im Direktmarketing. Was glauben Sie, hat diesen Erfolg bedingt? Wodurch wurde er zustande gebracht?"

Merkur: „Sicherlich war es zum Teil eine zwangsläufige Entwicklung. Unser Haus spezialisierte sich von Anfang an auf die Busineß-Adresse, hier wurde im Laufe der Jahre ein beachtlicher Pool an Daten und Adressen aufgebaut. Heute schöpfen wir aus über 4,5 Mio. geschäftlichen Adressen. Diese sind nach der offiziellen Wirtschaftssystematik gegliedert; die Auswahl kann nach den unterschiedlichsten Kriterien erfolgen, so etwa nach Märkten, Positionen, Tätigkeiten im Unternehmen, Umsatz, Anzahl der Mitarbeiter, Regionen etc. Daß diese engen Auswahlkriterien bei Mailings die Erfolgsquote steigern, steht außer Zweifel. Das ist sicherlich eines unserer Erfolgsprinzipien.

Das andere jedoch ist die systematische Konzentration auf das Wesentliche: Wir haben uns darauf beschränkt, die Spezialisten in der technischen Abwicklung der Mailings zu sein. Wir sind also keine Werbeagentur und übernehmen auch nicht deren Tätigkeit; wir drucken nicht – wir vermitteln an Druckereien, wenn dies im Einzelfalle nötig ist. Wir konzentrieren uns auf die technische Abwicklung: von der Zielgruppenauswahl bis hin zum eigentlichen Postversand, von der Gewichts- bis zur Portooptimierung und der Bestimmung des richtigen Zeitpunktes. Wir begleiten ein Unternehmen in allen Stufen, die ein solches Mailing erfordert: von der Konzeption gemeinsam mit der Werbeagentur (wobei wir uns auf die technische Durchführbarkeit und kostengünstige Realisierung solcher kreativer Ideen spezialisieren), bis zu den eigentlichen *Follow-ups*, der Abwicklung von Bestellungen und Versand als Resultat des Mailings, sofern dies ebenfalls von uns als Dienstleistung gewünscht wird.

Wahrscheinlich hat auch dies zum Erfolg unseres Hauses beigetragen. Selbstverständlich sorgen wir für Aktualität der Adressen; jede Änderung, die uns bekannt wird, wird kontinuierlich erfaßt. Und daß wir uns stets modernster EDV- und Verarbeitungstechniken bedienen, braucht kaum eigens erwähnt zu werden, für uns ist dies absolute Voraussetzung für den Erfolg."

„Ihre Spezialität ist und bleibt also die Adresse?"

Merkur: „Die Adresse als das Wichtigste, was es für ein Unternehmen gibt. Sei es die eigene Adressendatei, denn auch dafür können wir die Datenpflege und den Aufbau einer nützlichen Datenbank übernehmen, sei es das Anbieten einer großen Anzahl von zielgruppenspezifischen Adressen, um neue Kunden zu gewinnen. Daneben natürlich, insbesondere im Privatkonsumentenbereich, das ständige Beobachten von Markttrends und Käuferverhalten in enger Zusammenarbeit mit Wissenschaftlern aus Volkswirtschaft und Marketing."

„Kommen wir einmal auf die einzelnen unterschiedlichen Nutzungsmöglichkeiten von Adreßbeständen zu sprechen. Was ist überhaupt eine gute Adreßdatei? Wie baut man sie auf?"

Merkur: „Abgesehen vom Einzelhandel, der vor Ort anonym verkauft, kann man sagen: Ohne Adresse kein Umsatz. Aber: Die Adresse allein macht noch keinen Umsatz. Man muß wissen, wen man worauf wie und wann ansprechen kann. Dieser Ansatz wiederum führt uns zu einer *Stufenleiter der Adreßqualität*:

1. Die Fremdadresse oder der Kaltkontakt. Diese Person hat noch nie ein Produkt Ihres Hauses gekauft, sie kennt Ihr Unternehmen möglicherweise gar nicht. In der Reaktion auf ein Mailing ist dies die schlechteste Adresse.
2. Die Adresse, die nach bestimmten geographisch selektierten Märkten ausgewählt wurde. Hier wissen Sie zumindest eines: Der Kunde bewegt sich in einem Markt, in dem er Ihr Produkt gebrauchen, von ihm einen Nutzen haben könnte.
3. Die Adresse, die nach mikrogeographischen oder kaufkraftbezogenen Merkmalen selektiert wurde. Man nimmt an oder weiß, daß Ihr Produkt

oder ähnliche Produkte im Umfeld des angeschriebenen Neukunden bereits gekauft wurden oder regelmäßig konsumiert werden. Also geht man davon aus, daß auch die angeschriebene Adresse ein potentieller Käufer sein wird.

4. Die Adresse desjenigen, der sich durch einen Kauf direkt qualifiziert hat. Von ihm weiß man, daß er sich für dieses Produkt und daher vielleicht auch für ein anderes Produkt Ihres Hauses interessiert. Das ist natürlich die ‚heißeste' Adresse, es ist das Gold, das jedes Unternehmen hütet wie der Mensch seinen Augapfel. Die qualifizierteste Adresse *ist* ohne Zweifel der Käufer bzw. Kunde.

Um nun auf Ihre Frage zurückzukommen: Eine gute Adreßdatei entsteht, indem man sich eine *Interessenten- bzw. Kundendatenbank* aufbaut. Diese Datenbanken sollten möglichst präzise Informationen über das Reaktionsverhalten der Interessenten bzw. das Kaufverhalten der Käufer enthalten und müssen natürlich ständig gepflegt werden.

Solche Datenbanken werden teilweise im eigenen Unternehmen geführt. Oder wir führen sie im Auftrag von einem Unternehmen treuhänderisch. Sprich wir

- ❒ erstellen die individuelle Datenbankstruktur,
- ❒ entwickeln bzw. passen die EDV-Software an,
- ❒ erfassen die relevanten Adressen- und Handlungs-/Kauf-Informationen für den weiteren Dialog
- ❒ und selektieren die Information möglichst bedarfsnah,

so daß sie für das Vermarkten weiterer Produkte oder für Folgegeschäfte optimal genutzt werden können."

„Es ist also nicht damit getan, eine Adresse zu erfassen und postalisch auf dem neuesten Stand zu halten?"

Merkur: „Natürlich nicht. Eine gut gepflegte Kundendatei in einem Unternehmen kann die Verkaufserfolge verdoppeln."

„Da stellt sich gleich die Frage: Wie baut man sich eine solche Datenbank auf?"

Merkur: „Das hängt von mehreren Faktoren ab. Einmal ist die Frage, wer sind Ihre Kunden? Ist es der gewerbliche Händler, der bei Ihnen einkauft? Ist es der Endverbraucher, der Privatmann? Ist es der Einkäufer in der Industrie? Es gibt hier so viele Möglichkeiten wie es wirtschaftliche Betätigungsfelder gibt. Um von vornherein richtig zu planen, empfiehlt sich eine Beratung. Das spart auf lange Sicht enorme Kosten. Sicher ist allerdings eines: Jede Adresse eines Käufers muß schnell und richtig

Kunden finden – Kunden binden

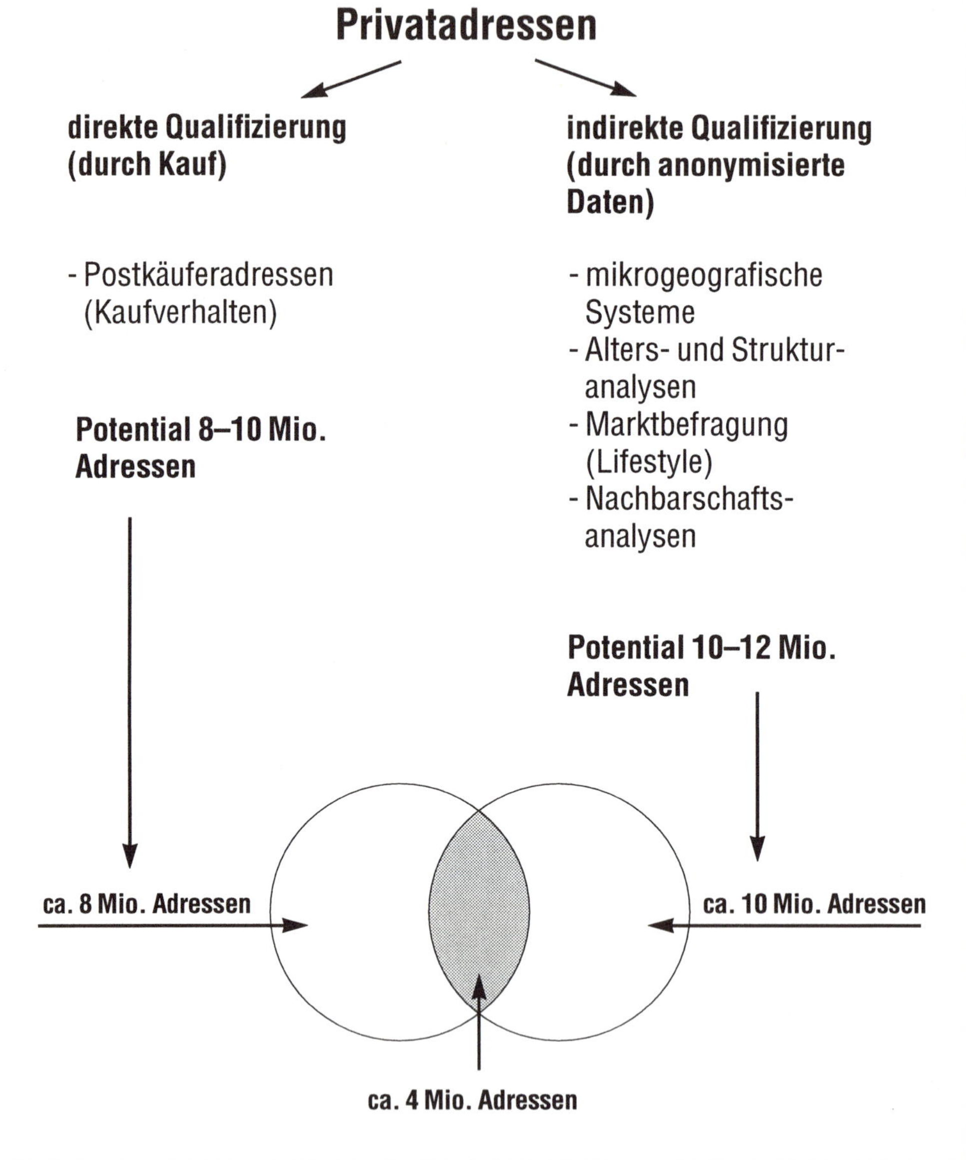

erfaßt werden. Und jede Adresse eines Interessenten muß erfaßt werden. Mit welchen Hintergrundinformationen man dann diese Daten unterlegt, wird ja zum Teil auch gesetzlich geregelt. Das Speichern personenbezogener Daten ist z.B. im Datenschutzgesetz beschrieben. Auch das gilt es beim Aufbau einer Datei zu beachten. Man tut gut daran, sich hier gleich der richtigen professionellen Hilfe zu bedienen."

„Geben Sie ein Beispiel dafür, wie durch eine gepflegte, kundenbezogene Datenbank der Kundenstamm erweitert werden kann, wenn diese Kunden über den Handel – also anonym – kaufen?"

Merkur: „Nehmen wir als Beispiel Nahrungsmittel. Ein bekannter Markenhersteller möchte über den Verkauf hinaus ‚mehr' von der Käuferschicht wissen; über den reinen Produktnutzen hinaus weiter auf den Kunden zugehen. Oder er möchte sein ohnehin gutes Produkt ständig am Markt und damit dem Trend anpassen.

Also werden z.B. Interessenten durch Verkaufsaktionen am POS (Point of sale) gewonnen und regelmäßig mit Informationen versorgt, um den eindeutigen Produktnutzen zu erklären. Der Dialog übernimmt oder unterstützt damit die Fachberaterfunktion vor Ort im Handel. Nur eines tut der Kunde nicht: Er kauft natürlich nicht beim Hersteller. Er kauft nach wie vor beim Einzelhändler. Für den Einzelhändler bedeutet aber diese Aktion, daß ihm sein Kundenstamm praktisch ins Haus geschickt wird.

Allgemein kann gesagt werden, daß kundenbezogene Datenbanken mit ihrer ständigen Informationsübermittlung an die Zielgruppen

- ❐ bestehende Produktmärkte u.U. erweitern oder neue Produktmärkte erschließen helfen können, bzw.
- ❐ z.B. zeitaufwendige und damit teure Beratungsgespräche besser vorbereiten helfen, weil man mehr über den Gesprächspartner und dieser wiederum mehr über das Produkt weiß."

„Welchen konkreten Vorteil besitzen diese Arten von Adreßbanken, z.B. aus Clubs oder anderen Kundendateien?"

Merkur: „Man weiß sehr viel über die Käuferschicht. Man weiß in der Regel, je nach Produktgruppe, welcher Einkommensschicht sie angehört. Welcher sozialen Schicht. Wo sie wohnt, sprich in welcher Art von Wohngegend. Welche Vorlieben sie sonst noch hat. Wie teuer die Parfums sind, die sie sich leistet. Welche Arten von Zeitschriften sie liest, welche Radiowerbung sie hört, wohin sie in Urlaub fährt etc., etc. Man erhebt, mit anderen Worten, eine ganze Menge produktbezogener Daten, die für sich genommen wieder zur Erstellung ganz neuer Zielgruppendateien führen können. Eine solche Datenbank kann – wenn sie gepflegt ist und ständig auf dem neuesten

Stand gehalten wird – für viele Unternehmen ein Schatz sein, aus dem sie hervorragend leben können.“

„Den Aufbau einer solchen Kundendatenbank kann ein einzelnes Unternehmen also kaum allein leisten?“

Merkur: „Mit wenigen Ausnahmen nein. Daher gibt es ja auch Dienstleistungsunternehmen wie wir, die sich darauf spezialisiert haben, solche Informationsquellen gemeinsam mit jedem Kunden individuell aufzubauen. Wohlgemerkt immer unter Wahrung der persönlichen Rechte auf Datenschutz.“

„Wenn der Kunde aber jetzt Direktwerbemaßnahmen für sich ergreifen will, aber noch keine eigene Datenbank aufgebaut hat, wie kommt er an Zielgruppen heran?“

Merkur: „Die grundlegende Frage lautet immer: *Wer schickt was, wann, an wen?* Daraus ergibt sich eine generelle Unterteilung wie folgt:

Situation A): Ein Unternehmen mailt für sein Produkt an ein anderes Unternehmen oder einen anderen Geschäftsmann:
Hier stellen wir zielgruppengerecht die Branchenadressen zur Verfügung und können das gesamte Mailing abwickeln.

Situation B): Ein Unternehmen möchte ein Produkt an private Konsumenten verkaufen, die nachweislich Postkäufer (anderer Unternehmen) sind:
Hier kommt die Funktion des *List Brokers* ins Spiel. Damit ist gemeint, daß wir Adreßlisten anderer Unternehmen vermitteln können, die diese Adressen von privaten Konsumenten oder Interessenten vermieten. Dabei handelt es sich nachweislich um Post-Entscheider.

Situation C): Ein Unternehmen möchte ein Produkt an eine exakt definierte Käuferschicht vermarkten und dafür ein Mailing durchführen.

Hier kommt die gesamte Bandbreite des *Database-Marketing* zum Zuge. Die Zielgruppe wird so eng wie möglich eingegrenzt, um die Streuverluste so gering wie möglich zu halten. Die Datenbank (Database) wählt aus Millionen von Adressen jene aus, auf die die meisten der geforderten Merkmale des Ideal-Kunden-Profils zutreffen. Dieses Ideal-Kunden-Profil wird anhand bestehender Kunden des Unternehmens vor dem Mailing erstellt.“

„Gehen wir diese im einzelnen durch. Wenn Sie von der ersten Situation sprechen, dann ist damit das klassische Busineß-Mailing gemeint, bei dem man eigentlich nur den längst bekannten Regeln und Gesetzmäßigkeiten folgen muß, oder?“

Merkur: „Leichter gesagt als getan! Wir wissen aus Erfahrung, daß Unternehmen oft die einfachsten Dinge nicht beachten. Sie vergessen z.B. eine Sofort-Antwort-

Möglichkeit beizulegen. Die Wirkung des Mailings verpufft zu 50 oder mehr Prozent! Oder sie gestalten den Brief, das Anschreiben nicht exakt nach den vorgeschriebenen Regeln, weil sie es ‚besser wissen' oder einfach keine Schulung erhalten haben. Wir empfehlen, selbst wenn ein Unternehmen schon einige Erfahrung mit Mailings hat, immer mal wieder eine Schulung in unserem Hause zu besuchen. Man spart auch bei den einfachsten Mailings schon Kosten und steigert die Effektivität von Rückläufen."

„Können Sie die wichtigsten Regeln des Erfolgs bei geschäflichen Mailings auf einen Nenner bringen?"

Merkur: „Wir können sie in einigen Stichpunkten zusammenfassen:

Vor jeder Art von Direktwerbeplanung ist zu prüfen, ob das Produkt überhaupt mailfähig ist. Ob es sich rechnen läßt. Das ist nicht bei Produkten der Fall, die nur eine geringe Gewinnspanne aufweisen. Wird dieses positiv beantwortet, geht man systematisch nach den einzelnen Schritten der Direktmarketing-Systemplanung vor. Dann kann eigentlich nichts schiefgehen:

1. Schritt: Zielsetzung

Das Marketing- oder Verkaufsziel ist gleich zu Beginn zu fixieren und sollte nicht mehr aus den Augen verloren werden. Ziele können sein: Neukundengewinnung, Interessentengewinnung, Außendienstunterstützung, Händlerwerbung, Messeeinladung etc.

2. Schritt: Zielgruppenermittlung

An wen richtet sich das Mailing? Wer sind die potentiellen Käufer bzw. wer soll erreicht werden? Anhand der Zielgruppen legt man die möglichen Adressenquellen fest. Diese können entweder Eigendateien sein (Kunden, ehemalige Kunden, Interessenten) oder Fremdadressen (Branchen, Institutionen, Privatadressen etc.) (siehe Abb. nächste Seite).

3. Schritt: Entwickeln des Mailings

Dieser Schritt muß sehr sorgfältig durchgeführt werden. Er beginnt mit einer Planung der Bestandteile und des Gewichts. Daraus ergibt sich ein Kostenplan. Dieser muß nun optimiert, rationalisiert werden. Dazu muß man die postalischen Bestimmungen genauestens kennen. Dazu gehört aber auch die inhaltliche Gestaltung des Mailings, die kreative Arbeit. Das Mailing sollte enthalten: Versandumschlag, Antwortumschlag, personalisierter Werbebrief, Antwortformular möglichst zielgruppencodiert oder auch schon personalisiert, Prospekt, sonstige eventuelle Beilagen. Eine genaue Kostenaufstellung muß hier gemacht werden. Der *Break-even point* wird ermittelt: Ab welcher Rücklaufquote rechnet sich das Mailing?

Kunden finden – Kunden binden

Wie finde ich meine Zielgruppe:

❍ Eigene Kundendateien (heiße Adressen).
❍ Fremdadressen (kalte Adressen).
❍❍ Branchenadressen(ca. 4,5 Mio.):
- Land- und Forstwirtschaft
- Energie/Bergbau
- Fabrik / Industrie
- Handel
- Handwerk
- Dienstleistungsbetriebe und -berufe
- Kreditinstitute, Versicherungsgesellschaften
- Organisationen und Institutionen
- Behörden
- Wissenschaft und Forschung

❍❍ Privatadressen/Consumeradressen (ca. 28 Mio.)

4. Schritt: Versand
Das ist die Aufgabe eines *Lettershops* (wie z.B. des Merkur-Lettershop). Dieser ist dafür da, ein Mailing zu verarbeiten und zu verschicken. Das Druckerzeugnis (Werbebrief) bzw. die Druckerzeugnisse (Brief und Antwortelement) werden mit Adressen versehen und in Umschläge eingetütet. Anschließend werden sie nach Postleitgebieten sortiert, gebündelt und aufgeliefert.
Ein wichtiger Teil dieses Schritts ist das *Testmailing*. Dieser wird oft vergessen. Niemals sofort an die volle Adreßliste gehen! Ein oder zwei Testmailings helfen, die Rücklaufquoten bestimmter Werbeaussendungen zu verbessern und damit auf jeden Fall über den Break-even point zu kommen! Getestet werden können Zielgruppen, Werbemittelgestaltung, Verkaufsargumente, Preise, regionale Selektionen und Produkte. Ein Fachberater sollte Voraussetzungen und Erfolge von Testmailings überprüfen.

5. Schritt: Das Follow-up
Natürlich müssen die Reaktionen auf ein Mailing ebenfalls vorhergesehen und geplant werden. Ob es sich um mehr Personal für Stoßzeiten handelt oder ob Sie Versandaufträge an ein anderes Unternehmen geben, oder ob Ihr Außendienst plötzlich doppelt bis dreimal so viele Termine wahrzunehmen hat – es muß vorausgesehen und geplant werden, damit die Reaktionen auf das Mailing nicht nutzlos verpuffen! Es muß auch schnellstmöglich, d.h. spätestens nach zwei bis drei Wochen, von Ihnen reagiert werden.

Das sind die grundlegenden Schritte eines jeden Mailings, egal von welchem Unternehmen, egal für welches Produkt und egal an welche Zielgruppe."

„Auf die Gestaltung des Anschreibens und der Antwortkarte wollen wir hier gar nicht im Detail eingehen, da diese später im Buch noch ausführlich beschrieben werden. Aber bevor wir auf die beiden anderen oben genannten Situationen B) und C) zurückkommen, noch eine wichtige Frage: Was sind die häufigsten Fehler bei Mailings nach Ihrer Erfahrung?"

Merkur: „Am häufigsten ist natürlich der Fehler, nicht mit erfahrenen Profis zusammenzuarbeiten aus der Idee heraus, Kosten einzusparen. Dieses Denken ist immer teurer! Das beginnt ja schon bei der Zielgruppenwahl; es hat mit der Gestaltung des Umschlags zu tun, der Formulierung des Anschreibens und so unscheinbaren Details wie einem PS im Anschreiben und der bereits auf der Antwortkarte eingedruckten persönlichen Adresse des Antwortenden oder des Zielgruppencodes für die Responseauswertung. Der gravierendste Fehler ist die unprofessionelle Zeitplanung. Produktionszeiten werden nicht realistisch eingeschätzt und die ganze Aktion wird bei feststehenden Terminfixpunkten wie Wahlen oder Weihnachten zum Spießrutenlauf. Man könnte eine endlose Liste von Fehlern anführen; der häufigste ist ohne Zweifel der, sich nicht von vornherein den Rat von Profis zu holen."

„O.K., kommen wir auf die beiden anderen Situationen zu sprechen. Sie haben die Grundzüge eines Mailings beschrieben, die sicher auch auf Fall B) zutreffen, wenn ein Unternehmen nicht an Geschäftskunden, sondern an Privatkonsumenten werben möchte, die bereits gewohnt sind, per Post zu kaufen?"

Merkur: „Bei den Postkäuferadreßlisten, die wir als Listbroker vermitteln können, handelt es sich um Listen von Personen, die Direktwerbung akzeptieren und gewohnt sind, per Post zu kaufen, d.h. Entscheidungen zu treffen. Etwa 600 Datenkarten stehen hier zur Verfügung, um die passenden Zielgruppen auszuwählen. Jede einzelne Datenkarte umfaßt einen Kundenstamm von 5.000 bis über 1 Million Kundenadressen.

Das ‚Vermietungsprocedere' läuft nach ganz bestimmten vertraglichen Regeln zwischen dem Adressenvermieter und dem Listbroker (Vermittler) einerseits und zwischen dem Vermittler und Adressenbenutzer andererseits ab.

Vor jeder Einigung über den Adresseneinsatz holt z.B. der Vermittler die Genehmigung für den Adresseneinsatz beim Eigentümer ein. Die Konditionen werden festgelegt (z.B. nach Mindestberechnungssätzen und -Einsatzmengen usw.) und die zeitlichen Abläufe definiert. Die Adressenpflege obliegt dem Listeneigentümer.

Die Reagierer (Kunden, Interessenten) aus dem Mailing gehören wie bei allen anderen Fremdadressen auch dem, der das Mailing, die Aktion durchgeführt hat.

Um Überschneidungen bei der Auswahl von mehreren solcher Datenkarten zu vermeiden, werden die Adressen mittels einer speziellen Software vor dem Versand abgeglichen. Denn viele Postkäufer kaufen bei mehreren dieser 600 Unternehmen und tauchen daher in mehreren Dateien auf."

„Damit ist also eine sehr viel genauere Zielgruppenansprache möglich als sich dies manch ein Unternehmer vorstellen mag. Wie ist es nun mit Situation C): Ein Unternehmen möchte ein Produkt an eine exakt definierte Käuferschicht vermarkten und dafür ein Mailing durchführen?"

Merkur: „Man kann natürlich die eine Situation nicht von der anderen trennen. Aber grenzen wir diesen Fall einmal so ein: Ein Unternehmen möchte aus bestimmten Markterhebungen profitieren und auf diesem Wege Käuferschichten erreichen, die bislang nicht angesprochen wurden, und sich dabei des Instruments Mailing bedienen.

Wir haben es hier mit dem Instrumentarium modernsten *Database-Marketings* zu tun, das das eigentliche Marketing des kommenden Jahrzehnts sein wird. Die ersten Entwicklungen lassen bereits erkennen, welche Möglichkeiten sich hier eröffnen. Man stelle sich dazu nur folgendes vor:

Ich glaube als Unternehmen, daß Frauen der Altersgruppe 30 bis 40 Jahre überwiegend in den Monaten September und Oktober eine bestimmte Art von Artikeln zu entsprechenden Preisen kaufen werden. Die Zielgruppe definiere ich weiterhin als aufsteigende Käuferschicht mit modernen Verhaltensweisen und Selbstbewußtsein.

In der Tat ist das Spektrum der Möglichkeiten heute, in Kombination mit den Erkenntnissen der *Lifestyle-Forschung* und der *mikroökonomischen Datenanalyse,* äußerst vielfältig und macht ‚zugeschnittene' Mailings möglich. Datenbasis ist die Merkur-Privatkonsumentendatei mit zur Zeit ca. 28 Millionen Consumer-Adressen. In ihr sind die Erkenntnisse aus der Lifestyle-Forschung und der mikrogeografischen

Informationen hinterlegt. Statistische Erkenntnisse und Kaufkrafteinflüsse ergänzen weiterhin diesen umfangreichen Informationshaushalt.

Um es auf einen Nenner zu bringen: Je mehr ich über meine Kunden weiß, über ihr Kaufverhalten, ihre Bedürfnisse, Wünsche und Gewohnheiten, umso treffender kann ich ein Mailing auch mit Fremdadressen produzieren."

„Das leuchtet ein. Aber wir sollten diese beiden Begriffe noch etwas näher erläutern: Was sind die Lifestyle-Typen und was ist unter der mikroökonomischen Datenanalyse zu verstehen?"

Merkur: „Es gibt grob gesagt zwei Wege, um aus ganz normalen Fremdadressen interessante Zielgruppen zu machen. Diese wurden von uns mitentwickelt bzw. analysiert, um sozialwissenschaftliche Erkenntnisse für die Bedürfnisse modernen Marketings nutzbar zu machen. Die Namen der beiden Programme lauten:

Local Direct, ein Selektionsprogramm von Zielgruppen nach ihren Lebens- und Umweltbedingungen, mit Adressen von Menschen, die aufgrund ihrer Wohngebietszugehörigkeit bestimmte soziale Merkmale haben und ähnliche Verhaltensmuster aufweisen.

Lifestyle, ein Selektionsprogramm von Zielgruppen nach Lebensstil, Konsumgewohnheiten und Mediennutzung, dargestellt an zwölf Lifestyle-Typen.

Local Direct baut auf folgender wissenschaftlich erwiesener Erkenntnis des Marktforschungsinstituts *infas* auf: Menschen mit gleichem oder ähnlichem sozialem, beruflichem und finanziellem Status neigen dazu, in Nachbarschaft zu wohnen. Das sind Villenviertel, Reihenhausquartiere, Arbeitersiedlungen, Altbauviertel etc. In diesen *Quartieren* sind Kaufkraft und Konsumentenverhalten ähnlich. Oder umgekehrt ausgedrückt: Aus der Zuordnung einer bestimmten Adresse zu einem bestimmten Wohnquartier kann man Rückschlüsse auf das mögliche Kaufverhalten schließen! Die Einteilung der (westlichen) BRD in über 60.000 solcher Wohnquartiere wurde vor einigen Jahren von infas vorgenommen; die der neuen Bundesländer ist derzeit in Arbeit. Diese Wohnquartiere lassen sich in 53 Typen zusammenfassen. Wenn also eine bestimmte Adresse eines Wohnquartiertypus in Konstanz mit einer Adresse des gleichen Wohnquartiertypus in Flensburg verglichen würde, dann würde man feststellen, daß Konsumverhalten und sozialer Status, Kaufkraft etc. in etwa gleich oder ähnlich sind.

Diese Einteilung ermöglicht es, für ein ganz bestimmtes Produkt, das per Mailing angeboten werden soll, von vornherein den richtigen Wohnquartiertyp oder die richtigen Wohnquartiertypen herauszukristallisieren. So würden Sie z.B. kein Mailing an Adressen machen, die in statusniedrigen Quartieren leben, wenn Sie hochwertigen Schmuck verkaufen wollen – der Streuverlust wäre einfach zu hoch. Die Effektivität von Mailings kann auf diese Weise um 50 bis 100 Prozent gesteigert werden, was sich natürlich ganz enorm auf der Kostenseite bemerkbar macht.

Auch die eigenen Adressen eines Unternehmens können von uns anhand dieser Typologisierung gegliedert und ausgewertet werden. Daraus lassen sich beispielsweise wichtige Rückschlüsse ziehen, aus welchen Wohnquartiertypen die stärkste Produktkäufergruppe kommt, aus welchen die zweitstärkste etc. Mailings würden dann an ähnliche Wohnquartiere aus unseren Adreßdateien gerichtet werden.

Die zweite wichtige Einteilung ist die nach *Lifestyle-Typen* oder nach Lebensstil, Lebensgewohnheiten und Konsumverhalten. Die Lifestyle-Forschung wurde 1973 von Michael Conrad und Leo Burnett ins Leben gerufen und sie wird seither regelmäßig aktualisiert.

Gegenwärtig unterscheiden wir zwölf Lifestyle-Typen. Jedem Typus wird ein bestimmter Name zugeordnet, der einprägsam und typisch für diese Altersgruppe ist. Diese zwölf Gruppen sind die wichtigsten Käufergruppen für eine breite Angebotspalette von Consumer-Artikeln und daher eine bedeutsame Grundlage für die Planung eines jeglichen Mailings.

Man kann die eigenen Kundendateien ebenfalls nach dieser Typologie einteilen und auswerten. Daraus lassen sich wiederum wichtige Rückschlüsse auf die Struktur der eigenen Kunden ziehen, und die Auswahl weiterer Neukundenadressen fällt umso leichter, je genauer man die Lifestyle-Typen kennt, die das eigene Produkt kaufen.

Beide Wege des Marketing lassen sich durchaus kombinieren, also die Einteilung nach Wohnquartieren und nach Lifestyle-Typen. Man wird entdecken, daß jeder Lifestyle-Typ in der Regel einigen wenigen der 53 Wohnquartiere zugeordnet werden kann. Daraus können Sie bestimmte *Cluster* bilden, also soziogeografische Häufungen, wo Ihr Produkt oder ähnliche Produkte besonders häufig gekauft werden. Um ein ganz einfaches und banales Beispiel zu geben: An der Küste wird regenfeste Wetterkleidung häufiger gekauft als in der Großstadt im Süden unseres Landes. Dort wird man mehr Wert auf aktuelle Modekleidung legen. Das sind natürlich längst bekannte Daten – aber stellen Sie sich nun einmal vor, Sie wüßten genau, in welchen Straßenzügen Ihrer Stadt die Menschen häufiger zum Essen ausgehen als üblich? Für ein Restaurant, das mittels Mailing Kunden werben möchte, sind diese Informationen natürlich Gold wert. Überregional gesprochen: Wenn Sie Herrenoberwäsche verkaufen in einer gehobenen Qualitäts- und Preisklasse, dann ist es sicher von großer Bedeutung, wenn Sie wissen, wer

a) ein gehobenes Einkommen hat,
b) männlich ist,

c) Wert auf Qualität legt,

d) auf welche Ansprache reagiert,

um ein Mailing maßgerecht schneidern zu können und erheblich mehr Hemden auf diesem Weg zu verkaufen als jemand, der einfach mal 30.000 Adressen ins Blaue hinein anmailt.

Vielleicht gibt Ihnen das eine Idee, wie präzise, wie punktgenau heute ein Mailing geplant werden kann – und wie damit natürlich der Erfolg erheblich gesteigert werden kann."

„Es ist sicherlich nicht möglich, dies hier in allen Details auszubreiten; dafür dienen nicht zuletzt ja auch Ihre Direktmarketingseminare. Geben Sie uns zum Abschluß noch eine Prognose darüber, wie Sie den Stellenwert des Direktmarketing und speziell des Direct-Mailing für die Zukunft einschätzen?"

Merkur: „Lassen Sie uns vorher nur noch einen wichtigen Aspekt des Database-Marketing andeuten: das sogenannte *Cross-Selling*. Darunter ist bekanntlich zu verstehen, daß Sie Ihrem Kunden Zusatzartikel anbieten, bei denen es relativ wahrscheinlich ist, daß er sie ebenfalls kauft. Der gesamte Versandhandel expandierte auf dieser Idee. Heute ist jeder bestrebt, einem einmal gewonnenen Kunden möglichst viel anzubieten, ein möglichst breites Spektrum seiner täglichen und besonderen Bedürfnisse mittels Postverkauf abzudecken. Database-Marketing, insbesondere wenn es intelligent auf die eigenen Kundendateien angewandt wird, wird hier noch enorme Perspektiven bieten!

Aus all diesen Erkenntnissen heraus kann man eigentlich nur eines sagen: Die Zukunft gehört dem Direktmarketing! Denn Direktmarketing bedeutet, eine sofortige Response hervorzurufen. Das Bestreben, mittels bestimmter Medien einen unmittelbaren Kaufimpuls auszulösen, wird immer deutlicher und stärker. Der Trend zum Homeshopping wächst. TV und Btx (Datex-J) bieten heute schon die Möglichkeit des Teleshopping. In wenigen Jahren wird jeder Haushalt über sein TV-Gerät jeden Gebrauchsartikel bestellen können und binnen 24 oder 48 Stunden geliefert bekommen, von der Bohrmaschine zum neuen Autostaubsauger, vom Rasenmäher zur Unterwäsche, von der Zahnbürste bis zum Feinkostschinken.

Das kreiert gewaltige Datenbestände. Die oben angedeuteten Unterteilungen in Käuferstrukturen werden noch sehr viel differenzierter werden. Das wird dazu führen, daß Direct-Mailing als ein Arm des Direktmarketing noch gezielter, noch persönlicher eingesetzt werden wird, um Kaufimpulse auszulösen.

Wir sehen das Direct-Mailing für die Zukunft als unerläßliches Instrument der Kundengewinnung und Kundenbindung. Für jedes Unternehmen. Selbst der Ölhändler kann damit Kaufimpulse auslösen, auch wenn er ,nur' Öl verkauft. Mit etwas Phantasie wird sein Heizöl nämlich zu ,dem' Heizöl in seiner Stadt.

Das eröffnet auch neue Perspektiven, in einem Marktsegment, in dem derzeit nur und ausschließlich über den Preis verkauft wird, neue Impulse zu setzen und sich dem Wettbewerbsdruck etwas zu entziehen. Man braucht nur den Mut, einmal damit anzufangen. Auch Quelle und Otto haben es einmal getan, zunächst in kleinem Stil. Warum nicht auch ein mittelständisches Unternehmen, das einfach neue Kundenkreise erschließen möchte?

Und was noch viel entscheidender ist: Die moderne Medienlandschaft kreiert ganz neue Zielgruppen. Heute haben wir einen Markt von vielleicht 14 bis 15 Millionen Postkäufern. Das bedeutet, da liegt ein Potential brach von *neuen* Postkäufern. Mit Database-Marketing kann man sie auf ganz neue Produkte ansprechen. Ein letztes Beispiel dazu: Für einen bekannten Kaffeehersteller lobten wir eine Kaffeeverlosung aus. Wer antwortete, hatte die Chance, eine Kaffeerunde mit Service etc. zu gewinnen. Man mußte ein Polariod-Foto einschicken von der eigenen Kaffeerunde und ein kurzes Erlebnis dazu schildern. Das Mailing schlug ein wie eine Bombe! Tausende von Antworten von eingefleischten *Nicht*-Postkäufern! Database-Marketing!

Die einzelnen Werbeschienen, die heute vielleicht noch miteinander konkurrieren, werden zusammenwachsen, sie werden sich gegenseitig unterstützen. Direktmarketing ist ein Klavier, auf dem viele Melodien gezaubert werden können. Aber man muß es zu spielen wissen. Und genau darin sehen wir als Direktmarketing-Spezialist die ganz große Chance der Zukunft!"

Kunden finden – Kunden binden

Die Leiter der Loyalität

Werbeagentur 3001

Carmen Messina

„Werbung per Direct-Mailing ist eine hochprofessionelle Angelegenheit, mit der sich durchaus vorhersagbare Resultate erzielen lassen.“

Vorzustellen ist im folgenden die Werbeagentur 3001, geleitet von Frau Carmen Messina. Diese Agentur hat sich besonders auf das Direct-Mailing spezialisiert, um Firmen und Unternehmen zu helfen, neue Kunden zu finden. Das Direktmarketing an sich ist bereits ein riesiges Fachgebiet, das heute kaum mehr von einer Einzelagentur in allen seinen Facetten bewältigt werden kann. Die Konzentration auf einen einzigen kleinen Service innerhalb des Direktmarketings, eben auf das Direct-Mailing, ist also äußerst begrüßenswert. Aber zunächst: Was bedeutet Direct-Mailing?

Carmen Messina: „Wörtlich übersetzt heißt es ‚direkter Postversand'. Freier übersetzt könnte man sagen ‚direkter Verkauf per Post' bzw. ‚direkter Verkauf per Brief und Antwortkarte'.

Beim Direct-Mailing wird ein Brief derart konzipiert, daß er beim Empfänger eine Reaktion verursacht, genauer gesagt, daß er einen Kauf einleitet. Der Empfänger muß sich durch den Brief angesprochen fühlen, üblicherweise eine beigefügte Antwortkarte ausfüllen und sie zurücksenden. Und das genau ist bereits die große Kunst beim Direct-Mailing: der Empfänger muß sich angesprochen fühlen. Wenn man bedenkt, wieviele verschiedene Menschen es gibt und wieviele Möglichkeiten man zur Verfügung hat, um Menschen anzusprechen, so hat man eine ungefähre Vorstellung davon, was es heißt, jemanden zu einer Reaktion zu bewegen. Hinzu kommt die Überflutung jedes einzelnen durch die Gesamtzahl der Medien. Es ist also schon ein kleines Kunststück, einen Brief so zu formulieren, daß der Empfänger die Mühen auf sich nimmt zu antworten."

„Warum ist es gescheit, per Direct-Mailing zu werben?"

Carmen Messina: „Es gibt einen ganz einfachen Grund, warum sich das Direct-Mailing so sehr lohnt: Es ist außerordentlich preiswert im Vergleich zu anderen Werbemaßnahmen!

Als erstes bestimmen Sie die Zielgruppe, die mit Ihrem Brief angesprochen werden soll. Dazu gibt es eine große Bandbreite an Know-how. In Kurzform könnte man sagen, daß Ihre Zielgruppe durch gewisse Vorlieben und Abneigungen gekennzeichnet ist. Auf ganz spezielle Dinge reagiert diese Zielgruppe positiv und auf andere eher negativ. Diese gilt es herauszufinden. Aufgrund der oben erwähnten Vielzahl an Möglichkeiten ist es eine immense Hilfe, die Zielgruppe zu bestimmen und zu charakterisieren. Sie versenden dann z.B. einen auf diese Zielgruppe zugeschnittenen Brief in einer Anzahl von 3.000 Stück.

An der Menge der eintreffenden ausgefüllten Antwortkarten können Sie Ihren Erfolg oder Mißerfolg erkennen. Sagen wir, es kommen 60 Antwortkarten zurück. Dies bedeutet 60 neue Kunden oder potentielle Kunden. Der Testlauf war somit erfolgreich. Bei einer Aussendung von 30.000 Briefen an die gleiche Zielgruppe können Sie dann mit 600 Antworten bzw. Kunden rechnen, bei 100.000 Briefen mit ca. 2.000 Kunden. Das heißt, Sie gehen nie ins volle Risiko. Der Geldeinsatz ist dabei am Anfang vergleichsweise gering. Funktioniert die Testaussendung jedoch, können Sie sehr hoch gewinnen. Vor allem können Sie bereits nach dem ersten Testlauf ganz genau den Kosten-Nutzen-Faktor errechnen. Sie können sehr genau ermitteln, wieviel die Neukunden-Gewinnung kosten wird. Die Testkosten hingegen sind vergleichsweise gering."

„Was unterscheidet Direct-Mailing von der üblichen Werbung?“

Carmen Messina: „Nun, ganz einfach: Das Direct-Mailing ist eine der wirkungsvollsten Verkaufsmethoden überhaupt!

Allgemein krankt die Werbung heute daran, daß hier keine oder zu wenig vorhersagbare und meßbare Resultate erzielt werden. Wie kann man z.B. die Effektivität eines Fernsehspots messen, oder die eines Messestandes? Da wird es schon schwierig, die in der Nachfolgezeit getätigten Verkäufe auf die einzelnen Aktivitäten zurückzuführen. Außerdem bleibt noch die Frage, ob man seine spezielle Zielgruppe mit dem gewählten Werbemedium auch wirklich erreicht. Der Streufaktor ist verhältnismäßig hoch.

Nicht so beim Direct-Mailing: Hier können exakt die Rücklaufquoten bei Briefaussendungen gemessen werden, und außerdem gehen die Briefe an genau die richtige Zielgruppe. Ein Profi kann zu 50–90% vorhersagbare Resultate erzielen.“

„Wie funktioniert eigentlich das Direct-Mailing?“

Carmen Messina: „Das Direct-Mailing ist auf den ersten Blick sehr einfach: Man verfaßt ein Anschreiben, erläutert die Waren oder Dienstleistungen und fügt eine Rückantwortkarte bei. Auf den zweiten Blick erkennt man sehr schnell, daß außerordentlich viel Know-how existiert, um gute Resultate zu erzielen. Dieses Know-how ist mittlerweile tausendfach getestet, sogar von Wissenschaftlern. Längst wurde festgestellt, in Tausenden von Versuchen, wie der Kunde reagiert, der das Direct-Mailing erhält. Aufgrund dieser genauen Beobachtung wurde ein sehr präzises Know-how entwickelt. Im Detail ist es einfach, aber die Kombination vieler einzelner kleiner Punkte, die für sich genommen unscheinbar sind, machen den Erfolg einer Direct-Mailing-Aktion aus.“

„Wie sieht beispielsweise ein optimal gestaltetes Direct-Mailing aus?“

Carmen Messina: „Ein optimal gestaltetes Direct-Mailing fängt, wie bereits erwähnt, bei der Bestimmung der Zielgruppe an. Dazu müssen Sie natürlich einiges über die Beschaffung von Adressen wissen. Die besten Adressen sind diejenigen, die der Unternehmer selbst sammelt bzw. gesammelt hat. Dies ist einleuchtend, denn eine bereits bestehende Geschäftsbeziehung kann durch nichts besseres ersetzt werden. Das Vertrauen ist von vornherein vorhanden.

Bei den zweitbesten Adressen handelt es sich um sogenannte ‚Kaltadressen‘, d.h. diese Leute hatten bisher noch keinen Kontakt zu der Firma. Zur richtigen Auswahl dieser Adressen stehen Zielgruppen-Kataloge von Adreßfirmen zur Verfügung. Die Lektüre dieser Kataloge ist spannend wie ein Krimi, wenn Sie sie mit den Augen eines Unternehmers lesen, der verkaufen will. Zum Herausfinden der richtigen Adressen sind verschiedene Fragen von Wichtigkeit: Als erstes natürlich, stimmt die Zielgruppe? Dies ist bei weitem die wichtigste der Fragen. Dann, hat diese Zielgruppe bereits in der Vergangenheit per Direct-Mailing gekauft? Wenn ja, wann zuletzt? Wie häufig wurde sie bereits angeschrieben? Wie aktuell ist die Liste? Ist die Liste für jeden frei zugänglich, oder gibt es vom Besitzer Sperrungen? Nach Klärung dieser Punkte gibt es noch einen Aspekt. Die Erfahrung hat gezeigt, daß die günstigsten Adressen diejenigen sind, die am nächsten zum Firmensitz des Verkäufers angesiedelt sind.

Der nächste äußerst wichtige Bestandteil eines optimal gestalteten Direct-Mailings ist der Briefumschlag. Wenn man bedenkt, daß ca. 80% aller Briefumschläge ungeöffnet in den Papierkorb wandern, ist die Wichtigkeit klar erkennbar. Zur Gestaltung des Briefumschlags gibt es viele Techniken und Methoden. Man kann z.B. mit Top-Angeboten locken, ein Spiel oder eine Überraschung ankündigen oder ein Geheimnis andeuten. Sehr gute Erfahrungen haben wir auch mit einer lustigen Darstellung der Vorteile gemacht. Wenn man den zukünftigen Kunden zum Schmunzeln bringen kann, hat man bereits einen Großteil des Weges hinter sich. Aber ganz egal wie man es anstellt, das einzige Ziel des Umschlages besteht darin, daß er geöffnet wird.

Beim Anschreiben muß man beachten, daß es dreimal gelesen wird. Buchstäblich Tausende von Tests mit Videokameras haben zweifelsfrei bewiesen, daß der Leser zunächst den Slogan, das Bild und das P.S. aufnimmt. Danach liest er die fett gedruckten, unterstrichenen Worte. Erst zuletzt, also im dritten Durchgang, liest er den gesamten Werbetext. Folglich ist es äußerst wichtig, den Leser bereits mit der Schlagzeile zu fesseln. Seine Aufmerksamkeit muß unmittelbar gepackt werden, in kürzester Zeit, optisch und inhaltlich. Der Leser muß sofort seinen Vorteil in dem Angebot erkennen und muß neugierig werden. Das erreicht man natürlich nur mit einer frischen und griffigen Schlagzeile, die nicht abgedroschen ist und intelligent getextet wurde.

Das anschließende Bild oder Symbol muß sehr leicht verständlich sein und den Vorteil des Lesers zum Ausdruck bringen. Wenn das Bild den Betrachter noch zum Schmunzeln bringt, so ist das die Hohe Schule. Im PS sollte noch ein zusätzlicher Vorteil und/oder eine Kaufaufforderung enthalten sein.

Und weiter: Das eigentliche Anschreiben muß einfach und präzise gehalten sein, ohne Fremdwörter, in einer bildhaften Sprache. Die Vorteile für den zukünftigen Kunden müssen klar erkennbar sein, fett gedruckt oder unterstrichen. Mit dem Anschreiben wird zunächst die Aufmerksamkeit des Lesers geweckt, sein Interesse wird im weiteren Verlauf so weit gesteigert, daß er gegen Ende des Briefes den Wunsch nach dem angebotenen Artikel verspürt und er handelt, also er bestellt mit der beiliegenden Antwortkarte.

Die Gestaltung der Antwortpostkarte ist wiederum eine kleine Wissenschaft für sich. Sie darf in keinster Weise den frisch gestarteten Aktionsfluß des Bestellens stoppen. Dazu muß sie einfach und übersichtlich aufgebaut sein. Alle für den Besteller wichtigen Punkte müssen klar ersichtlich sein, wie z.B. der Absender, das bereits beschriebene Produkt, die Mengenangabe, der Preis, usw. Die Postkarte sollte ebenfalls einen „Aufmerksamkeitsfänger" aufweisen, der dem Leser seinen Vorteil verdeutlicht. Außerdem darf sie nie langweilig gestaltet sein; denn das Interesse des zukünftigen Kunden soll ja aufrechterhalten bleiben bzw. noch verstärkt werden. Dazu muß am Schluß jeder Postkarte eine kompromißlose Kaufaufforderung stehen. Die Kunst besteht also darin, den Leser durch das Aufführen und Erläutern seiner Vorteile zum Bestellen zu bewegen. Man muß ihn sozusagen durch seine gesamten Einwände, die sich in seinem Geiste auftun, hindurchführen bis er von den Vorteilen des Angebotes überzeugt ist. Wie nahe am Optimum Ihr Direct-Mailing nun gestaltet ist, erkennen Sie ganz genau an der Anzahl der Rückläufe Ihrer Antwortkarte."

„Was muß man für ein erfolgreiches Direct-Mailing noch beachten?"

Carmen Messina: „Der Zeitpunkt der Aussendung ist von großer Bedeutung. Abhängig von der Branche des Unternehmens gibt es Monate, die für ein Direct-Mailing besser sind als andere. So wäre es z.B. reine Geldverschwendung, kurz vor oder während der Photokina ein Direct-Mailing an Hersteller von Fotoapparaten zu versenden. Es würde sich kaum ein Mensch für einen noch so gut gestalteten Brief interessieren, da fast alle Mitarbeiter mit der Vorbereitung der Messe beschäftigt sind. Nahezu jede Branche hat spezielle Termine für Fachmessen oder branchenspezifische Veranstaltungen, die ein Direct-Mailing zu einem unwichtigen und vielleicht sogar lästigen Papier herabsetzen. Diese Termine muß man natürlich kennen.

Es gibt aber auch noch allgemein „schlechte" Zeiten für ein Direct-Mailing. Wenn es beispielsweise besonders heiß im Sommer ist oder wenn die Fußball-Weltmeisterschaft läuft und sich niemand wirklich für etwas anderes interessiert, ist es falsch, ein Direct-Mailing zu lancieren. Außerdem sollte ein Direct-Mailing an private Adressen nicht am Montag oder Dienstag beim Empfänger eingehen. An diesen Tagen verstopft erfahrungsgemäß die meiste Post den Briefkasten. Das heißt, speziell der Montag – und auch noch der Dienstag – sind tabu als Empfangstage. Unwichtige Briefe werden an diesen Tagen zu oft aussortiert und ungelesen weggeworfen. Die besten Wochentage des Eingangs sind offenbar der Freitag und Samstag, weil der Empfänger am Wochenende mehr Zeit für die Werbung besitzt. Die optimale Zeit bei privaten Adressen: Wochenmitte aussenden, so daß die Post zum Wochenende ankommt. Bei gewerblichen Adressen dagegen gilt: Vermeiden Sie, daß die Post am Wochenende ankommt, da sie sich bis zum Wochenanfang ansammelt und den Empfänger dann überflutet. Bei gewerblichen Adressen ist die Wochenmitte am besten für den

Erhalt eines Direct-Mailings geeignet. Man muß, mit anderen Worten, eine gewisse Nase, ein Gespür dafür entwickeln, wie die einzelnen Branchen ticken.“

„Gibt es bezüglich der Postvorschriften etwas zu beachten?“

Carmen Messina: „Nach der Erhöhung der Postgebühren im Sommer 1993 ist es von äußerster Bedeutung, daß vor dem Versand des Direct-Mailings die Portokosten in Erfahrung gebracht werden. Parallel dazu muß das richtige Papiergewicht ausgesucht werden. Es ist nur ein Aspekt, daß das Papier gut aussieht. Ein ganz anderer Aspekt ist, daß das Porto richtig berechnet wird. Da ist die Papierdicke ein ausschlaggebender Faktor, natürlich neben der Menge des Papiers. So sollte jedes Mailing bereits in der Konzeptionsphase genau ausgewogen werden. Ein Gramm mehr oder weniger macht sehr viel aus, wenn es gerade an der Gewichtsgrenze zum nächsthöheren Entgelt liegt. In diesem Zusammenhang ist es auch wichtig zu recherchieren, wie das Porto in drei Monaten aussehen wird. Fehlkalkulationen können hier fatal sein. Bei einer Aussendung von 100.000 Briefen sprechen wir bei 0,50 DM Mehrporto gleich von 50.000 DM Mehrausgaben.

Ein sehr wichtiger und für das Direct-Mailing nicht zu unterschätzender Service der Bundespost ist der „Infopost“-Tarif. Zur Ausnutzung dieses Tarifes ist es erforderlich, daß die Adressen nach Orten und Leitbereichen geordnet werden. Durch diese Portooptimierung können die Portokosten auf ein Mindestmaß heruntergeschraubt werden. Dies alles gehört natürlich zum Service am Kunden und bringt die Vorteile des Direct-Mailings erst voll zum Tragen.“

„Besteht also das Direct-Mailing zum größten Teil aus einem festumrissenen Know-how?“

Carmen Messina: „Dem erfolgreichen Direct-Mailing liegen zwei große Gebiete zugrunde. Zum einen ist es das bereits erläuterte objektive Werbe-Know-how, zum anderen natürlich aber auch die Kreativität. Es kommt immer auf den einzelnen Werber an, wie er sein Fachwissen umsetzt. Das Know-how ist sein Werkzeug, mit dem er die Produkte, sprich die Werbung herstellt. Nicht jeder Bildhauer kann mit Hammer und Meißel ein Kunstwerk erschaffen. Genauso ist es in der Werbung. Der Werber muß das gesamte Know-how im Schlaf beherrschen. Erst dann kann er mit seinem Wissen ‚jonglieren‘ und seine Kreativität voll einbringen. Und gerade die Kreativität des einzelnen macht aus einem Direct-Mailing eine Werbebotschaft, die angenommen wird und die etwas bewirkt. Durch die Kreativität des Werbers wird aus dem beschriebenen Papier ein Brief, der etwas verkauft.

Werbung per Direct-Mailing ist also eine hochprofessionelle Angelegenheit, mit der sich – richtig umgesetzt – durchaus vorhersagbare Resultate erzielen lassen.“

Alfons Bromkamp
TAS Telemarketing Gesellschaft für Kommunikation und Dialog mbH

„Telefonmarketing ist heute für alle Unternehmen ein unentbehrliches Instrument der Kundengewinnung und Kundenbindung.“

Direktmarketing umfaßt jede marktgerichtete Aktivität, um

- ❑ Zielgruppen in individueller Einzelansprache zu erreichen und
- ❑ einen direkten, nachvollziehbaren Kontakt herzustellen.

Verschiedene Instrumente des Direktmarketing stehen zur Verfügung, eines davon soll in diesem Kapitel näher beleuchtet werden: das Telefonmarketing. Ziel ist auch hier, einen Dialog mit dem Kunden aufzubauen, um ihn entweder als Neukunden zu gewinnen oder an das eigene Unternehmen zu binden. Warum Telefonmarketing?

Wir wissen heute: die Massenmärkte zerfallen in immer kleinere Marktsegmente. Das bedeutet, nicht mehr ein Produkt wird in einen großen Markt verkauft, sondern immer mehr Produkte in immer kleinere Marktsegmente. Für flexible Unternehmen bieten sich hier neue Marktnischen; für große, eingefahrene Strukturen kann es zu Problemen bei der Umstellung führen. Ein immer größerer Aufwand ist nötig, um Produkte oder Dienstleistungen zu vermarkten. Die Personalkosten im Außendienst steigen, die Deckungsbeiträge sinken.

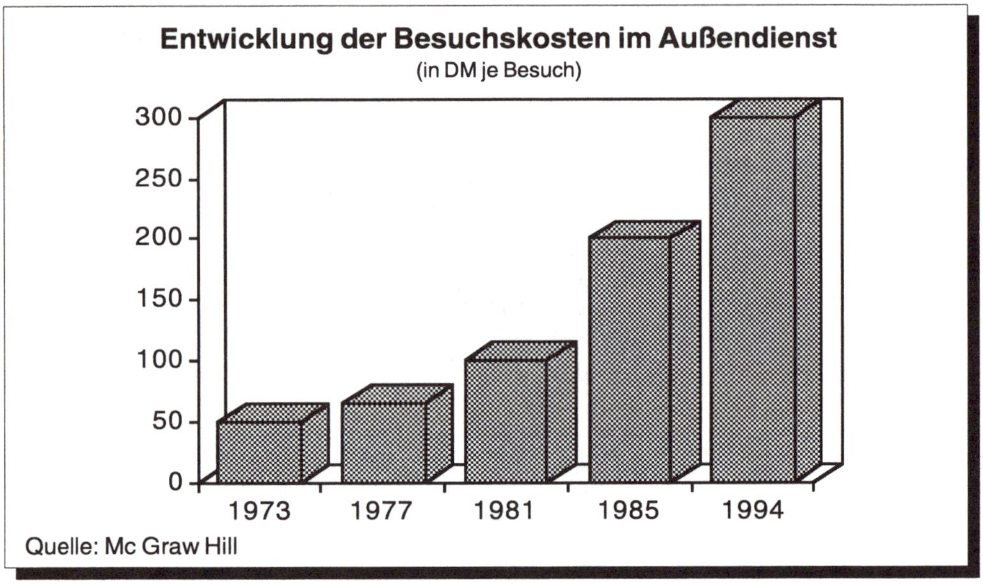

Diese rasante Kostenexplosion bedeutet:

- ❑ immer weniger Produkte oder Dienstleistungen können noch direkt und ausschließlich über den Außendienst verkauft werden;
- ❑ immer weniger Kunden können noch persönlich besucht werden;
- ❑ die Beratungsqualität sinkt;
- ❑ die Kunden fühlen sich unzureichend betreut und wechseln zum Wettbewerber.

Jedoch, wer im Markt erfolgreich sein will, der kann nicht auf die individuelle Ansprache seiner Zielgruppe und auf den ständigen Dialog mit seinen Kunden verzichten. Dies zu vertretbaren Kosten zu tun, ist heute zu 80 Prozent per Telefon möglich – die Antwort heißt mit anderen Worten: Telefonmarketing. Strategisch geplantes und professionell durchgeführtes Telefonmarketing. Kein anderes Medium als das Telefon kann so kostengünstig, so schnell und mit derart hoher Ausschöpfung so große Potentiale identifizieren, qualifizieren und betreuen.

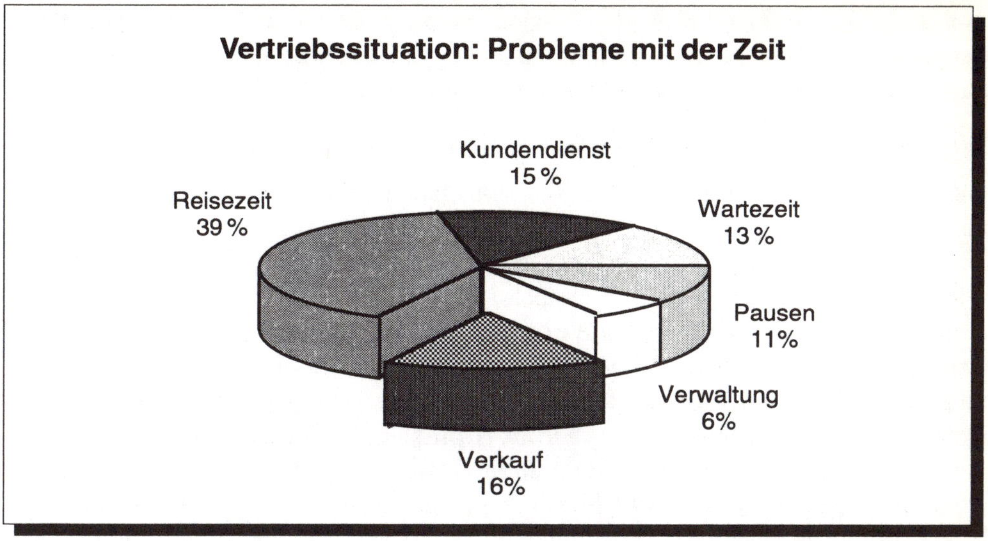

Wenn wir uns die zahlreichen Telefonmarketing-Unternehmen betrachten, lassen sich zwei grundverschiedene Tendenzen unterscheiden: auf der einen Seite stehen die reinen Telefonbüros, die genau festgelegte Aktionen durchführen und keinerlei konzeptionelle Leistungen bieten. Daneben finden wir die echten „Kreativagenturen", die komplette Akquisekonzeptionen entwickeln und auch bei der kreativen Umsetzung mitarbeiten.

Eine jener Kreativagenturen ist *TAS Telemarketing* in Bochum. Im Jahre 1982 wurde die TAS gegründet – mit einem einzigen Telefon und einer Telefonberaterin. Heute unterhält das Unternehmen bereits in elf deutschen Städten Stützpunkte. Täglich werden von über 400 Telefonarbeitsplätzen aus bis zu 15.000 Gespräche geführt. Das ergibt ein Jahresvolumen von 3 Millionen Gesprächen. Die TAS arbeitet inzwischen für 69 der rund 100 größten Unternehmens in Deutschland – eine steile Karriere. Geschäftsführer und geistiger Kopf des Bochumer Büros ist Alfons Bromkamp, der uns zum Gespräch empfängt. Die Büroatmosphäre ist gelöst, ruhig, unverkrampft. Kaum zu glauben, daß allein von diesem Büro aus rund eine dreiviertel Million Gespräche pro Jahr geführt werden können.

Statt in winzigen schallisolierten Glaskästen, wie man sie aus vielen Büros der Mitbewerber kennt, sitzen die Telefonberater an großen, bequemen Tischen mit Blick aus dem Fenster. Und statt klischeehafter Agenturattribute schmücken zahlreiche „antike" Telefonapparate die Büros, an den Wänden hängt eine ganze Serie signierter Bilder – die Ausstellung einer Mitarbeiterin, wie Herr Bromkamp erklärt. Kreativität steht hoch im Kurs, sowohl in Sachen Personalmotivation als auch bei der Kundenbetreuung. Doch bevor ein Kunde in den Genuß des breitgefächerten Leistungsangebotes der TAS kommt, steht eine grundsätzliche Frage im Raum:

Wozu sollte man sich überhaupt mit professionellem Telemarketing befassen?

Ganz einfach: der telefonische Kontakt ist nach dem persönlichen Besuch die direkteste und verbindlichste Form der Ansprache. In Zeiten, in denen sowohl Preise als auch Produkte immer vergleichbarer werden, stellt der telefonische Kontakt die wichtigste Verbindung zwischen Interessent und Unternehmen dar. Leider liegt genau hier ein großes Mißverständnis begraben. Tatsächlich herrscht in manchen Unternehmen noch das Motto: „Telefonieren kann doch jeder, wozu sollen wir in Telemarketing investieren, das macht unsere Sachbearbeiterin doch gleich mit...“ – Ein Denkfehler mit Langzeitwirkung! Alfons Bromkamp: „Unternehmen ohne speziell geschulte Telefonmitarbeiter können unter Umständen viel Porzellan zerschlagen. Denn in der Regel werden große Summen in einen professionellen Werbeauftritt, in Printanzeigen und Marketingaktivitäten investiert. Wenn interessierte Kunden dann anrufen, nennen wir dies *passives* Telemarketing. Wenn dagegen der Kontakt vom Unternehmen ausgeht, handelt es sich um *aktives* Telemarketing. In beiden Fällen gilt: wenn Kunden sich am Telefon mit einem unbeholfenen, eventuell unfreundlichen Sachbearbeiter konfontiert sehen, kann dies die mühsam aufgebaute Wirkung des Werbeauftritts zunichte machen! Und ein Kunde, der eine negative Erfahrung mit dem Telefonpersonal eines Unternehmens hinter sich hat, wird künftig diese negative Assoziation herstellen, ganz gleich, ob dies ein Einzelfall ist oder nicht.“

Was kann Telemarketing?

Das Angebot der Bochumer TAS Telemarketing umfaßt die ganze Palette der telefonischen Kundenbetreuung: Erstkontakt, Befragung, Marktforschung, Bedarfsermittlung, Terminvereinbarung und Reaktivierung von Kunden. Wie profitiert der Kunde nun von diesem facettenreichen Leistungspaket?

Alfons Bromkamp: „Es gibt 50 Gründe und mehr, zum Telefon zu greifen. Unsere Leistungen umfassen neben dem eigentlichen Telefonat zahlreiche ergänzende Maßnahmen zur Vertriebsoptimierung. Und zwar sowohl bei der Neukundenakquise als auch bei der Kundenrückgewinnung. Bei der Neuakquise beginnt unsere Arbeit bereits mit der Adressenqualifizierung, d.h. wir arbeiten nur mit erstklassigen, aktuellen Daten. Dazu gehören absolut zuverlässig recherchierte Adressen, eine detaillierte Zielgruppenanalyse und eine Bedarfsanalyse. Wenn man weiß, daß über 69% aller unzufriedenen Kunden eine mangelhafte Betreuung als Grund für ihre Unzufriedenheit angeben, erkennt man schnell, wie wichtig eine regelmäßige Betreuung ist. Hierzu ist das Telefon ebenfalls ideal. Ebenso wie bei der Rückgewinnung von ehemaligen Kunden, die oft sogar dankbar für Nachfragen sind, sich aber in jedem Falle über einen Anruf freuen – wenn er professionell ausgeführt wird. Dazu gehört unbedingt eine sorgfältige Kundenpflege per Telefon; angestrebt werden sollte der Aufbau einer langfristigen Kundenbeziehung. Dazu zählen z.B. Einladungen, Messepromotions, Nachfragen bez. Zufriedenheit, einfach die gesamte Kontaktpflege. Darüber hinaus verfügen wir über Technik und Software, die uns eine umfassende Auswertung der Gespräche ermöglicht. Wir können also ein konkretes Stimmungsbild über die Lage vor Ort, sprich beim Kunden, zeichnen, wozu das Telefon ebenfalls optimal geeignet ist. Selbstverständlich profitiert der Außendienst vom Telemarketing – aber dazu später mehr. Interessant wird der Einsatz von Telefonmarketing auch im Vergleich zu Mailings: bei uns liegt die ‚Verweigerer'-Quote beim Erstkontakt nicht über 5%, das heißt: 95% sind grundsätzlich zu einem Gespräch bereit, während bei einem Mailing die Responsequote meist zwischen 1% und 4% beträgt. Der vielzitierte Telefonverkauf an sich findet bei uns dagegen weniger statt.

Statt dessen fungieren unsere Telefonberater häufig als Türöffner für den Außendienst, der dann im persönlichen Gespräch den Verkauf in Angriff nimmt. Dies sind – grob gesagt – die Möglichkeiten des Telemarketing."

Telefonieren oder telefonieren lassen?

Alfons Bromkamp: „Unser Kunde steht zunächst vor der Entscheidung, entweder eine eigene Telefonmarketing-Abteilung aufzubauen oder uns als externe Berater für ihn telefonieren zu lassen."

Keine leichte Entscheidung. Für den Aufbau einer internen Abteilung spricht vor allem:

- ❑ Bessere Produktkenntnisse der Telefonberater
- ❑ Rascherer Zugriff auf Daten
- ❑ Schnellere Konsequenzen aus den Kundenwünschen
- ❑ Besseres Reklamationsmanagement

Demgegenüber steht die meist kostspielige Anschaffung eines speziellen Telefonarbeitsplatzes. Dazu gehören Telefonanlagen mit genügend Amtsleitungen, Mikrofone und Ohrhörer, Mitschneidegeräte, Gebührenzähler, ggf. Computer, Schallisolierungen der Telefonplätze, freundliche und positive Ausstattung des Raumes und eine gute Beleuchtung. Die wenigsten Firmen verfügen bereits über einen solchen Platz und genügend qualifiziert ausgebildete und permanent trainierte Manpower, sprich entsprechend motiviertes Personal. Und genau hier kommt die TAS ins Spiel."

Alfons Bromkamp: „Wenn ein Kunde sich für den Aufbau einer eigenen Telefonmarketing-Abteilung entscheidet, dann implementieren wir diese Abteilung in sein Unternehmen, indem wir das Personal rekrutieren und schulen. In diesem Fall werden zunächst mit dem Kunden folgende Fragen geklärt:

- ❑ Wie groß muß die neue Abteilung sein?
- ❑ Welche Aufgaben sind zu bewältigen?
- ❑ Welche Daten sind bereits vorhanden?
- ❑ Wieviele Anrufe werden voraussichtlich durchgeführt?
- ❑ Soll die Abteilung mit dem Außendienst verknüpft arbeiten?
- ❑ Wie soll die neue Abteilung in die bestehende Organisationsstruktur eingebunden werden?
- ❑ Welches Entlohnungsmodell soll angewendet werden?

Anschließend wählen wir gemeinsam mit dem Kunden das Personal aus, wobei wir annähernd dieselben Kriterien zugrunde legen wie auch bei unseren Telefonberatern."

Wer soll telefonieren?

Nicht jeder ist den harten Anforderungen als Telefonberater gewachsen. Was erwartet einen Bewerber, der sich bei der TAS vorstellt?

Alfons Bromkamp: „Das Telefonieren mit völlig Unbekannten ist ein harter Job und sollte gutgelaunt und motiviert durchgeführt werden. Erfahrungsgemäß läßt nach ca. vier Stunden die Leistungskurve nach, weshalb wir in einem Mehrschichtensystem arbeiten.

Aus diesem Grunde können an unseren 50 Telefonplätzen rund 150 hochmotivierte Berater tätig sein. Dies ist z.B. für Berufswiedereinsteiger ideal, die keine Vollzeitbeschäftigung suchen. Die Bewerber werden per Stellenanzeige aufgefordert, sich telefonisch zu melden. Hier findet die erste Selektion statt. Wie angenehm ist die Stimme des Anrufers? Spricht er dialektfrei? Verfügt er über Schlagfertigkeit, Charme und Charisma? Beherrscht er einen ausgeprägten Wortschatz? Diejenigen, die hier positiv auffallen, werden zu einem persönlichen Gespräch eingeladen. Dieses findet in der Gruppe statt. Warum? Das Gruppenverhalten ist elementar. Da wir keine schallisolierten ‚Glaskästen' benutzen, herrscht ein starker Teamgeist in unserem Büro. Deshalb ist zu prüfen, ob der Bewerber frei vor der Gruppe sprechen kann, ob er kluge Fragen stellt. Unterbricht er beim Zuhören? Hier findet wieder eine Selektion statt.

Die ‚Besten' werden schließlich zu einem Seminar eingeladen. Hier befindet sich die dritte Selektionsstufe – denn manch einer hat Angst vor dem Medium Telefon und war sich dessen ursprünglich gar nicht bewußt. Diese Kandidaten scheiden natürlich ebenfalls aus.

Von den Bewerbern bleiben am Ende rund 3% übrig, die dann tatsächlich anfangen. Diese werden dann intensiv geschult, so daß wir unserem Kunden eine perfekte Telefonmannschaft bieten können.“ Ein großer Schritt für das Unternehmen – und eine gute Basis für künftige Aktionen.

Ist das nicht viel zu teuer?

Angenommen, ein Kunde ist an den Dienstleistungen der TAS interessiert, schreckt aber vor den Kosten zurück. Wie rechnet sich der Einsatz des Telefons im Vergleich zu herkömmlichen Marketinginstrumenten, z.B. dem Außendienst? Alfons Bromkamp: „Erfahrungswerte dokumentieren, daß der Besuch eines Außendienstmitarbeiters durchschnittlich 300 DM kostet – und zwar unabhängig vom Ergebnis. Eine in Anbetracht des Risikos recht hohe Investition, oder? Ein Akquisetelefonat dagegen kostet nur um die 20 DM. Ferner lassen sich per Telefon sehr viel mehr Kontakte pro Tag herstellen als mit dem Außendienst, was wiederum die Erfolgsquote hebt. In Zahlen hieße das: Ein Außendienstmitarbeiter, der pro Tag vier Termine wahrnimmt, könnte in der selben Zeit rund 40 Telefonate führen. Da unser Kunde meistens das Problem hat, Vertriebspersonal und Geld effizienter als bisher einsetzen zu wollen, ohne neue Kosten zu verursachen, liegt die Konsequenz auf der Hand.

Daraus folgt, daß ein Außendienstbesuch nur tatsächlich dort stattfinden darf, wo er sich auch lohnt. In der Praxis sieht das so aus, daß wir die ‚Kaltakquise‘ per Telefon übernehmen und die Gesprächspartner auf den Besuch des Außendienstmitarbeiters vorbereiten. Die Telefonberater arbeiten dem Außendienst zu, indem sie z.B. genaue Notizen über die Wünsche und Reaktionen der Zielperson am anderen Ende in die EDV eingeben.

Daraus lassen sich quasi maßgeschneiderte Gesprächsvorlagen herstellen, mit denen die Außendienstmitarbeiter ganz individuell auf den potentiellen Kunden eingehen können, anstatt für einen viel zu hohen Kostenaufwand als ‚Türöffner‘ zu fungieren. Was natürlich motivierend auf den Außendienst wirkt.“

Zu diesem Thema erstellt die TAS übrigens ein Außendiensthandbuch. Es stellt eine wirkliche Innovation in Sachen Kundenakquise dar und leistet wertvolle Hilfe, Orientierung und Motivation, visuell und verbal.

Um der Vertriebsproblematik des Kunden wirksam zu begegnen, wird im ersten Schritt ein spezielles Betreuungsprogramm entwickelt. Die Umsetzung beginnt mit einer Auftaktveranstaltung, wo allen Außendienstmitarbeitern Telefonmarketing vorgestellt, das geplante Projekt präsentiert und die Vorgehensweise transparent gemacht wird. Kunden-Außendienst und TAS-Telemarketing-Innendienst, wie Kundenbetreuer und Projektleiter, lernen sich bei dieser Gelegenheit kennen.

In dem Handbuch findet der Außendienstmitarbeiter das Telefonskript, bei dessen Erstellung er selbst und ein Verkaufspsychologe involviert sind. Somit ist er genauestens über die Gesprächsführung zwischen seinen Kunden und den TAS-Mitarbeitern informiert. Da ein Telefongespräch nur so gut wie dessen Dokumentation ist, werden auf dem Gesprächsreport nicht nur die Fakten, sondern auch der persönliche Eindruck des Gespräches von den TAS-Telefonkontaktern notiert.

Der Leitfaden „So bewirken Sie den positiven Gesprächseinstieg" ist ein weiterer Bestandteil des Handbuches. Er gibt praktische Tips zur Verkaufspsychologie und hilft Angelpunkte für den Verkaufsabschluß festzustellen. Wie reagiert man auf Einwände des Kunden? Antworten und Möglichkeiten der Reaktion sind enthalten.

Zur Motivation auf dem Weg zum Kunden bietet die TAS eine Audiokassette zur Einstimmung auf den bevorstehenden Besuch an. Sie enthält eine nicht ganz einfache Gesprächssituation und verbalisiert dem Außendienstmitarbeiter Möglichkeiten zur Einwandbehandlung.

Der Servicegrade der TAS-Telemarketing-Gruppe wird durch Textvorschläge abgerundet, die im Handbuch des Außendienstmitarbeiters enthalten und für Anschreiben an seine Kunden zu verwenden sind.

So wird die klassische Hemmschwelle zwischen Außendienst und Telefonberater abgebaut, die „Kaltakquise" entmystifiziert. Der Außendienst wird entlastet, verspürt weniger Druck und tritt viel positiver, gelöster und freundlicher auf – was nicht zuletzt für eine entspannte Gesprächsatmosphäre sorgt!

Wie entsteht eine Telefonkampagne?

Alfons Bromkamp: „Am Anfang steht das *Strategiegespräch*. Hier stellt sich uns das Unternehmen ausführlich vor, das Programm, die Marktlage und die Mitbewerber werden sorgfältig untersucht. Die Fachterminologie des Unternehmens, die Zielgruppe und evtl. Referenzen sind hier besonders wichtig.

Dann werden die *Ziele der Kampagne* definiert. Dazu gehört die Ermittlung des richtigen Ansprechpartners, der günstigsten Anrufzeiten und eine Adressenauswahl. Parallel dazu denken wir gemeinsam über begleitende Werbemaßnahmen nach, beschränken uns aber in vielen Fällen auf das Telefon.

Nach diesem ersten Meeting erstellen wir im Laufe von ca. vier Wochen eine erste Konzeption für unseren Kunden. Hierzu gehört ein Telefondrehbuch, ein Leitfaden, der den Telefonberatern eine optimale Kundenansprache ermöglicht."

Das klingt spannend – wie entsteht so ein Drehbuch? Mit welchem Gesprächseinstieg gehen Sie zum Beispiel auf die Kunden zu?

Alfons Bromkamp: „Ich gebe Ihnen ein Beispiel dafür, wie wir es nicht machen. Nehmen Sie den klassischen Telemarketing-Eröffnungssatz, nachzulesen in jedem sogenannten Telefonmarketing-Praxisbuch: ,Guten Tag, hier Müller, Gabi Müller von der Firma Schrauben-Heinrich in München. Wer ist denn bei Ihnen für den Einkauf von ... zuständig?' Mit diesem Satz hat der Anrufer schon verloren, weil er

1. in Schriftdeutsch abgefaßt wurde – und wer spricht schon reines Schriftdeutsch?
2. viel zu häufig während der vergangenen Jahre strapaziert wurde, leider nicht immer von professionellen Telefonierern. Dadurch wurden negative Assoziationen aufgebaut, die ganz schnell den ,Abwimmel'-Mechanismus beim Angerufenen auslösen!

Unsere Telefonskripts entstehen nicht auf dem Papier, sondern werden zuerst gesprochen, ausgefeilt und ins Diktiergerät getextet. Und zwar in ganz normaler Umgangssprache, niemals in gestelztem Schriftdeutsch! Hier berücksichtigen wir sehr genau die jeweilige Terminologie und die Tonalität unseres Kunden. Daß ein Softwarehersteller anders auftritt als ein Mineralölkonzern, ist klar. Und wir versuchen, für jeden Kunden die entsprechende ,Gesprächsfarbe' zu mischen. Schließlich treten die Telefonberater nicht unter TAS auf, sondern im Namen des Kunden – und das muß glaubwürdig sein!

Wichtig ist, daß bereits im zweiten Satz der Nutzen unseres Anrufes herausgestellt wird. Bei uns heißt das: Wir machen dem Angerufenen klar, daß wir ihm zum Beispiel helfen, Geld zu sparen, oder durch den Einsatz einer technischen Innovation seinen Produktionsprozeß zu optimieren – so banal das klingt.

Und auch wenn er dann aufgeschlossen wirkt, überfallen wir ihn nicht mit Details, sondern liefern ihm eine knappe, leicht verständliche Zusammenfassung unseres Angebots, mit der abschließenden Frage: ,Ist das ein Thema für Sie?' Hier hat der Kunde immer noch die Möglichkeit, nein zu sagen und fühlt sich nicht überfahren, das ist ganz wichtig! Anschließend geht es dann um die Einzelheiten, wo meistens die ersten Einwände auftauchen. Hier arbeiten wir Argumente zur Einwandbehandlung aus, die ebenfalls maßgeschneidert auf die Praxis des Kunden sein müssen. Faustregeln gibt es hier eigentlich keine, man kann höchstens sagen, daß Einwände bzw. Fragen des Kunden absolut sensibel behandelt werden müssen. Und jeder Unsicherheit sollte nicht mit rhetorischem Blendwerk, sondern mit harten, nachvollziehbaren Fakten begegnet werden."

Eine individuelle Kundenansprache in Tonart und Jargon des Angerufenen – eigentlich der Idealfall einer Telefonakquise. Wie geht es nach der Konzeptionserstellung weiter?

Alfons Bromkamp: „Diese Konzeption legen wir dann unserem Auftraggeber vor und perfektionieren sie in einem Optimierungsgespräch. Anschließend werden unsere Telefonberater gründlich gebrieft – und zwar im Unternehmen des Kunden. Das ist sehr wichtig, denn wir sind der Meinung, daß ein Telefonberater nur dann überzeugend akquirieren kann, wenn er die Produkte des Auftraggebers persönlich kennt. Stellen Sie sich vor, Sie müssen einem Unbekannten einen großen Schaufelbagger schmackhaft machen – ein Unding. Wenn Sie statt dessen schon einmal auf diesem Ungetüm Platz genommen haben und die Hände auf die Armaturen legen konnten, sprechen Sie viel persönlicher und direkter darüber. Und Ihr Gesprächspartner spürt Ihre Begeisterung, das ist sicher!

Anschließend testen wir unser Telefonskript in Rollenspielen. Hier fallen sperrige Formulierungen ebenso durch den Rost wie logische Brüche oder schwer verständliche Produktfeatures. Die optimierte Fassung wird dann live an echten Interessenten in Gegenwart unseres Auftraggebers getestet, bevor wir die Aktion endgültig starten."

In Gegenwart des Auftraggebers – ist das nicht ein bißchen viel der Transparenz?

Alfons Bromkamp: „Der Kunde hat das Recht auf umfassenden Einblick in unsere Tätigkeit – schließlich soll er sehen, wofür er uns bezahlt! Eine hohe Transparenz unseren Kunden gegenüber gehört zu unserer Philosophie. Wir sind das, was man ein Haus der offenen Türen nennt. Theoretisch könnte jederzeit einer unserer Auftraggeber hereinkommen und sich neben einen der Telefonberater setzen – damit rechnen wir und das ist auch gewollt."

Ein Grund mehr, weshalb die Berater äußerst belastbar und sicher sein müssen, denn dieser doppelte Streß ist für viele kaum vorstellbar. Die Auftraggeber der TAS unterscheiden sich übrigens stark. Vom Mineralölkonzern über Chemieunternehmen und High-Tech-Anbieter bis hin zum Ein-Mann-Unternehmen, das z.B. eine neu entwickelte Knoblauchpresse vertreiben möchte, reicht das Spektrum. Da fragt man sich, ob die Telefonberater tatsächlich immer wieder genügend Fachwissen und Produktkenntnise erwerben können, um glaubhaft aufzutreten? Alfons Bromkamp: „Darauf legen wir allergrößten Wert. Hierzu erbitten wir vom Auftraggeber neben dem Briefinggespräch bei ihm vor Ort alle nur verfügbaren Informationen. Wir legen ihm einen Fragenkatalog vor, der gezielt auf die Besonderheiten des Sortiments abzielt. Dabei ist wichtig, daß wir gemeinsam in die selbe Richtung denken. Telemarketing bedeutet Teamwork, und zwar mit dem Auftraggeber, dem Außendienst und zwischen den Telefonberatern. Jemandem eine fertige Kampagne quasi überzustülpen, entbehrt jeder Logik und führt zu nichts. Nur mit individuellen Konzeptionen, die durch Informationsaustausch und in Zusammenarbeit mit allen wichtigen Beteiligten entstehen, lassen sich Streuverluste minimieren und echte Erfolge erzielen!"

Die Zukunft des Telemarketing

Die TAS in Bochum demonstriert mit ihrer kreativen Leistungspalette und zahlreichen positiven Referenzen: Zukunftschancen haben nur Agenturen, die den Mut und das Know-how besitzen, die ausgetretenen Pfade des Telemarketing zu verlassen. Klingt eigentlich paradox – ein so unverbrauchtes, junges Medium und schon ausgetretene Pfade?

Doch es ist wahr. Wie kaum sonst konnten sich hier hartnäckige Strukturen festsetzen, die sich vor allem in sogenannten allgemeingültigen Argumentationskatalogen zeigen, in den Instant-Lösungen, die häufig angeboten werden, ohne daß der Auftraggeber überhaupt Einfluß auf die Aktivitäten der Agentur ausüben kann. Unkonventionelle Ideen, maßgeschneiderte Konzeptionen und allerbeste Qualität bei der Umsetzung sind das A und O des Telefonmarketing – und gleichzeitig die Firmenphilosophie der TAS.

Übrigens: Telefonieren ist nicht nur effizient, kostengünstig und erfolgversprechend, sondern außerdem noch umweltfreundlich! Auf dem Telephone-Marketing-Symposium in Kopenhagen betonte Jo Leinen, der saarländische Umweltminister, die rein ökologischen Vorteile des Telemarketing gegenüber klassischen Akquiseaktivitäten. Telefonieren reduziert die Masse unsinniger Termine des Außendienstes, entlastet so die Straßen und schränkt damit den Benzinverbrauch ein, was wiederum dem Unternehmen Kosten spart. Ferner wird das Papieraufkommen, welches bei Printkampagnen entsteht, ganz erheblich reduziert. Ein Punkt, der in naher Zukunft immer wesentlicher sein wird!

Frey & Linkenheil GmbH

„Richtig verstandene Dienstleistung macht das Thema des Kunden zum eigenen!“

V.l.n.r.: Karlheinz Niedrist, Ines Rapp,
Rudolf Linkenheil

Die besten Methoden, neue Kunden zu finden – unser Buchtitel könnte auch das Leitmotiv des folgenden Interviews sein. Denn die Verkaufsförderungs- und Vertriebsagentur Frey & Linkenheil mit Sitz in Karlsruhe und Leipzig bietet genau das, was den meisten Unternehmen heute fehlt: zukunftsorientierte Methoden und Strategien, um neue Märkte und Zielgruppen zu erschließen. Alles an diesem Unternehmen ist anders als bei herkömmlichen VKF-Agenturen. Auffällig ist schon das Deckblatt der Firmenbroschüre, auf dem statt branchenüblicher Phantasiebegriffe das Leistungsangebot klar in Form vier operativer Einheiten dargestellt wird: Telemarketing, Training, Sales und Promotions. Bereiche, die in herkömmlichen Agenturen – sofern vorhanden – nicht in dieser Form definiert, geschweige denn bewußt kombiniert werden. Bei F&L dagegen werden diese Leistungen in Form von Bausteinen vernetzt eingesetzt, um so spektakuläre, effektive Akquiseaktionen zu ermöglichen. Mit Erfolg: F&L ist branchenführend und Wegbereiter für neue, ganzheitliche Kommunikationskonzepte und Vertriebsideen. Schlagworte wie Cost-sharing-Modelle, DRTV, Markenallianzen, Customer Services und Synergien schwirren durch den Raum – man spürt: hier wird an der Zukunft gebastelt. Vorschußlorbeeren? Mitnichten! Schauen wir hinter die Kulissen dieser „Zukunftsschmiede".

Rudolf Linkenheil, Geschäftsführer von F&L, Karlheinz Niedrist, verantwortlich für den Bereich Telemarketing, und Ines Rapp, verantwortlich für neue Projekte – drei kompetente Gesprächspartner und begeisterte „Querdenker", die sich nicht mit langen Vorreden aufhalten. Rudolf Linkenheil: „Wir versuchen kontinuierlich, die ausgetretenen Pfade der Kundenbetreuung zu verlassen bzw. gar nicht erst zu betreten. Deshalb vernetzen wir unsere Dienstleistungen zu neuen Kombinationen, mit denen wir nicht nur neue Kunden für unsere Auftraggeber akquirieren, sondern eine umfassende Betreuung anbieten können. Das strikte Trennen einzelner Leistungen wie Telemarketing, Promotions o.ä. ist nicht nur antiquiert, es bedeutet auch uneffizientes Arbeiten."

Nicht gerade die übliche Ouvertüre eines Interviews. Bei F&L kommt man offenbar auf den Punkt, und das möglichst sofort. Das folgende Praxisbeispiel steht repräsentativ für die Arbeit der Vertriebsagentur und ließe sich am besten mit

Die fünf Stufen zum Erfolg

überschreiben. Doch derlei großspurige Floskeln passen nicht zur F&L-Philosophie. Wenn sie auch den Kern der Sache trifft. Rudolf Linkenheil: „Hier greifen unsere verschiedenen Dienstleistungselemente ineinander. Ganz pragmatisch und systematisch wird zunächst die Aufgabenstellung definiert und ein Etappenplan erstellt. Der Kunde: der internationale Elektronikkonzern Philips. Die Ausgangssituation: Mobiltelefone entwickelten sich innerhalb weniger Jahre vom Investitionsgut zum Konsumartikel, der inzwischen auf allen geschäftlichen und privaten Ebenen genutzt wird. Um der steigenden Nachfrage gerecht werden zu können, plant Philips, für seinen Produktzweig Mobiltelefone ein verstärktes Netz hochqualifizierter Außendienstmitarbeiter aufzubauen. Die Aufgabe:

1. Neue Mitarbeiter finden, um neue Kunden zu finden

Das Problem: Philips kann diese Kräfte nicht als Neueinstellungen verbuchen – schließlich herrscht zur Zeit ein konsequenter Einstellungsstopp – sondern möchte sie über die Marketingbudgets finanzieren. Die Zauberformel lautet also: externe Kapazitäten zum Aufbau und zur Pflege neuer, dauerhafter Kundenbeziehungen." Und die Anforderungen an diese Mitarbeiter waren sehr hoch: An erster Stelle stand eine unbedingte Identifikation mit dem Produkt. Dazu kam, daß sowohl kaufmännisches Wissen als auch entsprechende Produktkompetenz vor Ort unverzichtbar waren.

Und zu guter Letzt sollten die „Neuen“ dazu bereit sein, sich möglichst auf eine langfristige Beziehung mit Philips und den zu akquirierenden Kunden einzulassen – und das im Zeitalter enormer Fluktuation. Diese Qualifikationen und Ansprüche unter einen Hut zu bekommen und den Auftraggeber Philips mit eben jenen Mitarbeitern zu versorgen, war nun die Herausforderung für Frey & Linkenheil. Rudolf Linkenheil: „Zu diesem Zweck wurde unser Traineeprogramm sozusagen für Philips maßgeschneidert. Eine unkonventionelle Stellenanzeige in den überregionalen Tageszeitungen bot Interessenten zwei interessante Karrieremöglichkeiten, denn solche Leute sind nur durch Perspektiven zu gewinnen.“ (Siehe Abb. nächste Seite.)

Klingt gut und fällt auf im sonst so stereotypen Stellenanzeigen-Jargon. Doch wie profitiert der Kunde Philips von diesem Projekt? Rudolf Linkenheil: „Die Trainees werden zu hochqualifizierten Außendienstmitarbeitern herangezogen, die aber die Gehaltsliste von Philips nicht belasten und nur im Bedarfsfall übernommen werden müssen. Warum wir diesen ungewöhnlichen Weg gehen? Mit steigender Bedeutung mobiler Kommunikation wächst auch die Bedeutung alternativer Vertriebswege und erfordert entsprechende Aktivität. Und dazu gehört auch ein Umdenken im Außendienstwesen!“

Zu den Bewerberinnen zählte damals auch Ines Rapp, Diplom-Betriebswirtin und heute verantwortlich für zahlreiche neue Projekte im Hause F&L, die das Programm aus ihrer Perspektive schildert: „Wir durchliefen ein hochkarätiges Ausbildungsprogramm, welches gemeinsam von Philips und Frey & Linkenheil gestaltet wurde. Der Clou dabei war, daß wir zwar bei F&L als Trainees angestellt und gefordert waren, dabei aber gleichzeitig neue Kunden für Philips akquirierten und sehr intensive, produktspezifische Schulungen durchliefen, also im Grunde zwei Ausbildungen gleichzeitig absolvieren konnten. Und die Erfahrungen innerhalb des Programms, gerade im Außendienst vor Ort, sind für uns unbezahlbar!“ Nach dem Motto:

2. Nur, wer draußen war, kann drinnen Dinge bewegen!

Nach Ablauf des Projektes konnten die Trainees sowohl für Philips als auch bei F&L tätig werden – in jedem Fall wartete ein lukrativer Arbeitsplatz auf sie. Ines Rapp: „Dadurch, daß wir sowohl eng mit Philips zusammenarbeiteten als auch ständigen Kontakt mit der Agentur Frey & Linkenheil hatten und aktiv an Konzeptionen zu Promotions, VKF-Aktionen etc. mitwirken konnten, war die Motivation nie ein Problem für uns. Der Job hatte nichts mit den starren, oft typischen Strukturen der Großkonzerne gemeinsam!“

Karriere à la carte

Der Aperitif:

Eine fundierte
praxisorientierte Traineé - Ausbildung
im Vertrieb und Projektmanagement.
- leistungsgerecht dotiert.

Die Menüs:

Sie haben die freie Wahl
zwischen zwei Karriere - Menüs
unterschiedlicher Geschmacksrichtungen.

entweder:

**Eine Karriere
im Management
eines internationalen
Elektronik-Konzerns**

oder:

**Eine Karriere
im Management
einer führenden
Marketing-Agentur.**

Folgende Zutaten müssen Sie mitbringen:

- Fachhochschulabschluß
oder eine gleichwertige Ausbildung.
- Engagement und Verantwortungsbereitschaft.
- Flexibilität und Reisebereitschaft.

Erfolgshungrige bewerben sich bei:

Frey & Linkenheil GmbH
Am Sandfeld 9 · 7500 Karlsruhe 31
Tel: 0721// 03 51-5 Fax: 0721/78 50 46

Karlsruhe · Düsseldorf

Und diese Motivation trug schnell ihre Früchte. Rudolf Linkenheil: „Die charakteristischen Eigenschaften der ‚Neuen' waren vor allem: eine deutlich höhere Belastbarkeit im Vergleich mit dem Konzernaußendienst, höheres Engagement, Aufgeschlossenheit und Immunität gegenüber internen Einflüssen und Gegebenheiten." Die idealen Eigenschaften, um die nächste Etappe des „Projektes Philips" in Angriff zu nehmen.

3. Schlafende Märkte aktivieren

Rudolf Linkenheil: „Jetzt stellte sich die Frage, wer als Partner für eine große Offensive in Sachen Autotelefone in Frage kommt. Richtig – die Autohäuser. Nur: Die gibt es in Deutschland wie Sand am Meer. Wir suchten nun geeignete Partner mit entsprechendem Potential für unsere Aktionen. Um diese herauszufinden und gleichzeitig einen Überblick aus erster Hand über die Marktsituation bei Autotelefonen zu bekommen, führte eine unserer operativen Einheiten eine sogenannte ‚Mysterieaktion' durch. Das bedeutet: Die Telefondamen von F&L und die Trainees riefen ‚getarnt' als Hausfrauen, Geschäftsleute, Interessenten etc. bei verschiedenen Autohäusern an und sammelten so Informationen über Preise, Lieferzeiten, Einbaumöglichkeiten der Telefone – sprich, über die Kompetenz der Autohäuser und deren Verkäufer. Die Antworten waren sehr aufschlußreich und ergaben ein klares Bild über die Situation vor Ort."

In Zusammenarbeit mit einem Datenspezialisten wurde nun ein Vertriebssteuerungssystem entwickelt, welches die gesammelten Daten archivierte, in Statistiken umsetzte und so eine exakte Koordination der gesamten Aktion ermöglichte. Die übrigens alles andere als konventionell ablief.

Ines Rapp: „Wir mußten zuerst einmal unser eigenes Telefon in unsere Autos einbauen – was uns vor Ort natürlich einen Wissensvorsprung gegenüber den Händlern ermöglichte. Zusätzlich erhielten wir von den Philips-Trainern intensives Produkt-Know-how und brieften sie gleichzeitig über unsere Erfahrungen mit den Autohändlern. Also ein ständiger Dialog, weshalb sich diese Aktion gravierend vom herkömmlichen Philips-Außendienst unterschied – schließlich waren wir von Anfang bis Ende aktiv beteiligt, anstatt nur einen Teilbereich des Prozesses zu kennen, was ausschlaggebend für die Motivation war!" Die so mit Fachwissen gerüsteten Trainees besuchten nun nach einem durch die frisch ausgewerteten Daten zusammengestellten Plan die verschiedenen Autohäuser – diesmal ganz offiziell...

4. Zielgruppenspezifische Promotions vor Ort

Rudolf Linkenheil: „Das Etappenziel lautete: Synergien zwischen Philips, den Autoherstellern und der Zielgruppe herzustellen. Indem wir z.B. im Rahmen eines Gewinnspiels eine Hotline aktivierten, die nur vom Autotelefon aus zu erreichen war, motivierten wir natürlich viele potentielle Kunden, sich in einen Vorführwagen zu setzen und sich mit dem Telefon zu beschäftigen. Dazu wurden ,Tage der offenen Tür' bei den Händlern veranstaltet. Die alte Kaufmannsregel ,Der Kunde muß das Produkt anfassen dürfen' erwies sich hier als Volltreffer. Und ganz nebenbei bekamen sogar die Verkäufer der Autohäuser Routine im Umgang mit den Telefonen – eine größere Breitenwirkung konnte sich Philips gar nicht wünschen!"

Parallel dazu wurden andere Zielgruppen angesprochen. Ines Rapp: „Unter dem Stichwort ,Olympia-Aktion' wandten wir uns an 1900 große Unternehmen, die über einen umfangreichen Fuhrpark verfügten. Zu diesem Zweck arbeiteten wir in Allianz mit der Deutschen Autoleasing zusammen, die sich für die gleiche Zielgruppe interessierte. Ziel war es, durch einen prestigeträchtigen Preis den Rücklauf der Aktion zu maximieren. Das Mailing erklärte sinngemäß, daß Philips für einen kleinen, exklusiven Kreis einen ganz besonderen Preis bereit hielt: insgesamt 100 Originaltrikots der deutschen Leichtathletik-Olympiamannschaft in Barcelona, mit Zertifikat und im repräsentativem Glasrahmen. Auf der Teilnahmekarte waren Angaben über Größe des Fuhrparks, die Automarken, den bisherigen Einsatz von Autotelefonen erbeten."

Insgesamt antworteten „nur" 82 Flottenentscheider mit vollständigen Angaben zu ihrem Fuhrpark. Rudolf Linkenheil: „Diese auf den ersten Blick geringe Rücklaufquote wurde durch die qualitativ hohen Daten ausgeglichen, so daß unter dem Strich das Ziel, die Entscheider in Sachen Fuhrparkausrüstung elegant und selektiv zu akquirieren, erfolgreich erfüllt wurde."

Eine weitere Aktion, bei der verschiedene VKF-Elemente kombiniert wurden, war die Beteiligung ausgewählter Autohäuser an einem Lotteriefond. Hierzu wurden Zertifikate, die 1/255 der Gesamtsumme repräsentierten, an die Händler überreicht, die sich dann per Telefon, über Teletext oder in den Tageszeitungen über die gezogenen Nummern informieren konnten. Daneben erfolgte eine briefliche Information im Vier-Wochen-Rhythmus. Was diese Aktion mit Kundenakquise für Philips zu tun hat? Rudolf Linkenheil: „Hier konnten wir gleich mehrere Probleme abdecken: Die Beteiligten fieberten entweder der Ziehung live bei SAT.1 entgegen, durchforsteten die Tageszeitungen oder riefen direkt bei uns an – und nahmen das Philips-Zertifikat mit den Nummern in die Hand. Das bedeutete: Jede Woche beschäftigten sich unsere Ansprechpartner in Gedanken ganz automatisch mit Philips und den damit verbundenen Aktionen und Produkten. Darüber hinaus konnten wir damit auch ,schwierige', weil unter Umständen unzufriedene Händler wieder positiv auf Philips und seinen Außendienst einstimmen, die natürlich ebenfalls an der Ziehung beteiligt waren. Und zu guter Letzt gab es immer ein unverfängliches Gesprächsthema – was für eine positive, entspannte Atmosphäre unerläßlich ist!"

Gleichzeitig führte F&L eine Incentive-Aktion durch, bei der die schnurlose Philips Telefonvariante „Patsy“ verschiedenen Unternehmen als Incentive angeboten wurde – mit Firmenlogo und zu Sonderkonditionen, versteht sich. Alles in allem ein ganzes Leistungspaket, das bis zu diesem Zeitpunkt bei relativ geringem Aufwand ein sehr effizientes Ergebnis einbrachte. An dieser Stelle würde eine herkömmliche Vertriebsagentur sich bereits zufrieden zurücklehnen und mit dem Kunden die positiven Ergebnisse feiern. Doch für F&L ist das „Projekt Philips“ noch längst nicht abgeschlossen. Warum? Wo doch sowohl neue Zielgruppen, neue Märkte als auch neue Einzelkunden akquiriert worden sind?

5. Allianzen eingehen oder: Teleshopping mal ganz anders...

Rudolf Linkenheil: „Die Idee der vernetzten Operatoren muß zu Ende gedacht werden. Das hieß für unseren Kunden Philips, daß wir alle Möglichkeiten der Kundenakquise optimal kombinieren, anstatt uns auf die klassischen Wege zu beschränken.“ Was darf man sich darunter vorstellen? Ines Rapp: „Normalerweise plant ein Hersteller einen TV-Spot und schreckt gleich zu Beginn angesichts des Kostenvoranschlages seiner Werbeagentur davor zurück. Das gilt auch für Teleshopping. Wir erdachten nun im Rahmen unserer Arbeit für Philips ein Konzept, bei dem wir mehrere Hersteller mit gleichen Interessen für eine gemeinsame Aktion begeistern konnten und die Kosten auf einen Bruchteil reduzierten. Hier waren es die Firma Swatch mit ihrer neuen Citiruf-Armbanduhr ‚Beep up‘, die von der Telekom vertrieben wird, die ‚Talkline‘ mit ihrer Telefonkarte und natürlich Philips mit ihrem ‚Handy‘-Modell. Alle vier Unternehmen wurden in einem TV-Spot nach dem Prinzip des Teleshopping präsentiert, was die Kosten für alle auf ein Viertel reduzierte, wobei der Spot dafür eine umso breitere Zielgruppe erreichte. – Der Spot stellte die drei Produkte einschließlich des Namens Telekom als Aktionspaket vor, wobei im Anschluß eine Hotline eingeblendet wurde, unter der man direkt bestellen konnte.“

Also ein relativ preiswerter TV-Auftritt für vier zwar kooperierende, aber dennoch nicht konkurrierende Unternehmen – spannend! War das Ziel dieser Aktion, spontane Verkäufe zu erreichen und auf diese Weise Kunden zu akquirieren? Rudolf Linkenheil: „Natürlich liegt dieser Schluß nahe. Doch diese Spontankäufe waren keineswegs unser Hauptziel. Nein, wir haben mit diesem Spot in erster Linie versucht, die Zuschauer positiv auf die Namen Philips, Swatch, Talkline und Telekom einzustimmen. Und sie dazu zu animieren, sich im Fachhandel mit diesen Produkten zu beschäftigen. Durch die Cost-sharing-Formel ‚Kosten durch Anzahl der beteiligten Marken gleich Effektivkosten‘ war die Aktion für alle Beteiligten interessant.“

Wie rechnet sich nun eine solche Aktion im Vergleich zu klassischen Mailings oder Telefonakquise-Aktionen? Rudolf Linkenheil: „Interessanterweise liegen die

Kosten pro gewonnenem Interessent deutlich unter denen der Mailings oder der Zeitungsbeilage. Das liegt natürlich zum einen an unserer Cost-sharing-Formel, zum anderen am sogenannten Schneeballeffekt, bei dem sich Produktname und Aktion viel schneller und vor allem dauerhafter im Gedächtnis der Zuschauer festsetzen als bei herkömmlicher Akquise."

Warum nutzen dann bisher so wenig Unternehmen diese Möglichkeiten? Rudolf Linkenheil: „Weil dieser Service bisher kaum angeboten wird! Es ist ja nicht damit getan, einen Spot auszustrahlen, das können Sie überall buchen. Wir sind in der Lage, von der Konzeption über die Produktion, die Schaltung und die telefonische Bestellannahme bis zum Versandservice alles anbieten zu können. TV-Shopping erfordert eine minuziöse Media-Arbeit. Die eingehenden Anrufe müssen effektiv bearbeitet werden können unter ständigem Informationsaustausch mit der Media-Agentur.

Hierzu ist ausgereifte Technik notwendig; sie muß z.B. speichern können, wieviele Anrufer wegen zu langer Wartezeit auflegen, wie lange die Telefonate dauern, wieviele in welcher Zeit und wann anrufen etc. Danach wird ein Personalbericht erstellt, aus dem hervorgeht, ob das Projekt über- oder unterbesetzt ist. Diese Analysen kann ein herkömmliches Telemarketing-Unternehmen gar nicht in dieser Form anbieten."

Interaktives Fernsehen mit System

Bleiben wir beim Medium Fernsehen, doch nicht beim Thema Verkaufen, sondern beschäftigen wir uns mit dem Zuschauerservice. Sie kennen sie, die berühmten Info-Hotlines der Sender, über welche die Zuschauer ihre Kritik, ihre Anregungen oder auch Fragen loswerden können. Man könnte nun meinen, dieser Dienst am „Kunden Zuschauer" wäre damit erledigt, daß die Zuschauer einen heißen Draht zum Sender benutzen, ihre Reaktionen und Wünsche weitergeben und wieder auflegen? Karlheinz Niedrist widerspricht: „Auf keinen Fall, das ist nicht mehr zeitgemäß und vor allem viel zu uneffektiv! Die Zuschauer offenbaren in ihren Anrufen doch eine riesige Menge Informationen, wie wir sie mit Umfragen nie so authentisch bekämen. Die wollten wir nicht verlorengehen lassen. Deshalb entwickelten wir für SAT.1-Privatfernsehen in Mainz eine Möglichkeit, die Anrufe auszuwerten und in Form von Statistiken und Tendenzen in kürzester Zeit an den Sender weiterzuleiten. Die Anrufe werden zu uns nach Karlsruhe umgeleitet, von unseren Betreuern entgegengenommen und der Inhalt der Gespräche sofort 1:1 in den Computer eingegeben. Spannend wird das ganze bei Live-Sendungen wie ‚Talk im Turm' oder ‚Schreinemakers live', wenn verstärkt Zuschauer anrufen, um spontane Reaktionen weiterzugeben. Dann kommunizieren wir direkt mit der Redaktion im Studio, versorgen sie mit den aktuellen Daten, Werten, Statistiken – die können unmittelbar entnommen werden! – und ermöglichen so den Zuschauern einen interaktiven Charakter der Sendung. So wird die Zuschauerredaktion zum programmgestaltenden Element!

Während der Werbeblöcke fließen dann Informationen über Stimmung, Meinung und Reaktionen der Zuschauer nach Mainz bzw. in das entsprechende Studio und werden an den Moderator weitergegeben. Bei besonders heißen Themen, die starke Reaktionen auslösen, wird dann manchmal aufgrund der Zuschaueranrufe ein Talkshow-Konzept live umgestrickt und verläuft unter Umständen ganz anders als geplant. Für SAT.1 hat das neben der enormen Kunden- bzw. Zuschauerfreundlichkeit den Vorteil, daß der Teleshop und die Hotline nach Cost-sharing-Formel über dasselbe Telefonsystem abgewickelt werden können."

Eine phantastische Idee: Die Hotline als programmgestaltendes Element. Interaktives Fernsehen – das ist Dienst am Kunden mit doppelter Wirkung. Der Sender gewinnt an Sympathie und damit an Marktwert, während die Zuschauer optimal betreut werden. Gleichzeitig erhalten die Redakteure bez. die Programmdirektion detaillierte Informationen über ihre Zuschauer – Zielgruppen-Know-how bez. Alter, Tendenzen, Präferenzen usw. Übrigens erschien kürzlich in einer auflagenstarken Fernsehzeitschrift[1] der ultimative „Hotline-Test", bei dem neun TV-Zuschauerredaktionen auf Kompetenz, Freundlichkeit und Effizienz getestet wurden, und zwar anonym und gnadenlos. Die Ergebnisse waren teilweise haarsträubend. Zum Beispiel stand da: „RTL – trotz zwölf Telefonleitungen und geschulten Mitarbeitern, die manchmal sogar bis Sendeschluß erreichbar sein sollten, wählen sich Zuschauer hier die Finger wund. Note: ungenügend!" Hier stimmt weder Organisation noch Technik, die Zuschauer landen fast immer in einer Warteschleife, die verkündet, daß alle Leitungen besetzt seien. Wie das wohl vor sich geht, wenn niemand durchkommt? Außerdem hieß es: „ZDF – Service von Sendebeginn bis Feierabend. Die drei Mitarbeiter sind freundlich, sachlich und kurz angebunden. Wer plaudern will, wird abgewürgt. Note: befriedigend." Mit „gut" wurden PRO 7, ARD, Eurosport und RTL 2 beurteilt, DSF erhielt mangelhaft und der Kabelkanal aufgrund einer freundlichen, aber völlig ahnungslosen Telefondame die Note ausreichend. – Aber darüber hinaus war da eben auch zu lesen: „SAT.1 – Spitzenposition! Auch zu später Stunde kümmern sich freundliche Stimmen mit Engelsgeduld um täglich bis zu 800 Anrufe. Note: sehr gut!" Wenn das keine Referenz ist...

Die Zukunft hat schon begonnen

Natürlich läßt sich diese moderne Telefontechnik noch viel weiter ausbauen. Zur Zeit wird im Hause F&L intensiv an einem System für Special-Interest-Allianzen gear-

1 TV movie 21.4.94

beitet – einem absoluten Novum auf dem deutschen Markt und mit sehr großem Potential in Sachen Kundenakquise und -betreuung. Eine Vision, von der andere Vertriebsagenturen nur eine vage Vorstellung besitzen, hat bei F&L bereits Gestalt angenommen. Rudolf Linkenheil: „Durch das Zusammenwirken modernster Technik und Personalcomputer entstand eine Revolution im Kommunikationsmarkt. Das System Vivian 3 ist imstande, Stimmen zu speichern und bei Bedarf 1:1 wiederzugeben. So können Routineanrufe und Bestellungen per Spracherkennung ohne Manpower abgewickelt werden. Darüber hinaus können Anrufer sich nach Wunsch mit einem Berater verbinden lassen, der auf seinem Bildschirm sofort erkennen kann, welcher Dialog vorangegangen ist."

Wie geht nun ein Unternehmen an die Sache heran, das von Telefontechnik dieser Art begeistert ist und sie gerne für seine persönliche Kundenakquise einsetzen möchte, dem aber persönliche Telefongespräche zu teuer und herkömmliche Sprachcomputer zu beschränkt sind? Rudolf Linkenheil: „Der Sinn dieser Technik liegt ja darin, daß ein Telefonberater auf diese Weise kostenbewußt und effizient gleichzeitig mehrere Geräte bzw. Kunden bedienen kann. Entwickelt man diese Idee weiter, landet man zwangläufig wieder beim Punkt Cost-sharing. Der Unternehmer wird sich also mit dem Gedanken einer strategischen Allianz anfreunden müssen – was ihm angesichts der hervorragenden Effizienz nicht allzu schwerfallen sollte. Und zwar einer Allianz nicht mit konkurrierenden, sondern mit sich ergänzenden Unternehmen!

Aktuelles Beispiel: Die Hersteller aller Branchen bieten immer häufiger Hotlines für ihre Kunden an – ob auf Produktpackungen, in Anzeigen, auf Plakaten oder in der Presse, überall werden die Nummern veröffentlicht. Nur war die Abwicklung einer Kundenhotline bisher ziemlich aufwendig, weil die Technik im Vergleich zum gewonnenen Nutzen in der Anschaffung sehr teuer ist. Wir haben nun ein Konzept entwickelt, wie wir nach dem Muster Swatch-Telekom-Philips-Talkline mehrere Hersteller eines Themenkreises miteinander vernetzen und über eine zentrale Hotline betreuen können. In der Praxis sieht das so aus, daß z.B. zum Themenkreis Kochen ein Fertiggerichtehersteller, ein Biokostanbieter, eine Kochzeitschrift und ein Rezeptdienst kooperieren, indem jeder seine individuelle Hotline veröffentlicht, die aber bei uns zusammenlaufen und wie oben beschrieben organisiert sind. Die Technik ermöglicht übrigens eine willkürliche Vergabe der Nummern, man kann also jedem Teilnehmer eine völlig beliebige, natürlich leicht zu merkende Telefonnummer zuteilen.

Diese Netzwerke werden in Zukunft das Bild unserer Wirtschaft in Sachen Kundenakquise entscheidend verändern. Das ist der Grund, warum wir in diesen Bereich besonders investieren und als Resultat behaupten können: Wir sind einer *der* Pioniere auf diesem Gebiet."

Die Idee ist simpel: Geteilte Kosten bei potenzierter Nutzungsmöglichkeit und maximaler Effizienz in Form der größtmöglichen Neukundenzahl. Ein so simples Prinzip, daß es schon wieder genial zu nennen ist. Als wünschenswertes Abfallprodukt entstehen bei diesen Allianzen natürlich unschätzbar wertvolle „Datenpools". Das bedeutet: Der Nahrungsmittelhersteller profitiert von den Ergebnissen der Anrufauswertung nach dem SAT.1-Muster genauso wie der Rezeptdienst und die Zeitschrift. Man stelle sich vor: Eine Hotline unter dem Motto „Gesundheit", unter der das geballte Know-how verschiedener Spezialisten abrufbar wäre: Pharmavertreter, Diätspezialisten, Krankenkassen, Fitneßgerätehersteller etc. ... – und das alles für einen gebührenfreien Anruf unter einer Nummer, die auf der Müslipackung auf dem Frühstückstisch abgedruckt war! Diese Vision könnte für Kunden der Firma Frey & Linkenheil schon bald wahr werden. Fest steht, daß die Kundenakquise, wie sie bisher ablief, nicht mehr länger rentabel sein wird. Die strikte Trennung einzelner Leistungen einer Agentur oder Beratungsfirma erfordert zuviel Aufwand bei zu geringer Effizienz, wohingegen die strategischen Allianzen nach dem F&L-Modell nicht nur Kosten reduzieren, sondern einen Zugriff auf Daten ermöglichen, die sonst in dieser Form nirgends existieren, geschweige denn genutzt werden könnten. Seien wir also gespannt auf die neusten Meldungen aus Karlsruhe – sie werden nicht lange auf sich warten lassen!

trans-o-flex
Schnell-Lieferdienst AG

„Sogar eine Rezession ist eine Riesenchance!“

Dieter Ziegler
Direktor Top Key Account

Die Erfolgsstory des Schnell-Lieferdienstes *trans-o-flex* begann 1971, als sich fünf regional tätige Spediteure unter diesem Namen zusammenschlossen. Der erste flächendeckende Lieferdienst in Deutschland war geboren. Als Kunden der ersten Stunde profitierten überwiegend die Apotheken von dem jungen Unternehmen: *trans-o-flex* spezialisierte sich von Anfang an auf die Pharmabranche und liefert bis heute innerhalb 24 Stunden eilige Arzneimittel, die unter Umständen Leben retten müssen. Seit 1985 gehört *trans-o-flex* zur Haniel-Gruppe, einem weltweit tätigen Dienstleistungs- und Handelskonzern. Am 31. August 1993 beendete die *trans-o-flex* Schnell-Lieferdienst AG ihre Mitgliedschaft im Euro-Express-Verbund, einem Zusammenschluß westeuropäischer Transportdienstleiter, in dem sie seit 1982 als Gründungsmitglied den mit Abstand höchsten Umsatz vorweisen konnte. Der Grund für die Kündigung der Mitgliedschaft war eine zukunftsweisende Eigeninitiative: „eurodis", ein eigenes europäisches Distributionskonzept, auf das wir noch zu sprechen kommen werden.

Auf der Suche nach den besten Methoden, neue Kunden zu finden, haben wir es diesmal zu tun mit: Dieter Ziegler, Jahrgang 1954, Direktor Top Key Account. Schon ein Unterscheidungsmerkmal: 40 Jahre alt, ist er bereits auf einer hohen Führungsebene tätig. Die Frage nach den Karrierechancen bei trans-o-flex liegt also auf der Zunge, aber verkneifen wir sie uns vorerst und konzentrieren uns auf das Firmenimage: Was also ist das „gewisse Etwas" bei *trans-o-flex*?

Dieter Ziegler: „Ein grundsätzlicher Unterschied zu unseren Mitbewerbern besteht darin, daß wir im Verhältnis zur Paketzahl relativ *wenige* Kunden betreuen und sehr *viele* Sendungen befördern. In Zahlen ausgedrückt: Bei einem Kundenstamm von ca. 3.000 Firmen transportieren wir rund 120.000 Sendungen (250.000 Pakete) pro Tag. Bei reinen Paketdiensten liegt die Kundenzahl um 20.000 und aufwärts, dafür ist aber die Paketanzahl im Verhältnis dazu deutlich niedriger. Das liegt daran, daß wir uns spezialisiert haben auf eilige, hochwertige und *serviceintensive* Güter.

Konkret haben wir uns dabei auf wenige Branchen spezialisiert: Pharmaindustrie, hochpreisige Kosmetikprodukte, Tonträger, Büro- und Informationstechnik und Hi-Fi- bzw. Unterhaltungselektronik. Wir holen auch nicht auf Zuruf eine Sendung ab, sondern nur nach Abschluß eines Liefervertrages. Dafür kommen wiederum nicht alle Hersteller in Frage. Wer nicht regelmäßig eine Vielzahl von Sendungen verschickt, kann von uns aus organisatorischen Gründen nicht entsprechend betreut werden. Unser Systemgeschäft ist operativ auf ‚Großversender' ausgerichtet. Die Schallgrenze, ab der wir für einen Kunden interessant sind, liegt etwa bei 250 bis 300 Paketsendungen pro Woche. Ein Vorteil für den Kunden besteht darin, daß wir abrechnen pro Sendung, egal wie umfangreich. Es gibt keine Gewichtsbeschränkungen wie bei den meisten Paketdiensten, bei denen teilweise ab 31 Kilo aufwärts nichts mehr transportiert wird. Wir befördern vom Briefumschlag bis zur ganzen Palette alles, was unseren Allgemeinen Geschäftsbedingungen entspricht .

Ein weiterer Unterschied zur Konkurrenz ist sicherlich auch unsere *Organisations- und Infrastruktur*. Wir arbeiten mit 36 eigenen Niederlassungen und haben daher einen viel direkteren Zugriff in Sachen Service, EDV und Schulung als ein Speditionsunternehmen, das mit Fremdspeditionen kooperiert. Das kommt dem Kunden insofern zugute, als er immer einen direkten trans-o-flex-Ansprechpartner in der Nähe hat, der auch kurzfristig zu einem Besuch vorbeikommen kann. Das schafft Kundennähe und damit Vertrauen!"

Ein wichtiges Unterscheidungsmerkmal tritt hier zutage: *trans-o-flex* versteht sich als ein Spezial-Transportunternehmen für die Marketinglogistik von Herstellern serviceintensiver Produkte, ist also zielgruppenspezifisch ausgerichtet. Das wirft die interessante Frage auf: Wie funktioniert die Kundenakquise in diesem besonderen Fall?

Dieter Ziegler: „Da wir mit einer sehr eng gefaßten Zielgruppe zusammenarbeiten, lohnt eine breite Kundenakquise im herkömmlichen Sinne nicht, zudem haben wir einen hohen Bekanntheitsgrad in diesem Segment. Wir sind auf ganz spezielle Stammbranchen ausgerichtet, und diese erreichen wir mit den gängigen Werbemaßnahmen einfach nicht effektiv genug. Unser Vorteil liegt darin, daß wir die Ansprechpartner sehr genau kennen, da es ja in den jeweiligen Branchen wenige Anbieter gibt. Ganzseitige Anzeigen sind da keine Hilfe, weil die Streuverluste in Relation zur Größe unserer Zielgruppe zu hoch sind. Wir wissen, wer für uns als Kunde noch interessant sein könnte, weil wir genau verfolgen, wer im Markt tätig ist, mit welcher Spedition er fährt – und warum. Hier setzen wir an.

Wir studieren z.B. auch Stellenanzeigen – welche Manager werden bei welchem Unternehmen gesucht. Außerdem kommunizieren wir immer mit allen wichtigen Entscheidungsträgern. Dort setzen wir wieder an und bieten dann unseren speziellen Service an."

Nur darf man diese Art der Herstellung einer Kundenbeziehung nicht mit anderen Methoden des Verkaufs vergleichen, denn manchmal dauert ein solcher Akquisevorgang zwei bis drei Jahre. – Dieter Ziegler: „Das liegt auf der Hand, weil wir den potentiellen Kunden nicht drängen, sondern ihm Gelegenheit geben, uns über einen längeren Zeitraum zu beobachten und sich eine detaillierte Übersicht über unseren Service zu verschaffen. Er vergleicht dann über diesen Zeitraum unsere Leistungen mit denen seiner Spedition, bevor er im Idealfalle zu uns wechselt."

Auch die herkömmliche Vorgehensweise mittels einer *5-Minuten-Präsentation* findet keine Anwendung. Dieter Ziegler: „Wir können nicht wie andere Speditionen mit einem fertigen Paket in ein Meeting marschieren und in drei Sätzen unsere Vorteile darlegen, das funktioniert bei uns nicht. Da wir auf bestimmte Branchen spezialisiert sind, argumentieren wir natürlich ausschließlich kunden- bzw. branchenbezogen. Im Bereich Hi-Fi- und Unterhaltungselektronik sind die schlagkräftigen Argumente die *Liefertreue* beim Transport. Darüber hinaus legen Händler in dieser Branche großen Wert auf *Flexibilität* bei der Anlieferung.

Im Pharmabereich liegen die Ansprüche ganz woanders. Da kommt es vor allem auf eine schnelle und zuverlässige Lieferung an. Medikamente retten in vielen Fällen

Menschenleben, und gerade Ärzte und Apotheker sind auf eine pünktliche Lieferung unbedingt angewiesen – auch am Wochenende. Diese können wir aufgrund der Spezialausrichtung unserer Lieferorganisation generell erfüllen.

In Sachen Kosmetik ist das schlagkräftigste Argument die gute Referenz. Wir fahren für 90 Prozent aller Haarkosmetikhersteller und sehen uns damit als Marktführer dieses Segments.

Wenn wir diese Erfahrungen in den einzelnen Bereichen zusammenfassen, dann bedeutet das für unsere Transportberater, sich bereits vor dem Besuch sehr detailliert mit dem Kunden zu befassen und alle nur erhältlichen Informationen zu sammeln, um ganz *individuell* auf ihn eingehen zu können."

Der *Transportberater* scheint zudem ein ganz spezielles Berufsprofil aufzuweisen. Nicht ganz nebensächlich daher hier unsere Frage: Wie sieht im Detail dessen Karriereweg aus?

Dieter Ziegler: „Für diesen Job bewerben sich Außendienstler verschiedener Branchen, ebenso Sekretärinnen oder auch Jungakademiker – auf die Vorbildung kommt es hier gar nicht so sehr an. Wichtig ist das spezifische Fachwissen, das wir vermitteln. Ein Transportberater trägt eine sehr große Verantwortung, weil er die unmittelbare Schnittstelle zwischen *trans-o-flex* und dem potentiellen Kunden repräsentiert. Zuerst durchläuft er eine Einarbeitungsphase, während der er sämtliche Bereiche des Unternehmens kennenlernt. Außerdem fährt er bei unseren Transporten mit, lernt auch die Nachtschichten kennen, arbeitet im Servicebereich – Fachwissen ist alles!

Warum wir diesen Aufwand betreiben? Es darf beim Kunden niemals der Eindruck entstehen, der Berater hätte nicht genügend spezielles Fachwissen. Deshalb vermitteln wir ihm ein kompaktes Basiswissen, eine lückenlose Ausbildung, bevor er eigenständig die Kundenakquise in die Hand nehmen darf. Natürlich ergeben sich daraus interessante Aufstiegschancen. Eine Dame, die bei uns im Innendienst als Verkaufsmitarbeiterin anfing, arbeitete sich durch persönliches Engagement und Interesse zur Verkaufsleiterin hoch und führt jetzt ein – übrigens komplett weibliches! – Transportberaterteam. Bei mir persönlich lief es ähnlich ab: Ich verweilte eigentlich in keiner Position hier im Hause länger als zwei Jahre, sondern stieg immer wieder etwas weiter auf. Bis zum Direktor Top Key Account eben.

Wiederholen wir noch einmal: Die *trans-o-flex*-Philosophie lebt vom *kompetenten* Personal und ist streng auf *beratungsintensive* Gespräche ausgerichtet. Dabei ist diese Einstellung innerhalb der Speditionsbranche in Anbetracht des harten, teilweise auch rezessionsbedingten Preiskampfes eher die Ausnahme. Wie reagiert beispielsweise ein branchenvertrauter Neuling im Unternehmen auf diese spezielle Arbeitsweise?

Dieter Ziegler: „Im Klartext und ohne uns selbst beweihräuchern zu wollen: Wir kümmern uns ständig um die Firmen, für die wir fahren. Das muß ein Neuer schnell lernen. Der persönliche Kontakt ist für unser Geschäft ungeheuer wichtig. Probleme können schnell gelöst werden, wenn die ‚Chemie' stimmt. ‚Klinkerputzer' haben bei unserem beratungsintensiven Geschäft keine Chance. Kunden freuen sich beispielsweise auch über nette Briefe oder regelmäßige Kontakte."

Eine weitere These, die nicht unbedingt jeder blanko unterschreiben würde: Wer heute die Preise drückt, der geht morgen unter. „Der Preiskampf an allen Fronten ist ein großes Problem. Wie schon gesagt, wir möchten und können nicht am Service sparen, nur um da mithalten zu können. Das Paradoxe ist ja, daß Unternehmen zwar mit Dumpingpreisen kurzfristig an Aufträge kommen und vorübergehend vielleicht attraktiv für die Kunden sind, aber wer kann langfristig so kalkulieren und alle anderen unterbieten?"

Früher oder später sind diese Speditionen von der Bildfläche verschwunden. Das Problem dabei ist bloß: Bis dahin haben sie einen fast irreparablen Schaden in der Branche angerichtet, weil sie die Preise heruntergedrückt haben – bis weit unter die Schmerzgrenze. Aus dieser Spirale kommt ein Unternehmen wie *trans-o-flex* erst nach der aktuellen Talsohle wieder heraus, wenn sich die Spreu vom Weizen getrennt hat und wieder eine gesunde Preispolitik möglich ist. „Es kommt darauf an, wer jetzt den längeren Atem hat!", betont Dieter Ziegler.

Wie steht's mit der Kooperation untereinander, z.B. mit der Bahn, mit der Binnenschiffahrt etc.? Lassen sich nicht viele Gütertransporte auf die Schienen oder Flüsse verlagern, wie dies die Umweltschützer immer wieder vehement fordern? Dieter Ziegler ist da positiv eingestellt: „Liebend gerne würden wir dies tun, besser heute als morgen. Die Binnenschiffahrt kommt für uns nicht in Frage, weil wir ja mit 24-Stunden-Service arbeiten, und das klappt mit dem Schiff nicht. Die Bahn bietet eine für uns z.Zt. noch wenig flexible Alternativen. Entweder fahren die Züge zu selten, oder es gibt an den entscheidenden Bahnhöfen keine Weiterverlademöglichkeit – irgendwie müssen die Sendungen ja weitergegeben werden! –, oder aber die Bahn ist ganz einfach zu langsam.

Zu unserem Service gehört ja auch eine kundenfreundliche Anlieferung, und die könnten wir nicht bieten, wenn wir uns nach diesen Zeiten richten müßten. Also: Allein aus Umweltschutzgründen würden wir sehr gerne mit der Bahn zusammenarbeiten, z.B. bei intermodalem Verkehr.

Themenwechsel. Wie gestaltet die trans-o-flex ihren Werbeauftritt, wenn sie auf die klassischen Werbemöglichkeiten weitgehend verzichtet?

Dieter Ziegler: „Die Kommunikationsmittel wie unser Direktmarketing oder unsere PR-Arbeit werden intern konzipiert und umgesetzt. Wir arbeiten zwar auch mit

Agenturen, unser Mitarbeiter- und Kundenmagazin z.B. wird extern mit DTP-Systemen hergestellt, aber ausschließlich nach unseren Vorgaben. Wir kooperieren auch nur mit inhabergeführten Agenturen. So sind wir dort nicht einer von vielen anonymen Kunden, sondern sprechen ‚immer mit der ersten Geige'. Die Agentur muß schnell unser Geschäft verstehen, sonst können wir nicht effektiv zusammenarbeiten. Das gelingt nur, wenn unser Briefing nicht erst durch die verschiedenen Abteilungen einer Großagentur wandert und dabei etliche Male gefiltert wird, bis es schließlich bei den Kreativen auf dem Tisch liegt.

Viele unserer Führungskräfte kommen aus den eigenen Reihen. Bei Bedarf stellen wir ab und zu auch mal einen externen Spezialisten ein, aber in der Regel berücksichtigen wir zuerst unsere Mitarbeiter, wenn es um die Besetzung einer vakanten Position geht. Im Idealfalle arbeitet keiner bei uns länger als zwei Jahre in derselben Position. Das motiviert und schafft Bewegung. Damit ist gewährleistet, daß sich Strukturen nicht zu sehr festsetzen."

Es klingt fast zu schön, um wahr zu sein. Aber kommen wir noch einmal auf die Art und Weise des Firmenauftritts zurück. „Man liest viel über uns. Wir betreiben sehr intensive Pressearbeit und PR. Deshalb sind wir in den Special-Interest-Medien regelmäßig mit Sonderveröffentlichungen vertreten. Das wirkt glaubwürdiger als klassische Werbung und liefert gleichzeitig wertvolle Informationen für unsere Kunden. Wir heben vor allem unsere neuen Dienstleistungen hervor, wie z.B. das neue *eurodis*, ein europaweites Distributionsprodukt, das wir über ein flächendeckendes Netz von Tochterunternehmen bzw. namhaften Partnern im europäischen Ausland realisieren.

Oder die neuen automatischen Colli-Sortieranlagen, welche in fast allen neuen Niederlassungen installiert werden und vorher seit Herbst 1992 in Belgien (Auslandstochter) getestet wurden. Damit können 6.000 Pakete pro Stunde automatisch sortiert werden, was nochmals einen Qualitätsschub gewährleistet. Auch veröffentlichen wir regelmäßig aktuelle Informationen über Geschäftsentwicklung und neue Kunden. Darüber hinaus ist das gezielte Mailing ein wichtiges Marketinginstrument für uns. Wenn wir dann einen Kontakt mit einem Interessenten haben, kommen unsere Transportberater zum Einsatz. Wir vermeiden Anzeigenwerbung auch deshalb, weil wir unseren Kunden ja wie gesagt erst am Tisch erklären können, warum sie bei uns besser aufgehoben sind. Man wechselt nicht von heute auf morgen die Spedition, nur weil der andere schönere Anzeigen hat."

Stimmt. Vielleicht also noch ein Wort zur Weiterbildung der Mitarbeiter. Wie bleiben diese, abgesehen vom spezifischen Fachwissen über *trans-o-flex,* ganz allgemein auf dem Laufenden?

Dieter Ziegler: „Natürlich schicken wir unsere Mitarbeiter auch auf Seminare. Aber wir haben uns gerade kürzlich überlegt, daß es eigentlich viel effektiver wäre, über einen längeren Zeitraum eine Art Trainer im Haus zu haben, der die Mitarbeiter kontinuierlich schult. Aus diesem Grunde haben wir einen sehr qualifizierten ‚Coach' für diese Idee begeistert und arbeiten demnächst für ein ganzes Jahr mit ihm zusammen. Das heißt, er betreut während dieser Zeit unsere Mitarbeiter im Haus, führt Referate und Schulungen durch, aber auch eine individuelle Beratung, je nach Charakter des Mitarbeiters. Wir versprechen uns davon einen echten Langzeiteffekt, der bei einem Wochenendseminar kaum entstehen könnte."

Eine stimmige Idee, die ganz in das individuelle Konzept der *trans-o-flex* paßt. Wenn man nun das Image des Unternehmens in einem Satz zusammenfassen müßte – was wäre das Ergebnis? „trans-o-flex ist spezialisiert auf serviceintensive Güter, zuverlässig, schnell, individuell und branchenspezifisch. Offenheit kommt an, und deshalb vermeidet es trans-o-flex, sich am Preiswettrennen nach unten zu beteiligen."

Und wie sehen abschließend gefragt die Zukunftspläne des Unternehmens aus? Dieter Ziegler: „Wir werden unsere Spezialisierung unter anderem auf die Textilbranche ausdehnen. Dafür sind unsere Distributionswege gut geeignet, und außerdem reizt uns dieser Markt. Von anderen Branchen wie Food lassen wir noch die Finger, da tummeln sich genügend andere Mitbewerber. Darüber hinaus möchten wir natürlich unsere Position in den Branchen Pharma und Kosmetik weiter ausbauen; dort gibt es noch einige Hersteller, die wir gerne betreuen würden. Und die haben teilweise auch schon Interesse signalisiert... Was möchten wir noch erreichen? Auf jeden Fall müssen wir unser hohes Serviceniveau halten und dürfen keinerlei Zugeständnisse in diesem Punkt machen. *Nur wer in Sachen Betreuung und Service glaubwürdig bleibt, kann auf lange Sicht seine Kunden zufriedenstellen – und neue gewinnen.* Bei unserem beratungsintensiven Produkt ergibt es wenig Sinn, Druck auf die Transportberater auszuüben, z.B. durch Vorgabe von acht Akquisitionsgesprächen täglich. Das Ergebnis wäre „Masse statt Klasse". Nur wenn wir uns und die potentiellen Kunden nicht zu sehr unter Zeitdruck setzen, können wir die Basis für eine eventuelle Zusammenarbeit schaffen. Bei unserem Transportvolumen haben wir mehr von einem zufriedenen Kunden als von drei unzufriedenen."

Dieter Ziegler: „Und dann sind wir natürlich gespannt, wie die ersten Jahreszahlen bezüglich *eurodis* aussehen. Wir glauben, daß in dieser Art der Zusammenarbeit auf europaweiter Ebene eine große Zukunft liegt, weshalb wir auch verschiedene Tochterunternehmen im Ausland haben. Früher oder später setzt sich der Vorteil eines flächendeckenden, serviceorientierten Vertriebsnetzes gegenüber Einzelunternehmen ganz einfach durch – und wir haben eine Menge Durchhaltevermögen..."

Troika

Liudger Böll

„Kundenbindung ist der beste Weg zur Kundenfindung.“

Neue Wege der Kundenfindung gehen, das heißt auch neue Wege der Kundenbindung einzuschlagen. Denn jeder Kunde, der dem eigenen Unternehmen treu bleibt, nachdem er einmal (mit zum Teil erheblichem Aufwand) gewonnen wurde, ist buchstäblich Gold wert. Und genau an jenes Gold denkt man auch, wenn man sich als Unternehmer Jahr für Jahr mit der Frage auseinandersetzt: Ist ein Werbegeschenk angebracht? Und wenn ja, welches? Beim Stichwort Werbegeschenke denken wir an, ja – woran eigentlich? An kleine Terminkalender mit Plastikeinband? An unpraktische, weil zerbrechliche und selten dauerhaft funktionierende Kugelschreiber mit Kunststoffgehäuse und Billigmine? Oder, ganz originell, an die altbekannten und seit

30 Jahren unverändert erhältlichen Reisewecker, mit Leuchtziffern, dafür ohne Stil und selbstverständlich an den denkbar ungünstigsten Stellen mit Firmenlogo und Anschrift versehen.

Wie kommt es, daß der Mythos Werbegeschenk mit einem so starken „Billigimage“ belastet ist? Mit dem Wort allein assoziieren viele Unternehmer eine lästige Sonderausgabe, die so niedrig wie möglich gehalten werden sollte. Sich für ein Geschenk zu entscheiden, ist den meisten Unternehmern eher unangenehm. Unsicherheit, Zeitmangel und Angst, womöglich ein unpassendes Präsent zu verschenken, sind die Gründe dafür, weshalb Unternehmer die Verantwortlichkeit gerne an ihre Sekretärin weitergeben. Diese macht sich dann daran, entsprechende Kataloge zu studieren und durch die Läden zu streifen – eine delikate Aufgabe gerade kurz vor Weihnachten. Entnervt entscheidet sie sich, weil es so bequem ist, na wofür? Richtig: Für die allseits beliebten und jahrzehntelang bewährten billigen Kugelschreiber, Reisewecker, Kalender... Geschenke, die selbstverständlich jeder gebrauchen kann, natürlich. Aber auch noch beim vierten Mal in Folge?

Da stellt sich die Frage, welche Funktion das Werbegeschenk in diesem Fall erfüllen soll. Betrachten wir es wirklich ernsthaft als Mittel der Kundenbindung, versagen die klassischen Billigpräsente ganz eindeutig. Welche Alternativen bieten sich also an?

Die Firma Troika mit Sitz in Hattert im Westerwald machte es sich zur Aufgabe, im wahrsten Sinne des Wortes „Werbe“-Geschenke zu entwickeln. Mit diversen internationalen Designpreisen und Auszeichnungen versehen, bietet das Sortiment eine große Auswahl an edlen Geschenken, vorwiegend aus Silber und Zinn, für den anspruchsvollen, schlichten Geschmack. Ob im New Yorker „Museum of modern Art“ oder im Kaufhaus in Bangkok – die Artikel der Firma Troika sind international präsent und beliebt. Warum? Liudger Böll, Managing-Director und Mitbegründer der Firma Troika:

„Der Aha-Effekt ist bei unseren Geschenkartikeln sehr groß. Stellen Sie sich einmal vor, Sie gehen kurz vor Weihnachten durch die Fußgängerzone. Und bleiben vor dem Fenster eines hochpreisigen Design-Fachgeschäftes stehen, weil Ihnen schon seit Tagen dieser wunderschöne, elegante Parfümflacon ins Auge fällt. Sie sind nicht so leicht bereit, sich diese Sonderausgabe zu leisten oder gar als Geschenk für einen Freund zu investieren, Sie sind unschlüssig. Und jetzt stellen Sie sich vor, wie Sie am Tag vor Ihrem Weihnachtsurlaub ein Geschenkpäckchen von einem Ihrer Geschäftspartner entdecken, in dem sich eben jener Flacon befindet. Sie freuen sich, weil Sie spüren, daß Ihnen kein lästiges Verpflichtungsgeschenk, sondern eine wirkliche persönliche Aufmerksamkeit überreicht wurde, die noch dazu weder billig noch unnütz

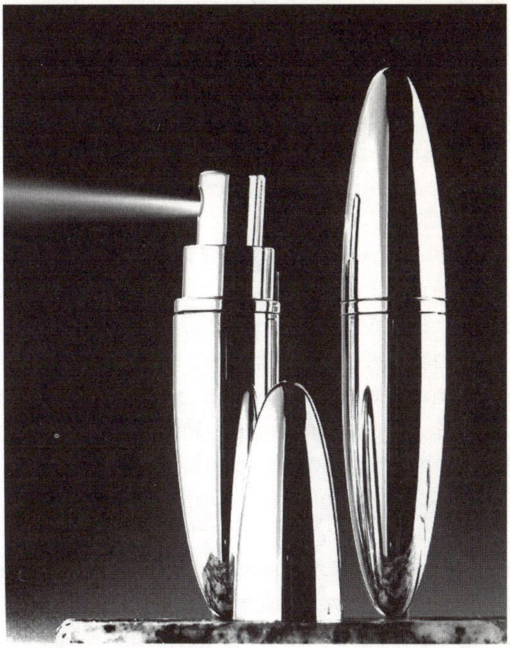

ist. Sie sind motiviert, freuen sich über die damit dokumentierte Großzügigkeit und über den praktischen Nutzen des Geschenks. Und das wichtigste: Sie sprechen darüber, während Sie den Namen des Versenders ganz selbstverständlich im Gedächtnis behalten. Womit auf elegante Art und Weise eine Kunden- oder Geschäftsbeziehung gefestigt wurde und das Geschenk im wahrsten Sinne des Wortes *funktioniert.*“

Die Chance, einen so eleganten Treffer zu landen, scheint offensichtlich bei hochwertigen Geschenkartikeln erheblich größer zu sein als bei der herkömmlichen Massenware. Leider steht erfahrungsgemäß in rezessiven Zeiten wie diesen das Werbegeschenkbudget als einer der ersten Posten auf der Streichungs- und Sparliste der Unternehmen. Eine verzwickte Situation: Man möchte die Kunden durch nette Geschenke milde stimmen, erfreuen und an das Unternehmen binden, aber auf der anderen Seite wehrt sich das viel zu knapp bemessene Werbebudget. Der Ausweg in dem Dilemma ist in der Antwort auf die Frage enthalten: Was spricht grundsätzlich für Werbegeschenke, und wovon hängt deren Wirkung ab?

Werbegeschenke ja – aber bitte exklusiv!

Liudger Böll: „Die Wirkungskette eines Werbegeschenks beginnt sehr früh. Ein Unternehmer fragt sich zum Beispiel: ‚Wie bedanke ich mich bei meinen Kunden bzw. den Mitarbeitern?‘ Dann erhält er zunächst jede Menge Kataloge, in denen alle nur erdenklichen Werbegeschenke abgebildet sind. Von der biologischen Wurzelbürste über Campinggeschirr bis hin zur Taschenlampe finden Sie wirklich alles. Und leider auch manchen Staubfänger. Darüber hinaus werden die klassischen ‚Statussymbole‘ der noblen Marken angeboten, Füller, Büroaccessoires, Lampen etc., wobei die Preise mancher dieser Artikel teilweise schon über der Grenze liegen, bei der ein Geschenk den Charakter eines Bestechungsversuches annehmen könnte. Aber ob billig oder teuer – angesichts dieser Kataloge fällt es schwer, sich für einen Artikel zu entscheiden. Natürlich könnte man jetzt sagen: Je universeller und unverbindlicher ein

Geschenk ist, um so weniger kann man dabei falsch machen. Aber das ist ein Trugschluß, in diesem Falle könnte man sich die Ausgabe wirklich sparen. Nein, als erstes sollte man sich die Frage stellen, was das auszusuchende Geschenk eigentlich bewirken soll: es soll Freude machen, gut funktionieren, lange halten, repräsentativ, edel und geschmackvoll sein und zum Anlaß bzw. zum Kunden passen. Und genau hier werden häufig die gröbsten Fehler begangen."

Die Überraschung: Ihre CI steht vor der Geschenkauswahl

Eine grundlegende These aus dem Hause Troika mag manchen Unternehmer überraschen: Es ist heute unverzichtbar, sich *vor* der Auswahl eines Geschenks zuerst einmal über das eigene Image klar zu werden. Das beinhaltet die Corporate Identity des Unternehmens, die Funktion bzw. Branche, die Firmenphilosophie und so weiter. Eine Schraubenfabrik aus Paderborn tritt anders an ihre Kunden heran als ein Beratungsunternehmen im Immobilienbereich oder eine mittelständische Werbeagentur. Bevor ein Geschenk ‚wirken' kann, muß es spontane Assoziationsmöglichkeiten im Hinblick auf den Absender bieten. Das muß nicht unbedingt das Firmenlogo sein, oft genügt das Understatement mittels Funktion oder Gestaltung des Artikels. Wenn klar ist, welches Image durch das Geschenk transportiert werden soll, taucht die nächste Frage auf: Wen will ich eigentlich beschenken? Dazu Liudger Böll: „Es kann schon einmal vorkommen, daß wir mit einem Unternehmer zusammensitzen, der weder seine Kunden noch sich selbst kennt. Woher sollte er nun eine Vorstellung davon haben, was er verschenken könnte?

Da wir nicht unbedingt eine Imageberatung bieten können, kann es in ganz extremen Einzelfällen auch einmal passieren, daß wir einem Unternehmer eher dazu raten, dieses Budget einzusparen oder einem guten Zweck zu spenden, als es sinnlos zum Fenster hinauszuschenken. Doch das ist der eher seltene Ausnahmefall: Meistens findet der Kunde in unserem Sortiment einen Artikel, bei dem er das Gefühl hat, er paßt zu ihm und dem Unternehmen – und er gefällt seinen Adressaten, was ja das wichtigste dabei ist. Unsere Philosophie lautet: Falsche, unpassende Werbegeschenke richten unter Umständen mehr Schaden an als gar keine!"

Das Geschenk muß zum Kunden passen

Ganz banal gefragt: Woher weiß ich denn nun als schenkbereiter, aber leider unschlüssiger Unternehmer, ob ein Geschenk nun paßt oder nicht?

Hierzu Liudger Böll: „Indem Sie in Gedanken eine kleine *Botschaft* mit dem Geschenk verbinden. Versetzen Sie sich in die Lage Ihres Kunden oder Mitarbeiters, den Sie beschenken möchten. Welche Hobbys, Vorlieben und Präferenzen hat er? Klassischer Fehler: die zu gut gemeinten Präsente. Ein Architekt freut sich garantiert über

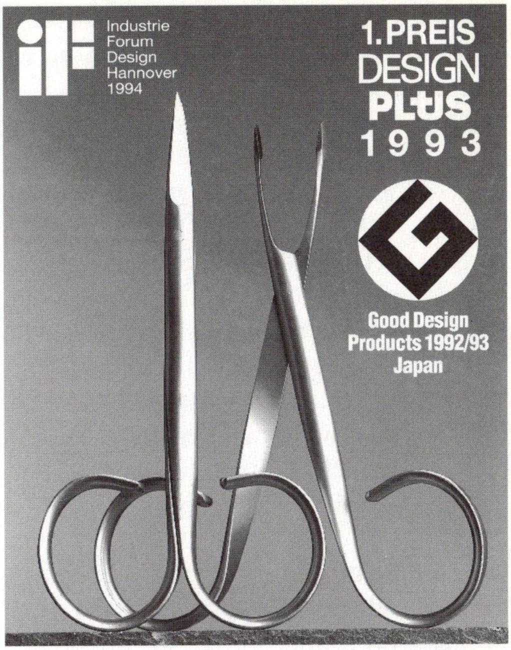

einen Zollstock, liegt ja auch nahe. Aber wie reagiert er wohl, wenn er zum dritten Mal einen überreicht bekommt? Das naheliegendste Geschenk ist nicht unbedingt das Beste, wie dieser Fall beweist. Besser ist es, Sie beschäftigen sich ein bißchen intensiver mit Ihrem Geschenkadressaten. Wenn Sie zum Beispiel jemanden mit einer kleinen Aufmerksamkeit beschenken wollen, der leidenschaftlich gerne reist, dann ist es wenig sinnvoll, ihm den fünften Akkurasierer oder einen teuren Koffer zu schenken – beides wirkt deplaziert. Aber in unserem Sortiment bieten wir zum Beispiel einen eleganten versilberten Kofferanhänger an, eine im Grunde überflüssige, aber schöne Kleinigkeit zum Preis von 12 DM. Dafür bekommen Sie wahlweise auch einen Strauß Schnittblumen, eine Flasche mäßig guten Rotwein oder zwei Dutzend minderwertige Kugelschreiber. Nur können Sie bei dem Anhänger sicher sein, daß sich der Beschenkte nicht nur spontan freut, sondern ein Präsent mit echter Langzeitwirkung besitzt. Wieviele Reisen wird er mit diesem Anhänger unternehmen? Und bei wievielen Gelegenheiten wird er sich daran erinnern, wer ihm dieses kleine, nützliche Werbegeschenk überreicht hat?“

Im Zweifelsfalle beraten lassen!

Nun sehen wir also einen von plakativen Billiggeschenken und Reiseweckern kurierten Unternehmer vor einem Prospekt diverser hochwertiger Artikel sitzen. Damit wird er nicht alleingelassen; er erhält fachmännische Hilfe. Was macht eine gute Beratung speziell bei Troika in Sachen Werbegeschenk aus? Reicht es, den Unterschied zwischen gutem Geschmack und billigen Staubfängern zu erläutern? Liudger Böll: „Diesen kennen unsere Kunden in den meisten Fällen glücklicherweise schon. Nein, unser Service liegt in der Stilsicherheit unserer Beratung. Unsere Kunden kommen vorwiegend aus Industrie- und Dienstleistungsbetrieben. Natürlich sind wir auch im Einzelhandel präsent, aber der Löwenanteil der Kundschaft setzt sich aus Unternehmern zusammen, die auf der Suche nach Mitarbeiter- oder Kundengeschenken sind. Wenn nun ein Kunde völlig orientierungslos vor einem Stapel Kataloge sitzt und den

Überblick verloren hat, dann präsentieren wir ihm nicht auch noch einen dicken Prospekt, sondern argumentieren genau auf die Punkte hin, vor denen der Unternehmer sich fürchtet:

1. Die Unsicherheit, ob sich der finanzielle Aufwand auch auszahlt.
2. Zweifel, welches Geschenk für wen geeignet ist.
3. Angst, zu noble oder zu minderwertige Präsente zu verschenken."

Nicht gerade unbedeutend, was da an mehr oder weniger latenten Befürchtungen also beseitigt werden muß. Vordergründig ist meist das erstgenannte Problem, der Preis. Stellen wir einmal die umgekehrte Frage: Wie geht man denn als Anbieter von Geschenkartikeln mit der oft sprichwörtlichen Knauserigkeit der Unternehmer um?

Liudger Böll: „Zunächst machen wir einmal grundsätzlich eines klar: Wir sind nicht so teuer, wie es auf den ersten Blick aussieht. Natürlich bieten wir auch hochpreisige Artikel an, aber die meisten Geschenke liegen im Einkauf für das Unternehmen zwischen 5 DM bis ca. 25 DM. Aber das ist nicht einmal der springende Punkt. Wissen Sie, was in diesem Zusammenhang wirklich interessant ist? Wir machen öfter einmal die Probe aufs Exempel und lassen verschiedene Gesprächspartner den Preis unserer Artikel anhand der Produkte oder eines Fotos schätzen. Und fast alle schätzen den zwei- bis dreifachen Preis! Das spricht für sich, denn offenbar wirken unsere Artikel sehr viel teurer, als sie es tatsächlich sind. Und genau damit sind wir bei der Wirkung, die wir beim Kunden erzeugen wollen: ein Imagegeschenk, das jedoch den Unternehmer in Wirklichkeit viel weniger kostet, als es den Anschein hat.

Ist dies vom Unternehmen, das sich für die Geschenkartikel interessiert, klar erkannt worden, dann wird es wirklich spannend. Denn jetzt müssen *emotionale* Schwellen überwunden werden. Die Angst, daß ein Geschenk nicht *ankommen* oder als deplaziert eingestuft werden könnte, rührt meist daher, daß die Unternehmer ihrem eigenen Geschmack nicht so recht über den Weg trauen und deshalb sehr unsicher sind. Hier argumentieren wir gleich mehrfach. Zum einen können wir sehr genau vorhersagen, welcher Artikel auf welche Kunden wie wirkt. Wir definieren in unseren Artikeln den Zeitgeist, den Trend, bevor er sich abnutzt. Die Designpreise, die wir zum Beispiel für unsere Nagelschere aus gedrehtem Chirurgenstahl von der Jury des Industrie-Forums Design Hannover in diesem Jahr erhielten, sind nur ein Indiz dafür, daß wir irgendwie richtig liegen müssen. Denn Schlichtheit, Funktionalität, Geschmack, Trends, Stil, das sind keine meßbaren Größen, sondern Erfahrungswerte und Fachwissen. Und genau hier liegt unser Potential! Ein weiteres Beispiel sind unsere Tischuhren, entworfen von Alan Yip. Schlichte Formen, aus Metall gegossen und mit matten Oberflächen veredelt, für die wir ebenfalls einen Designpreis erhielten. Unsere

Kunden bekommen durch unsere Artikel die Sicherheit, keinen ‚Ramsch' zu verschenken, fühlen sich auch in Sachen CI-Assoziationen gut beraten und können sich gleichzeitig darauf verlassen, langlebige und handwerklich durchdachte Produkte zu erhalten, die sich von der breiten Masse der Geschenkversender abheben."

Man kann also sagen, daß die Troika-Geschenke so etwas wie eine Erfolgsgarantie bieten. Das klingt fast zu schön, um wahr zu sein. Wie geht es nach dieser Argumentationskette nun weiter?

Liudger Böll: „Wir zeigen unserem Kunden einige Produkte, geben sie ihm in die Hand und lassen ihn sich zuerst einmal damit beschäftigen. Dann fragen wir ihn, welchen der Artikel er denn gerne selbst geschenkt bekäme. Dabei ist nämlich nicht die Grundüberlegung: Was ist das billigste und unverbindlichste Geschenk, sondern: wobei empfinde ich die meiste Freude, ganz persönlich? Und schon befinden wir uns auf der emotionalen Ebene, auf der solche Entscheidungen auch getroffen werden sollten. Denn dann ist unser Kunde bereit, sich mit persönlichen Wünschen und Interessen seiner Adressaten auseinanderzusetzen. Die Fragestellung: ‚Was will mein Kunde wirklich?', betrifft ja nicht nur die Werbegeschenke, sondern die gesamte Geschäftsverbindung! Ein Architekt freut sich also nicht unbedingt über den bereits zitierten dritten Zollstock, sondern vielleicht mehr über einen eleganten metallgefaßten Flaschenkorken (Weinliebhaber?) oder ein silbernes Lesezeichen (Bücherwurm?). Oft ist ein Unternehmer erst, wenn er durch das Anfassen und Erleben eines Geschenks erkannt hat, wie schön und exklusiv die Produkte sind, bereit, sie als Werbegeschenke zu bestellen. Nicht, weil wir ihn dazu überredet hätten – das wäre nun wirklich nicht die feine englische Art –, sondern weil er sich selbst persönlich dafür begeistert."

Die richtige Beratung ist also genauso wichtig wie das richtige Produkt. Werfen wir doch einmal einen Blick hinter die Kulissen der Firma Troika. Wie entstehen nun diese Artikel? Wer ist für die Entwürfe verantwortlich und – sofern man diese Frage umfassend beantworten kann – woher weiß man als Hersteller dieser hochwertigen Produkte, ob sie tatsächlich angenommen werden und gefallen?

Hinter den Kulissen

Liudger Böll: „Wir können einen doppelten Testfaktor ausnutzen, um die Wirkung eines Artikels festzustellen. Einerseits sind wir ja in knapp 1.000 Geschäften in Deutschland präsent. Dort erhalten wir einen direkten Einblick in die Präferenzen der Endverbraucher. Und wenn ein Artikel im Handel stark gefragt ist, können wir davon ausgehen, daß er auch als Geschenk ankommen wird. Darüber hinaus fertigen wir vor jeder Produktion ein Muster und präsentieren es auf den Fachmessen. Hier können

wir sofort kontrollieren, wie die Besucher auf den Entwurf reagieren. Der klassische, kleine Taschenparfümzerstäuber ist seit Jahren unser ‚Renner' unter den Geschenken, genau wie das Feuerzeug. Hier hatten wir angesichts der Verpöntheit des Rauchens gar nicht mit solch einem Erfolg gerechnet!

Aber generell können wir uns auf unseren Instinkt verlassen, echte Flops gibt es bei uns kaum. Die Fertigung findet in England statt. Dort besitzt man einfach mehr Kenntnisse über Silberverarbeitung und handwerkliche Kunst. Vergleichbare Spezialisten finden Sie hierzulande höchstens in der Goldschmiedestadt Pforzheim. Die Entwürfe selbst stammen aus ganz unterschiedlichen Quellen. Manchmal geben wir eine konkrete Produktidee mit klaren Vorgaben bei unseren Grafik-Designern in Auftrag. Oft kommen aber auch Designer auf uns zu, die ihre Ideen anbieten, zum Beispiel Studenten der Fachhochschulen. Wenn wir spontan das Gefühl haben, dieser Entwurf könnte ankommen, dann haben wir da gar keine Berührungsängste! Gute Ideen sind nicht unbedingt mit großen Namen verbunden, sondern entstehen durch unkonventionelles und kreatives Denken. Da wir eine klare Produktlinie verfolgen – also klare, schlichte, schnörkellose Formen – können wir eindeutig unterscheiden, was zu uns paßt und was nicht. Wichtig: Man darf sich auf keinen Fall neuen Ideen gegenüber verschließen. Wenn ein Kunde zum Beispiel vorschlägt, eine wirklich exklusive Spardose zu entwickeln, dürfen wir das nicht ignorieren. Wer könnte uns besser Auskunft über den aktuellen Bedarf geben als unsere Kunden? Und wenn wir aus verschiedenen Ecken hören sollten, daß Silber als Material nicht mehr im Trend liegt, dann müssen wir reagieren. Genauso, wie wir auf die generellen Sparmaßnahmen in den Unternehmen reagieren, indem wir verstärkt Artikel im unteren Preisbereich anbieten. Wichtig ist es, immer flexibel zu bleiben, ohne die Philosophie dabei aufzugeben."

Und wie sieht die Kundenakquise in eigener Sache aus? Wie gewinnt man als Hersteller hochwertiger Geschenkartikel die Aufmerksamkeit seiner Kunden?

Liudger Böll: „Wir sehen uns nicht als reinen Lieferanten, sondern als Berater in Sachen Stilsicherheit und guter Geschmack. Das versuchen wir sowohl im persönlichen Kontakt als auch in unserer Werbung zu transportieren. Wir werben mittels Anzeigen in Fachmedien, um den Einzelhandel und die Industriekunden direkt zu erreichen. Wichtig ist dabei der PR-Bereich.

Wir berichten regelmäßig über unsere Aktivitäten, z.B. über die Verleihung eines Designpreises oder ein neues Produkt. Ferner betreiben wir die üblichen ‚Tauschgeschäfte' mit Großverlagen: Wir liefern Abonnentenprämien, dafür schalten wir unsere Anzeigen.

Zusätzlich veranstalten wir regelmäßige Mailingaktionen an unsere potentiellen Kunden wie Banken, Agenturen und Industriekonzerne, die dann per Nachfaßaktion weiterverfolgt werden und meistens einen Besuch unserer Berater nach sich ziehen. Dieser stellt dann mit Prospekten und Musterartikeln unsere Philosophie dar, nach der altbewährten Regel: Der Kunde muß das Produkt anfassen können. Aber auch in unseren Mailings und Produkten wirken unsere Prospekte für sich. Wir legen selbstverständlich großen Wert auf eine hochwertige, ansprechende fotographische Darstellung der Artikel und ein elegantes Gesamtlayout, bei dem unsere Philosophie ‚rüberkommt'. Wir arbeiten nebenbei bemerkt nicht mit einer der großen Werbeagenturen, sondern erstellen unsere Werbemittel im Haus bzw. in Zusammenarbeit mit unseren eigenen Grafik-Designern, weil hier das produktbezogene Know-how sehr wesentlich ist. Nicht, daß ich hier die Agenturen kritisieren möchte, aber um unser Sortiment und die damit verbundene Philosophie richtig darstellen zu können, muß man sehr direkt mit den Produkten zu tun haben. Mit unseren Grafikern pflegen wir einen sehr engen persönlichen Kontakt, und wenn wir einen neuen Prospekt oder ein Mailing konzipieren, genügt schon ein sehr sparsames Briefing, mit dem eine externe Agentur zu wenig anzufangen wüßte, um wirklich gute Ergebnisse zu erzielen."

Wie schätzt man im Hause Troika die Zukunftsperspektiven der Werbegeschenkbranche ein? Liudger Böll: „Sie werden im Rahmen des Firmenimages eine immer wichtigere Rolle spielen. Unnütze Artikel, die man oft als ‚Ramsch' bezeichnen kann, haben in meinen Augen immer weniger Chancen. In einer Zeit, in der jeder so ziemlich alles besitzt, was er zum Leben braucht, legt man einfach Wert auf exklusive Kleinigkeiten. Wobei es nicht auf den Preis, sondern die Idee an sich ankommt. Eben fast wie im richtigen Leben, oder? Und je persönlicher und individueller ein Geschenk ist, umso länger erinnert man sich an den Versender... Unsere Pläne sind natürlich, langfristig die Marktführerschaft in diesem speziellen Bereich zu übernehmen. Aber wir wollen uns auf keinen Fall so explosiv vergrößern, daß wir irgendwann zu einem dieser ‚Allesanbieter' der Branche werden. Unsere Produkte im Bereich British Accessoires decken ein schmales, dafür sehr tiefes Marktsegment ab, darüber hinaus möchten wir nicht expandieren. Dazu besteht auch gar kein Anlaß; ich schätze, daß wir noch nicht einmal annähernd 50% unseres Potentials ausgeschöpft haben! Sie sehen ja selbst, wieviele Firmen immer noch die üblichen Kalender verschenken. Und mal ehrlich: Wieviele Reisewecker haben Sie schon zu Hause stehen?"

Das 1x1 des richtigen Werbegeschenks

Die gute Nachricht: Alle drei Unsicherheitsfaktoren bezüglich des Erfolgs eines Geschenks lassen sich durch eine qualifizierte Beratung in Kaufargumente verwandeln. Die schlechte: Weil jeder mit einem Geschenk etwas anderes verbindet, läßt sich die Wirkung, der vielzitierte Nutzen nur schwer definieren. Doch eines läßt sich mit Bestimmtheit steuern: der Erfolg, das Aha-Erlebnis beim Auspacken des Präsents.

Sie können Ihren Kunden anrufen. Sie können ihm schreiben, ihn persönlich treffen. Nur eines können Sie nicht: ihm rund um die Uhr nahe sein, zu einem festen Bestandteil seines Privatlebens werden. Oder vielleicht doch? Denken wir doch einmal darüber nach, was ein Werbegeschenk an Privilegien genießt: Es kann Tag und Nacht, 24 Stunden, rund um die Uhr in der Nähe Ihres Kunden sein. Unauffällig, aber wirkungsvoll. Eine einmalige Chance! Ihr Kunde gliedert Sie dadurch auch in seinen persönlichsten Lebensbereich, in sein Privatleben ein, er integriert Sie in seine berufliche Tätigkeit. Hält man sich diese Konsequenzen vor Augen, nimmt die Bedeutung der Voraussetzungen zur Auswahl eines Werbegeschenks sprunghaft zu. – Und somit läßt sich abschließend die Hohe Schule der Geschenkauswahl auf einige wesentliche Punkte reduzieren:

1. Einfühlungsvermögen. Schenken Sie nicht von oben herab, sondern versetzen Sie sich immer in die Lage des Beschenkten. Der Vertriebsleiter eines Weingutes freut sich nicht unbedingt über edle Korken und Flaschenöffner. Viel wichtiger als der oberflächliche Bezug zwischen Geschenk und Beschenktem ist das spontane Gefühl, den Nagel auf den Kopf getroffen zu haben. Vielleicht besitzt Ihr Kunde 700 Bücher, dafür keine Lesezeichen? Solche Detailinformationen sind wichtiger als das Wissen um Schuhgröße, Familienstand oder Beruf!

2. Flexibilität. Ein Unternehmen, das seit Jahren unverändert dieselben Geschenke an Kunden und Mitarbeiter überreicht, verliert nicht nur seine Glaubwürdigkeit, sondern gerät auch in den Verdacht, träge, unflexibel und knauserig zu sein!

QUARTZ

3. Gespür für guten Geschmack. Geschenke sind immer passend zum Anlaß und der erhofften Wirkung zu überreichen. Wußten Sie, daß übertriebene Präsente, beispielsweise Prämien bei Testabonnements, nicht etwa zum anschließenden Kauf, sondern im Gegenteil zum reinen „Abgrasen" durch nachträgliche Kündigungen führen können? Hierbei entsteht genau das Gegenteil einer Kundenbindung!

4. Weitblick. Selektieren Sie die Kandidaten für die Geschenkliste nicht nach Umsatzvolumen oder anderen meßbaren Größen. Sondern überlegen Sie sich gut, ob Sie einen Stammkunden mit Minimalumsätzen zu Gunsten eines zahlungskräftigen „Einmal-Käufers", der seit Monaten als Karteileiche dahindümpelt, übergehen. Verlassen Sie sich auf Ihren Instinkt, auf Sympathien. Wenn Sie jemanden einfach nicht mögen und dies womöglich auf Gegenseitigkeit beruht, überlegen Sie sich, wie Sie künftig mit diesem Fall umgehen werden. Legen Sie Wert auf diesen Kontakt? Dann schenken Sie. Wenn nicht: Ein anderer freut sich darüber!

5. Menschlichkeit. Zu guter Letzt also doch noch die Ehrenrettung des Plastikkulis. Genauso wichtig wie das „Was" ist nämlich das „Wie". Ein lieblos verpackter, unpersönlicher High-Tech-Taschenrechner verfehlt seine Wirkung ebenso wie ein unangebracht teurer Briefbeschwerer. Aber ein wirklich witziger Kuli – auch aus Plastik! – mit einem originellen Begleitbrief öffnet Ihnen vielleicht das Herz des Beschenkten. Oder wie wäre es, wenn Sie die in limitierter Auflage produzierten Werbeshirts eines Ihrer Lieferanten einfach an Stammkunden weiterverschenken? Absolut unverkäuflich und nirgends erhältlich – außer bei Ihnen. Motto: Menschlich bleiben statt protzen!

Frank Patt
Unternehmensberater
Schnelle und sichere Verkaufserfolge für mittelständische Unternehmen

„Da sich Produkte und Dienstleistungen immer ähnlicher werden, ist eine gute und ehrlich gemeinte Kundenbindung die sicherste Form von Zukunftssicherung und Erfolg!“

Widmen wir uns einem weiteren wichtigen Thema im Zusammenhang mit dem Gewinnen neuer, aber auch dem Festigen der Beziehung zu alten Kunden. Im Zusammenhang mit rückläufigen Kundenzahlen werden häufig externe Berater auf den Plan gerufen. Somit interessiert uns natürlich der Beruf des *Unternehmensberaters* in diesem Zusammenhang, und die Aussagen eines Fachmannes. – Zu diesem Thema steht uns Frank Patt, 28 Jahre und selbständiger Unternehmensberater, Rede und Antwort. Als selbständiger Unternehmensberater betreut er im Schnitt parallel ca. 12-15 kleine und mittelständische Unternehmen (mit einem Umsatz zwischen einer halben und 20 Millionen Mark) in Sachen „Mehr Erfolg“. Dabei sind zwei Besonderheiten zunächst hervorzuheben:

1. Viele Unternehmen, die sich an ihn wenden, haben Verkaufs- und damit Liquiditätsprobleme. Auch ernsthafte Sanierungsfälle waren bereits darunter. Unter bestimmten Voraussetzungen, über die wir mehr erfahren werden, war es möglich, selbst „schwerste Fälle“ wiederzubeleben.
2. Es werden aber auch solche Unternehmen erfolgreich betreut, denen in erster Linie daran gelegen ist, einen vorhandenen, durchaus respektablen Erfolg, strategisch weiter auszubauen und abzusichern.
   Die grundlegende Vorgehensweise ist in beiden Fällen ähnlich und besteht aus wenigen einfachen Schritten:
   a. Eine Kurzanalyse von maximal sechs Seiten – hier wird der größte Engpaß des Unternehmens ermittelt (ein Beispiel dazu folgt an späterer Stelle).
   b. Das Erarbeiten eines Konzepts gemeinsam mit dem Inhaber, wie schnellstens „Markt gemacht“ werden kann. Dazu werden klare Ziele erarbeitet, Visionen formuliert, die vorhandene Kundenstruktur wird unter Anwendung des „Pareto-Prinzips“ analysiert, Sonderaktionen werden gefahren.

Die wichtigste These von Frank Patt:
Der Chef, der Verkäufer, muß raus zum Kunden!
Auch darüber in Kürze mehr.

Frank Patt mag – wie hier schon angedeutet – auf den folgenden Seiten sicherlich verblüffende Antworten und spannende Einblicke vermitteln, denn wer sich heute auf dem Markt bewegen und behaupten will, der muß Fachkompetenz, nicht kluge Worte mitbringen. Und Fachkompetenz zeigt sich in erster Linie in den Taten. Bevor wir uns nun also über die Beurteilung effektiver und weniger effektiver Maßnahmen der Kundenakquise unterhalten, interessiert uns zunächst einmal das für Unternehmen so wichtige und oft rätselhafte Phänomen des „untreuen“ Kunden, durch welches sich eine Unternehmenskrise ankündigt. Was bringt einen Kunden dazu, ein Unternehmen zu verlassen, und welche Schlüsse sollte man daraus ziehen?

Frank Patt: „In der Regel vollzieht sich dieser Wechsel zuerst im Kopf des Kunden und wird erst nach einiger Zeit in die Tat umgesetzt. Das einzige, deutliche Signal ist eine dauerhafte Funkstille seitens des Kunden. Deshalb ist eine regelmäßige Kundenpflege wichtig, und sei es durch eine originelle Weihnachtsaktion oder irgendeine andere Aktion, die den Kunden daran erinnert, daß Sie als Unternehmen noch für ihn da sind.

Und nun mag in diesem Zusammenhang eine These kommen, die die wenigsten Unternehmer auf Anhieb akzeptieren: Ein wesentlicher Gradmesser des Interesses und der Zufriedenheit des Kunden ist die *Reklamation*. Das gilt, ob Sie es glauben oder nicht. Die Tatsache und die *Art* einer Reklamation sagen viel über die *Zufriedenheit* eines Kunden aus. Ein reklamierender Kunde ist ein potentieller Stammkunde! Wer sich nicht beschwert, der möchte auch nicht betreut werden. Wer an einer langfristigen Kundenbeziehung interessiert ist, wird also zuallererst einmal darauf achten, daß Reklamationen peinlich sorgfältig erledigt werden, und sie nicht als lästige Zusatzbelastung abtun. Oft werden hier katastrophale Fehler begangen, sei es durch unkompetente Betreuung oder langwierige Abwicklung. Oder einfach dadurch, daß der Vertrieb sich um den reklamierenden Kunden nicht kümmert und sagt, das ist nicht unser Bereich. Kein Fehler könnte fataler sein als dieser!

Dem erfolglosen Reklamieren folgt in aller Regel die stille Kündigung, der Gang zur Konkurrenz. Das Abwandern von guten Kunden ist bereits ein sehr deutliches Alarmsignal, ein letzter externer Hinweis darauf, daß sich die Leistung des Unternehmens verschlechtert oder zumindest in jüngster Zeit im Vergleich mit der Konkurrenz nicht entscheidend verbessert hat. Untreue Kunden bilden nicht das Problem, das zu einer künftigen Unternehmenskrise auswächst – sie sind ein Symptom für eine bereits *vorhandene* und in der Phase der Reklamation nicht bewältigte Krise!“

Da liegt der Schluß also nahe, daß die Unzufriedenheit des Kunden nicht primär mit dem Produkt, sondern mit den *Serviceleistungen* eines Unternehmens zusammenhängt. Dazu Frank Patt: „In vielen Fällen zumindest ist das so. Eine liebevoll und verbindlich gestaltete Aktion, aber auch eine nette Behandlung am Telefon und ein persönliches Gespräch binden Kunden wesentlich stärker an einen Anbieter als das Produkt oder dessen Preis, denn das ist ja meistens bei den Mitbewerbern auch – und nicht umsonst – zu haben. Dasselbe gilt doch für Sie auch: angenommen, Sie möchten einen Drucker kaufen. Natürlich können Sie jetzt über Fachzeitschriften, Prospekte etc. studieren, in der Hoffnung, sich einen Überblick zu verschaffen und herauszufinden, worin sich die Modelle unterscheiden. Wenn Sie dagegen jemanden damit beauftragen, dann wird dieser Fachmann – sei es nun im Handel oder beim Hersteller – Sie zuerst nach Ihren Wünschen und Ihrem Budget fragen, er interessiert sich dafür, was Sie mit dem Gerät bewirken wollen. Er beschafft Ihnen dann das richtige Gerät zu einem vernünftigen Preis. Im Idealfall sind Sie damit wunschlos glücklich und werden beim nächsten Kauf wieder auf diesen Händler oder Vertrieb zukommen, weil Sie ihm vertrauen. Und genauso funktioniert Kundenbindung. Welches Produkt Sie letztendlich gekauft haben, interessiert dabei nicht.“

Kundenbindung funktioniert über eine herzliche Betreuung, über Zusatzleistungen, den Service und die Kompetenz. Sind das auch die Punkte, an denen eine *Unter-*

nehmensberatung ansetzt? Frank Patt: „Im Idealfall ja. Allerdings kommt es manchmal vor, daß ich im Zuge der Beratung ganz andere – menschliche – Probleme lösen muß, bevor wir uns mit der eigentlichen Kundenakquise beschäftigen können. Jüngstes Beispiel: Ein Unternehmen beauftragt mich mit der Optimierung des Vertriebs. Doch bereits bei der ersten Bestandsaufnahme stellt sich heraus, daß die auf den ersten Blick offensichtlichen Schwächen im Verkauf nicht zuletzt auf Schwierigkeiten innerhalb des Unternehmens zurückzuführen sind. In diesem Moment muß ich umdisponieren und zuerst die internen Probleme beseitigen, sonst wären die Vertriebsmaßnahmen nahezu wirkungslos. Interne Probleme beseitigen sich nur durch Teamarbeit.“

Weder der Markt noch die Kunden tragen Schuld an einer Unternehmenskrise

Frank Patt: „Zuerst setze ich mich mit den verantwortlichen Mitarbeitern zusammen und wir denken gemeinsam über die Situation nach. Dabei treten schon bald Dinge an die Oberfläche, die im Verborgenen schlummern. Die Mitarbeiter sind offen, teilen sich mit und berichten von ihren Eindrücken und Problemen. Da stellt sich zum Beispiel heraus, daß während einer längeren Abwesenheit des Inhabers die Mitarbeiter zu Hochform aufliefen und es einfach perfekt funktionierte. Bis zu dem Tag, an dem er wieder im Unternehmen auftauchte. Hier sind natürlich Konsequenzen angezeigt, sonst würde eine reine Vertriebsberatung nicht greifen. In diesem Fall ließ sich der Inhaber auf das Experiment ein, zunächst nur noch ganz wenig Zeit im Unternehmen zu verbringen. Gleichzeitig mußten Mitarbeiter in andere Positionen versetzt werden, in denen sie effektiver wirken konnten. Diese internen Umstrukturierungen rangieren natürlich vor der rein vertriebsorientierten Beratung.“

Diese tiefgreifenden Schritte erfordern die volle Unterstützung seitens des Unternehmers und seiner Mitarbeiter. Wie begeistert man als Berater die Betroffenen für solche grundsätzlichen Maßnahmen? – Frank Patt: „Das ist nur möglich, indem ich mich mit den Mitarbeitern eines Unternehmens auf dieselbe Stufe stelle. Gleichzeitig versichere ich mich natürlich, daß ich die volle Rückendeckung der Geschäftsleitung genieße. Wichtig: Ich darf auf keinen Fall mit vorgefertigten Standardkonzepten auftreten, auf den Tisch klopfen und den Teams meine Strategien aufzwingen. Das würde bei allen Beteiligten Widerstand erzeugen, und den können wir in einer Krisensituation am allerwenigsten brauchen.

Fazit Nummer eins: Ich spreche nicht von MIR als Unternehmensberater, sondern von UNS als Team, das etwas bewegen will. Nur wenn ich per WIR mit den Mitarbeitern kommuniziere, können diese sich dafür begeistern. So sind sie nämlich ganz automatisch gezwungen, Verantwortung zu übernehmen, sich aktiv an der Entwicklung neuer Ideen zu beteiligen und sich einzubringen. Wären sie nur Zuschauer, könnte kein Konzept auf Dauer greifen."

Eine alte und immer wieder neue Marketingweisheit: Ein Konzept ist nur so gut wie diejenigen, die es durchführen. Wenn nun die Mitarbeiter für ihre Arbeit begeistert werden konnten und die Teams funktionieren, können die Umsatz- und Kundenprobleme in Angriff genommen werden. – Frank Patt: „Zu diesem Zweck erstelle ich eine *Kurzanalyse*. Hier werden die Firmenziele, die Stärken und Schwächen, die momentane Lage und die Arbeitsverteilung innerhalb des Unternehmens analysiert. Meistens kann bereits hier ein Fazit gezogen werden, das den Kernpunkt, die Ursache der Krise definiert. Anschließend werden zwei Arten der Kundenbetreuung betrieben: die *Altkundenpflege* und die *Neukundenakquise*. Für die Bestandskundenpflege werden die bestehenden Adressen in verschiedene Kategorien aufgeteilt und jeweils einem Verkäufer zugewiesen. Das hat nichts mit dem Aufbau interner Konkurrenz zu tun, sondern bewirkt effizienteres Arbeiten! Denn hier wird jeder Kunde überprüft. Wie lange hat er nichts von sich hören lassen – oder von uns gehört? Weshalb? War er unzufrieden? Und so weiter."

Der Chef muß raus zum Kunden

Und dann folgt die wohl verblüffendste Maßnahme, die Frank Patt vor allen Dingen in kleineren Unternehmen ergreift: „Der Chef ist der beste Verkäufer seiner eigenen Waren und Dienstleistungen. Er MUSS raus zum Kunden. Viele Chefs haben sich im Laufe der Zeit vom Kontakt mit der Verkaufsfront auf ihren Chefsessel zurückgezogen und meinen, es wird schon gutgehen. Kaum ein Chef fährt gerne raus in den Markt. Er hat Angst, nicht angenommen, nicht akzeptiert zu werden. Ich betrachte es als wichtige Aufgabe, ihm diese Angst zu nehmen. Also fahre ich anfangs häufig mit ihm – meinem Kunden – zu seinem Kunden. Hier unterstütze ich ihn und bringe ihm die Grundlagen eines erfolgreichen Verkaufsgesprächs bei.

Wir erfahren vor Ort, daß Geschäfte immer zwischen Menschen gemacht werden! Auch der Einkäufer trifft 80 Prozent seiner Kaufentscheidung im Bauch. Es geht also nicht darum, den Kunden über den Tisch zu ziehen, es geht auch nicht darum, die Konkurrenz ‚at any price' zu unterbieten – es geht um Geschäfte zwischen Menschen zu menschlichen Konditionen. Was aber das wichtigste ist: In keiner Phase kommt es darauf an, Fehler mit allen Mitteln zu vermeiden. Vielmehr geht es immer um Aktion und konsequentes Lernen – auf oberster Ebene und im Team."

Die nächste Hürde: Werbung

Ist der Knoten geplatzt, werden Direct-Mailing-Aktionen entwickelt, um qualifizierte Interessenten zu bekommen. Potentielle Interessenten werden alle zehn Wochen angesprochen. Frank Patt: „Parallel dazu bieten wir dem Unternehmen unsere *Datenbank* mit potentiellen Kunden an. Wir arbeiten mit ca. zwei Millionen geprüften Adressen, die wir entsprechend dem Unternehmen selektieren und offerieren. Daraus werden dann ausgewählte Namen von unserer Seite aus angerufen und noch einmal gefiltert. Übrig bleiben hochkarätige, grundsätzlich interessierte Kunden, die wir dann en bloc dem Unternehmen ‚übergeben' bzw. im Rahmen einer Aktion kontaktieren. Mit unserer Vorauswahl ist bereits ein großer Schritt in Richtung Neukunden getan, denn die lästige ‚Kaltakquise', die manchen Verkäufer schon zur Verzweiflung gebracht hat, entfällt hier. Auf Wunsch übernimmt mein Büro auch die konkrete Terminvereinbarung mit potentiellen Neukunden. Der nächste Schritt ist die Konzeption einer Direktmarketingaktion. Auch hier setze ich mich mit den Verantwortlichen zusammen, anstatt vorkonzipierte Kampagnen durchzuführen." – Ein Brainstorming „on the spot" also. Wie findet man nun einen geeigneten Aufhänger für eine Aktion? Und wie sieht die Abwicklung en detail aus?

Das erste Mailing

Frank Patt: „Über die Gestaltung und den Inhalt eines Werbebriefes sind schon viele Publikationen verfaßt worden, die in diverse Regeln und Gebote münden. Am allerwichtigsten ist: Sie brauchen einen *Anlaß*, einen *aktuellen Bezug*, damit das Mailing nicht völlig ohne Zusammenhang aus dem luftleeren Raum kommt. Aktionsanlässe gibt es mehr als genug: ein neues Produkt, neue Mitarbeiter, einen neuen Kundenberater, neue Verkäufer, mehr Service, neue und bessere Leistungen etc. – da fallen uns gleich ein Dutzend Gelegenheiten ein. Überlegen Sie sich, was den potentiellen Kunden als Außenstehenden an diesem Unternehmen interessieren könnte – und was er mit dieser Information anfangen kann. Auch hier arbeite ich gemeinsam mit den Mitarbeitern, indem ich jede sinnvolle Anregung und Idee aufnehme, ausformuliere und umsetze. Nur so kann ich mir die Mithilfe der Teams sichern, ohne die eine Veränderung im Unternehmen unmöglich wäre.

Dann wird ein Schreiben konzipiert, in der Regel mit den Verkäufern zusammen, weil sie über einen konkreteren Einblick in die Produkt- oder Firmenphilosophie verfügen als ich. Dabei ist es wichtig, in derselben Tonart zu schreiben, in der Sie auch sprechen. Dazu das Stichwort *Glaubwürdigkeit*: Geschäfte werden unter Menschen gemacht. Deshalb ist es wichtig, den Kunden so anzusprechen, wie er auch sonst angesprochen wird: herzlich, verbindlich und schlicht. – Zusätzlich ist es wichtig, einen *Aktionsfaktor* einzubauen, etwas, womit sich der Kunde beschäftigen muß – und will. Fast jedem Mailing liegt ein *Gimmick*, ein kleines Präsent bei. Das geht vom Instant-Cappuccino über Spielgeldscheine bis hin zu Bauklötzen. Im Rahmen einer Aktion haben wir kürzlich einen Dosenöffner mit einem Brief verschickt, der nichts weiter aussagte als: ‚Heben Sie diesen Öffner gut auf, Sie werden ihn noch brauchen.' Kurz darauf kam dann mit der nächsten Aussendung eine verschlossene Konservendose. Der Kunde war im Besitz des Dosenöffners und: Er platzte förmlich vor Neugier, was sich wohl in dieser Dose befinden könnte. Damit war die Hauptaufgabe eines Mailings voll erfüllt.

Kein Mailing ohne Ergebnis!

Die wichtigste Regel überhaupt in bezug auf Ihr Mailing lautet:

Den Kunden interessiert nicht, was WIR als Firma von ihm wollen, was wir UNS von diesem Mailing versprechen. Ihn interessiert einzig und allein, was ER davon hat. Und genau dieser Punkt birgt die größte Fehlerquelle. Denn viele Unternehmen listen alle denkbaren Informationen in ihren Anschreiben auf, weil sie vermuten, damit einen potentiellen Kunden überzeugen zu können. Doch das Gegenteil ist der Fall. Da der Kunde alle Informationen wie auf dem silbernen Tablett serviert bekommt, ist er nicht gezwungen, sich damit auseinanderzusetzen, geschweige denn, in irgendeiner Weise darauf zu reagieren.

Ein Mailing muß *begeistern* und *neugierig machen* – nicht mehr und nicht weniger. Deshalb verraten wir dem Kunden nicht sofort in allen Einzelheiten, was er unter Umständen von unserem Angebot haben könnte, sondern wir fügen eine *Responsemöglichkeit* bei. Einen Coupon, ein vorgefertigtes Faxformular etc. mit zweierlei Wirkung. Erstens können wir so den direkten Rücklauf kontrollieren und feststellen, wer zumindest latentes Interesse an uns zeigt. Zweitens wird der neugierig gewordene Kunde animiert zu handeln, zu reagieren. Er fordert sich Informationen oder Produktmuster an. A propos Rückantwort: Wir haben im Laufe diverser Aktionen festgestellt, daß Coupons oder Faxvordrucke, auf denen der Adressat etwas ankreuzen oder ergänzen muß, leicht in den Papierkorb wandern. Besser ist es, das Formular soweit auszuarbeiten, daß der Kunde *es nur noch abzuschicken oder zu faxen braucht*.

Fazit Nummer zwei: In unserem ersten Mailing wollen wir keine Verkäufe tätigen! Sondern das Ergebnis dieser ersten Aktion sind die Antworten auf folgende Fragen: Ist der Kunde grundsätzlich interessiert? Herrscht Bedarf für unser Angebot? Ist das Produkt grundsätzlich interessant für unsere Zielgruppe? Anschließend können wir mit Nachfaßaktionen, Anrufen, weiteren Schreiben diese Kontakte weiter vertiefen. Aber ausschlaggebend für das Zustandekommen von Kontakten ist jenes erste, neugierig machende und herzliche Mailing."

Der nächste Schritt ist der persönliche Besuch durch einen Verkäufer oder den Geschäftsführer selbst, bei denen Frank Patt nicht als eigentlicher Wortführer, sondern eher als stiller Beobachter im Hintergrund agiert. Auch hier gelten im Grunde simple

Grundregeln, soll der Ausgang des Gespäches nicht dem Zufall überlassen sein. Frank Patt hierzu weiter: „Ich beziehe mich im Kundenkontakt auf eine bewährte Formel, die ich dem Kontakter nahezubringen versuche: KIAMBA. Das ist das kleine Einmaleins: **K**ontakt, **I**nformation, **A**nalyse der **M**otive, **B**eeinflussung und **A**bschluß, der nicht unbedingt ein Kaufabschluß, sondern auch ein erneuter Besuchstermin, eine Musterbestellung, weiteres Informationsmaterial etc. sein kann. Diese einzelnen Schritte sind nicht an starre Redewendungen geknüpft, sondern lediglich der zeitliche Ablauf eines Gesprächs, den man nicht aus den Augen verlieren sollte. Mehr braucht ein guter Verkäufer im Grunde nicht zu wissen." – Bis zu diesem Punkt klingt alles relativ sicher und zuverlässig. Doch gesetzt den Fall, eine Mailingaktion verpufft ohne Rücklauf, die angeschriebenen potentiellen Kunden reagieren nicht – eine ideale Gelegenheit für Skeptiker, den externen Berater zu entthronen und für den Mißerfolg verantwortlich zu machen. Wie geht Frank Patt in einem solchen Fall vor?

Die Nachlese

Frank Patt: „Hier trennt sich die Spreu vom Weizen. Entweder ziehen wir aus dem Mißerfolg unsere Schlüsse, analysieren ihn auf mögliche Denkfehler unsererseits ganz ohne falsche Eitelkeit und entwickeln in einem neuen Brainstorming eine neue Idee – im Team, wohlgemerkt. Dann versuchen wir es einfach noch einmal ganz anders, anstatt mißmutig aufzugeben. Die negative Variante sieht leider so aus, daß nach Schuldigen für den Mißerfolg gesucht wird. Dabei spielen Neid, Mißgunst und Konkurrenzdenken im Kampf um den eigenen Posten eine große Rolle. Es kommt sogar vor, wenn auch sehr selten, daß Mitarbeiter ganz offen Schadenfreude zeigen, nach dem Motto: Das ging ja schön daneben, Herr Berater! Mit dieser Einstellung läßt sich natürlich eine Krise nicht beseitigen. Ich versuche dann, in einem klärenden Gespräch die Situation zu entspannen. Wenn das nicht klappt, gebe ich den Fall ab, denn ohne den ernsthaften Willen und die Unterstützung aller Beteiligten können die besten Aktionen nicht funktionieren. Das käme einem Kampf gegen Windmühlen gleich."

Wenn wir nun davon ausgehen, daß die Idee ganz brauchbar war und auch das Mailing nicht zu wünschen übrigließ, wo liegt dann die Ursache für das Scheitern einer Aktion?

Das Denken ist nicht das Problem, sondern das Tun!

Frank Patt: „Nicht die zündende Idee ist Mangelware, sondern die konsequente Ausarbeitung und Durchführung. Deshalb betrachte ich mich auch nicht als Ideenlieferant, sondern als Initiator, der die Entwicklungen innerhalb eines Unternehmens am Laufen bzw. in den richtigen Bahnen hält. Aktuelles Beispiel: Ein Unternehmen war 1993 auf einer Messe präsent. Ein gelungener Messeauftritt, zahlreiche potentielle

Kundengespräche und jede Menge Informationen, auf den ersten Blick ein voller Erfolg. Doch Monate später hatte sich nichts verändert, der erwartete Kundenansturm blieb aus. Jeder dachte insgeheim, wie unnötig und teuer dieser Messeauftritt doch gewesen sei. Dabei liegt die Ursache des Mißerfolgs nicht im Messeauftritt, sondern in der nicht vorhandenen *Nacharbeit*. Eine Messe bringt eine riesige Menge Daten und Informationen, die anschließend *peinlich genau* ausgewertet und bearbeitet werden müssen! Als ich mich über diesen Sachverhalt informieren wollte, entdeckte ich, daß die gesamten Unterlagen und Daten über die Messe 1993 fein säuberlich verpackt in einem Schrank lagerten. Und parallel dazu liefen bereits die Vorbereitungen für die Messe 1994 auf vollen Touren! Da braucht sich niemand über mangelnden Rücklauf zu wundern...

In diesem Fall war nicht unbedingt eine großangelegte Umstrukturierung nötig, sondern lediglich eine verbindliche *Aufgabenverteilung*, um die Ergebnisse aus 1993 für den aktuellen Messeauftritt nutzen zu können. Wichtig ist hier, daß die Mitarbeiter die Messenacharbeit nicht als zeitaufwendige Zusatzaufgabe empfinden, sondern von allein dahinterkommen, wie wichtig sie für den Erfolg ihrer eigenen Arbeit, ihres Tagesgeschäftes ist. Ganz nebenbei entsteht nämlich eine riesige Datenbank mit potentiellen Kunden – die Messekontakte nämlich! –, die auf keinen Fall länger als ein paar Tage nach der Messe im Schreibtisch liegen darf!

Fazit Nummer drei: Alle Beteiligten müssen aus eigenem Antrieb erkennen, wie wichtig *Eigeninitiative* ist, anstatt sich durch Tagesroutine vom Denken abhalten zu lassen! Dies ist eigentlich der wichtigste Schritt im Rahmen einer Beratung."

Das klingt alles ziemlich einleuchtend. Aber – wenn man sich die einzelnen Krisenherde eines Unternehmens betrachtet, mutet es immer mehr nach einer unendlichen Geschichte an: Personalprobleme, Teamprobleme, Autoritätsprobleme, Kontaktschwächen, Vertriebslücken etc. Wo setzt man hier als externer Berater an, um nicht immer wieder von vorne anfangen zu müssen?

Frank Patt: „Die Antwort heißt EKS: **E**ngpass **K**onzentrierte **S**trategie. Das heißt im Klartext: Konzentriere Dich auf den augenfälligsten Engpaß, auf das *Kernproblem*, und alle Peripherieprobleme lösen sich von selbst. Wenn zum Beispiel die Messe nicht nachgearbeitet wurde, äußert sich das in den folgenden Peripherieproblemen: Informationslücken sind entstanden, der Messeauftritt hat mehr gekostet als eingebracht, es herrscht allgemeiner Kundenrückgang. Das Kernproblem hat jedoch damit wenig zu tun. Wo das liegt? Betrachten wir die *Ursache* der fehlenden Nacharbeit der Messe. Wie konnte es passieren, daß sich niemand darum kümmert? Hier kommen wir ganz schnell auf das Kernproblem: nämlich *mangelnde Motivation und Kommunikation im Team*.

Es hat also keinen Sinn, jemanden ganz autoritär mit der Nachbearbeitung zu beauftragen, sondern das Team muß von ganz allein die Notwendigkeit einer konsequenten Nachlese erkennen und befürworten."

Eine im Grunde banale und trotzdem wichtige Frage, die vielen Unternehmern im Zusammenhang mit Beratern auf der Zunge liegt:

Kostet das nicht alles viel zuviel?

Frank Patt: „Wenn ein Unternehmer von mir beraten werden möchte, dann signalisiert er damit gleichzeitig die Bereitschaft, seine Situation zu verbessern. Da er aber noch nicht genau weiß, wie er dabei vorgehen soll, konsultiert er mich. Und ich biete ihm zuerst einmal eine positive Perspektive für sein Unternehmen, die wir gemeinsam innerhalb relativ kurzer Zeit verwirklichen werden. Diese ‚Vision' ist wichtig, sie dient als Motivation und Orientierung. Meine Aufgabe ist es, Dinge in Bewegung zu bringen – und am Laufen zu halten. Jede Veränderung ist gut. Der Grund für meinen Erfolg ist: Ich provoziere Veränderungen, Aktionen, Reaktionen, Rückläufer. Ich biete neue Sichtweisen an. Während wir uns Schritt für Schritt auf unsere Vision zubewegen, spürt der Unternehmer jeden Tag, wie sich die Situation verbessert. Das drückt sich nicht zuletzt in Zahlen aus, also ist für ihn nicht mehr wichtig, was meine Beratung kostet, sondern was es ihm unterm Strich bringt. Und das kann man messen, in Rückantworten, in Neukunden, in Umsatzzahlen, gegebenenfalls in einem Mehr an Lebensqualität."

Fazit Nummer vier: Der Sinn einer Beratung liegt darin, dem Unternehmen Geld zu bringen und nicht Geld zu kosten. Und das wird den Unternehmern sehr bald bewußt. Ich arbeite immer liquiditätsneutral."

Wann kann man nun eine Unternehmensberatung als beendet betrachten?

Frank Patt: „Das ist unterschiedlich, dafür gibt es keine Faustregel. In einigen Fällen legen wir gleich zu Beginn einen Aktionszeitraum fest, in dem wir zusammenarbeiten. In anderen Fällen beginnt meine Beratung zwar auch wie oben beschrieben, endet jedoch nicht mit der Auswertung einer Aktion, sondern ich betreue das Unternehmen langfristig. So kann ich dafür sorgen, daß die von mir initiierten Veränderungen auch konsequent beibehalten werden und den Mitarbeitern in Fleisch und Blut übergehen. Erst wenn das Unternehmen sich wieder auf dem richtigen Kurs befindet und die Voraussetzungen für ein effizientes Arbeiten wieder vorhanden sind, ist meine Arbeit dort beendet."

Betrachten wir uns abschließend die lädierte Unternehmenssituation der vergangenen Monate. Wo sieht Frank Patt als Unternehmensberater die Chancen für die deutschen Unternehmen? Frank Patt: „Der Weg aus der Krise führt nicht über immer neue Produkte – diese werden immer ähnlicher und damit mehr und mehr austauschbar. Sondern mehr über Dienstleistungen. Das gilt auch für reine Produktionsbetriebe. Es ist wichtig, dem Kunden über das Produkt hinaus Betreuung, Service und Dienstleistungen zu bieten. Die Wünsche der Kunden sind so offensichtlich, man muß sie nur sehen wollen. Fast jeder Lebensbereich läßt sich durch einen gut organisierten Service bequemer gestalten, und der Bedarf ist in unserer von permanentem Zeitmangel geprägten Gesellschaft *auf Jahre hinaus* garantiert. Doch dazu ist es notwendig, sich permanent mit seinen Kunden auseinanderzusetzen, immer mit ihnen in Verbindung zu bleiben und sehr hellhörig auf Rückmeldungen und Anregungen, egal aus welcher Richtung, zu reagieren."

Die wichtigsten Grundregeln resümiert der Unternehmensberater in wenigen, aber sehr treffenden Worten: „Bringen Sie Ihre Kunden in ein Beziehungssystem. Veranstalten Sie gemeinsame Treffen mit allen Ihren Kunden. Ruhig auch zu einem privaten Anlaß. Schaffen Sie so etwas wie ein Beziehungsnetzwerk. Bringen Sie Gleichgesinnte zusammen. Seien Sie für Ihre Kunden da. Diese Art von guter und ehrlich gemeinter Kundenbindung ist die sicherste Form von Zukunftssicherung und Erfolg."

Gerfried Boch
IFKUMO
Institut für Kommunikations- und Marken-Optimierung
E & P GmbH

„Mit Bequemlichkeit können Sie einpacken!“

Die hätten wir ihm auch nicht unterstellt. Im Gegenteil, er wirkt wohltuend unbequem – schon die Suche nach ihm gestaltet sich zu einem vormittagfüllenden Abenteuer.

In exklusiver Höhenlage nahe Bergisch Gladbach, zwischen altem Baumbestand und verträumten Villen, finden wir schließlich das IFKUMO, das „Institut für Kommunikations- und Marken-Optimierung“.

Ein Daimler Souvereign in der Garage und ein stilsicher gestyltes Haus – etwas Ehrfurcht beschleicht schon unser wertegewandeltes Hirn, als wir die heiligen Hallen des … stopp. So schnell wie sie kamen, zerplatzen sämtliche Vorbehalte. Keine heiligen Hallen, sondern geschäftiges Chaos. Papierstapel auf Designertischen und ein halbvoller Aschenbecher – es menschelt. Und als wir ihm dann gegenübersitzen, fühlen wir uns wieder.

Gerfried Boch, 52, erfahrener Manager mit facettenreichem Lebenslauf und einer Menge Pioniergeist, ist seit sieben Jahren Geschäftsführer und konzeptioneller Kopf des IFKUMO. Wir können uns nicht von der vielversprechenden Visitenkarte losreißen – sie fällt aus dem Rahmen und symbolisiert gleichzeitig die Unternehmensphilosophie:

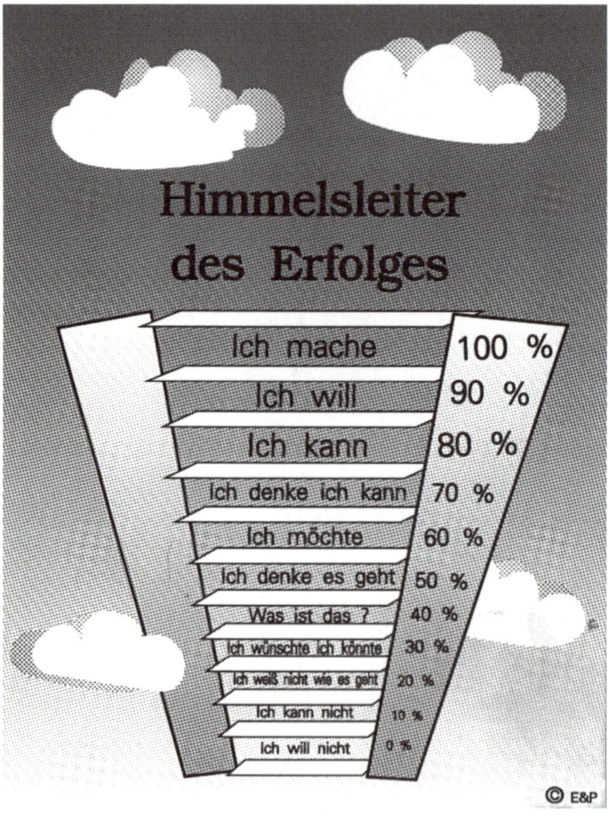

Das IFKUMO hat sich die gesamtheitliche Betreuung von Unternehmen auf die Fahnen geschrieben. Konkret bedeutet das: Klassische Werbung, Verkaufsförderung, Event-Marketing, Schulungen, Distribution, Media sowie Marktanalyse und Branding. Mit exklusiven wissenschaftlichen Quellen und Studien optimieren Gerfried Boch und sein Team sämtliche Marketingunternehmungen der betreuten Unternehmen. Und das mit einer auf den ersten Blick abenteuerlichen Erfolgsgarantie. Zitat aus der Firmenbroschüre: „Wir sind ausschließlich an der höheren Rendite Ihrer Marketingaktivitäten bei einer Kostenreduzierung von 10–20 % interessiert und arbeiten gerne auf Erfolgsbasis." Etwas zu vollmundig? Mitnichten. Gerfried Boch weiß, was er verspricht. Und mit unkonventionellen Methoden, Fingerspitzengefühl und 100prozentiger Einsatzbereitschaft kann er inzwischen auf eine beachtliche Referenzliste zurückblicken. Namen von

Allianz bis Siemens, von Peugeot bis Volvo, von Kraft bis Woolworth. An der Nachfrage nach qualifizierter Unternehmensberatung scheint es hierzulande nicht zu fehlen. Deshalb nehmen wir einfach mal das Angebot ein bißchen unter die Lupe.

Nicht zu fassen!

Eine kurze Anekdote zum Einstieg in das Thema. Gerfried Boch: „Zur Währungsunion erhöhte sich in den neuen Bundesländern der Preis eines speziellen Autoersatzteils um einen beträchtlichen Prozentsatz. Ein Händler hatte einen größeren Bestand dieser Teile am Lager. Anstatt sich nun über die entstandene Gewinnmöglichkeit durch eine vergrößerte Spanne zu freuen, erkundigte er sich in einem Seminar von uns, wohin er denn nun die Differenz zwischen dem alten und dem neuen Preis abzuführen hätte.“ (!) Es stellte sich heraus, daß der brave Mann noch nie von Brutto- und Nettopreisen gehört hatte und seine Autos arglos zum Einkaufspreis verkaufte – ohne Mehrwertsteuer, versteht sich...

Schön für alle, die zu dieser Zeit dort eingekauft hatten. Kaum zu glauben, aber wahr: Die Händler hatten von Kalkulationsschemata und Gewinnspannen noch nie etwas vernommen. Aber das ließe sich ja mittels eines Crashkurses in Betriebswirtschaft und Verkaufskunde nachholen. Und wie steht's mit der menschlichen Geschäftstüchtigkeit?

Gerfried Boch: „ Hier liegt sowohl in den alten als auch in den neuen Bundesländern einiges im argen. Auf einem 5-Tage-Seminar für Vertragshändler wurden wir mit verknöcherten Haltungen wie ‚Warum soll ich dem Kunden denn hinterherlaufen, der will doch was von mir!‘ und ähnlichem konfrontiert, einer heute eigentlich skandalösen Einstellung.“

Paradox: Auf der einen Seite klagen alle über Absatzschwierigkeiten und Kundenfluktuation, doch die Schuld bei sich suchen nur wenige. Da wird die Werbeagentur verantwortlich gemacht, der Hersteller wird mißtrauisch, und vor lauter Frust gehen sich alle auch noch gegenseitig auf die Nerven. Und das wiederum spürt der Kunde natürlich sofort.

Gerfried Boch: „Beim Händler, sprich an der Schnittstelle zwischen Marke, Kunde und Verkäufer, setzen wir mit einem speziellen Intensivtraining an. Dieses beinhaltet auch die regionale Werbung. Eine Metropolenfiliale muß selbstverständlich anders repräsentiert werden als eine Vorstadtniederlassung. Viel wichtiger jedoch ist der Auftritt des Händlers. Da muß die Ausstattung optimiert werden, eventuell neue Verkäufer eingestellt und andere entlassen werden, weil durch unglückliche Konstellationen ein mieses Klima entstanden ist. Auch müssen oft arbeitnehmerfreundliche Bedingungen geschaffen werden – Stichwort Motivation, Stichwort Sozialräume. Natürlich werden die Verkäufer intensiv geschult, sowohl vor Ort als auch in Seminaren. Das gilt sogar für den Chef. Und hier schließt sich wieder der Kreis: Wenn es innen stimmt, dann funktioniert auch das Bild nach außen. Steigende Verkaufszahlen sind nur die logische Konsequenz."

Die richtigen Worte...

„Ein Unternehmen hat uns damit beauftragt, eine Art ‚Training' für die Kundengewinnung am Telefon zu konzipieren – kein Einzelfall. Für die Entwicklung hatten wir viele Wochen Zeit, lange genug, um etwas richtig Außergewöhnliches zu Papier zu bringen. Und am Tage der Präsentation hat es dann auch einigen die Sprache verschlagen!"

Und was hatten sie präsentiert? Man höre und staune: ein weißes Blatt Papier. Gerfried Boch: „Es ist absurd, für Kundengewinnung am Telefon feststehende Redewendungen oder Phrasen auf ein Blatt zu schreiben und auswendig lernen zu lassen. Darauf läßt sich keine Konversation aufbauen – wer als Beratungsfirma so etwas verkauft, macht nicht nur seinem Kunden sondern auch sich selbst etwas vor."

Das ist hart für die Anbieter konventioneller Richtlinien für Telefonmarketing, denn die gibt es ja nachweislich in rauhen Mengen. Aber was kam denn nun, nachdem der Kunde die Präsentation des leeren Blattes verkraftet hatte?

Gerfried Boch: „Wir führen ein Vor-Ort-Coaching durch. Mit echten Gesprächen, echten Kunden, die komplette Livesituation eben. Denn das Problem beim Telefonmarketing ist doch, daß sich die Angerufenen oft genervt, überfallen und belästigt fühlen. Es ist die Aufgabe des Anrufers, dem entgegenzuwirken. Und das kriegen Sie mit starren Einheitssprüchen nicht hin!"

Ein klares Wort. Doch ein wissensdurstiger Telefonverkäufer sucht nun einmal naturgemäß nach einer verläßlichen Erfolgsgrundlage. Boch: „Die sechs Grundregeln der Kommunikation sind das kleine Einmaleins. Wer die beherrscht, telefoniert souverän und nicht nur er, sondern auch der Partner am anderen Ende der Leitung fühlt sich gut dabei."

...zum richtigen Zeitpunkt:

1. Aufmerksamkeit herstellen.
2. Klima schaffen.
3. Wer ist dran?
   Ich melde mich mit meinem vollen Namen – der Vorname ist wichtig! – und nehme meinen Gesprächspartner erstmal vollständig an.

4. Was hat er davon, daß ich ihn anrufe?
   Ich stelle mich voll auf den anderen ein und feßle ihn mit dem, was ich ihm zu sagen habe, ohne ihn zu erschlagen.
5. Die Führung behalten!
   Der andere war nicht auf meinen Anruf vorbereitet, womöglich habe ich ihn sogar gestört. Deshalb bin ich es ihm schuldig, ihn durch das Gespräch zu führen und rasch auf den Punkt zu kommen.
6. „War schön, mit Ihnen zu sprechen!"
   Ganz gleich, ob das Gespräch für mich als Anrufer erfolgreich war – auf jeden Fall verabschiede ich mich so, daß der andere sich für das geführte Gespräch bedankt.

Gerfried Boch: „Ein einfaches ‚Es war schön, mit Ihnen zu sprechen!' oder eine ähnlich verbindliche Redewendung bildet einen harmonischen Abschluß des Gesprächs. Und für den Anrufer bedeutet das vor allem einen Motivationsschub, den dann zwangsläufig der nächste am Telefon wieder positiv zu spüren bekommt. Genau da schließt sich der Kreis wieder. Weder der Anrufer noch der am anderen Ende hat hinterher das Gefühl, Zeit verschwendet zu haben."

Die Sache mit der Zeitverschwendung

Jeder macht sich Gedanken darüber, ob und wo er Zeit einsparen kann – und übersieht oft, daß die Zeitdiebe direkt vor seiner Nase sitzen. Boch: „Neben dem Telefontraining coachen wir auch in Sachen Zeitmanagement. Die 80/20-Regel ist zwar hinlänglich bekannt, doch wo im einzelnen effektiv Zeit verloren geht, wissen viele nicht. Wir setzen uns in die Unternehmen und spüren konkrete Zeitschinder auf. Dann verbessern wir mit den Mitarbeitern Schritt für Schritt die persönliche Zeitplanung und helfen ihnen, unsere Verbesserungsvorschläge auch langfristig in ihren täglichen Arbeitsablauf zu integrieren."

Im Klartext: Die eigenen Organisationsprinzipien müssen stimmen. Fragen, die sich jeder einzelne stellen muß:

1. Wie nutze ich meinen Tag?
2. Könnte ich den Aufwand für ein Projekt durch Delegation oder intensivere Vorbereitung reduzieren?
3. Habe ich einen vernünftigen Tagesplan oder arbeite ich immer an mehreren Projekten gleichzeitig?
4. Habe ich jeden Tag eine wesentliche Aufgabe, die ich abhaken möchte?

5. Kontrolliere ich mich ausreichend, oder mache ich mir etwas vor, was die Effizienz meiner Arbeit betrifft?
6. Beende ich das, was ich anfange oder verschleppe ich Dinge tagelang?

Delegieren heißt das Zauberwort, aha. Aber wie und an wen? Erdrücke ich denn nicht andere mit meiner Arbeit? Gerfried Boch: „Nie einzelne Projektbausteine delegieren, immer einen größeren Bereich, den der andere eigenverantwortlich erledigen muß. Das motiviert, weil mein Gegenüber sich nicht als Handlanger fühlt, und schafft die Basis für künftiges Delegieren – Stichwort Urlaubsvertretung!"

Darüber hinaus müssen in akribischer Kleinarbeit die täglichen Zeitdiebe lokalisiert und unschädlich gemacht werden. Zum Beispiel:

- Dauert diese Besprechung nicht eigentlich schon viel zu lange? Ist nicht schon alles gesagt worden? Was habe ich davon, noch länger dabeizusitzen?
- Wie wichtig ist dieses Memo, an dem ich seit 20 Minuten sitze? Reicht in diesem Falle nicht ein kurzer Anruf oder ein präzise formulierter Einzeiler?
- Muß wirklich gerade ich jetzt diesen Anruf entgegennehmen? Jeder weiß, wie langwierig und zäh der Gesprächspartner ist. Außerdem betrifft mich dieser Anruf nur sekundär.
- Ist es meine Aufgabe, zwischen zwei intrigierenden Mitarbeitern zu vermitteln? Muß ich mich für die Situation wirklich verantwortlich fühlen, oder belaste ich mich damit nur unnötig?

Diese scheinbaren Kleinigkeiten, die tagsüber immer nur Sekunden und Minuten kosten, summieren sich. Sie auszumerzen kostet natürlich auch Zeit. Zeit, die sich später wieder auszahlt. Durch eine effektivere Tagesleistung und streßfreies Arbeiten. Auf diese Weise werden Fehler sowohl beim einzelnen als auch im ganzen Unternehmen reduziert – und das spürt man von außen sehr deutlich. Womit wir beim Auftritt des Unternehmens wären.

Spieglein, Spieglein...

Das Bild, welches letztendlich Kunden, Interessenten und auch Mitarbeiter von einem Unternehmen sehen, ist die Summe aller internen Ereignisse. Der Werbeauftritt bildet nur eine kleine Facette dieses Bildes. Viel wichtiger ist die Visualisierung vor Ort – beispielsweise durch niedergelassene Händler.

Gerfried Boch: „Vor nicht allzu langer Zeit waren wir für den Autohersteller Renault aktiv. Nun ist das ja eine Marke mit angesehenem Image und zweifellos qualitativ hochwertigen Autos. Renault stellt jährlich ein Budget von 60 Millionen DM für Werbung und Marketing zur Verfügung. Doch der dickste Werbeetat verpufft wirkungslos, wenn die Konzepte nicht vor Ort umgesetzt werden. Im diesem Fall bei den Vertragshändlern. Sie sind die entscheidende Schnittstelle zwischen Hersteller und Verbraucher – und der Ort, wo Unzulänglichkeiten des Unternehmens nach außen hin zu spüren sind.“

Rückläufige Umsatzzahlen, hohe Werbeaufwendungen, unzufriedenes Personal – und schuld sind nur die anderen?

Für Gerfried Boch keine Frage: „Schicken Sie 75% des Führungspersonals nach Hause, und Sie haben die Antwort!“

Kein Zweifel, dieser Kommunikationsfachmann hält sich nicht mit eloquent formulierten Patentrezepten zur Kundengewinnung auf, sondern definiert klar die Ursachen der Unternehmenskrise. Und das in einer Sprache, die jeder versteht:

„Die Firmen arbeiten teilweise mit einem Verantwortungsbewußtsein aus den 50er Jahren. High-Tech, wo man hinschaut, das Neueste vom Neuesten, fürs Image werden Unsummen ausgegeben, aber wehe, Sie betreten einen der Sozialräume – sofern überhaupt vorhanden. Da denken die Manager plötzlich wieder stockkonservativ. Daß zufriedene und motivierte Mitarbeiter das wichtigste und gewinnträchtigste Kapital eines Unternehmens sind, haben offenbar die wenigsten bis jetzt begriffen.“

Dasselbe gilt für die jährlichen Aufwendungen für Werbung, Verkaufsförderung, Public Relations etc. Gerfried Boch: „Die teuerste Werbekampagne verpufft ohne Wirkung, wenn das Unternehmen dem zu transportierenden Werbeimage in den Augen des Kunden nicht gerecht wird. Und genau an diesem Punkt setzen wir an.“

Konkret: Die Werbeagenturen, wie man sie bis jetzt kannte, haben also bald ausgedient. Denn bevor eine Werbekampagne konzipiert werden kann, müssen interne Unstimmigkeiten und Mißstände restlos beseitigt werden. Das klingt schwer nach dem berühmten eisernen Besen, oder? Boch:

„Genau. Ein großer Teil der Führungskräfte ist so damit beschäftigt, gerade in Rezessionszeiten seinen Stuhl mit Pensionszusage festzuhalten, daß er kreative Mitarbeiter, die mit neuen Ideen auf ihn zukommen, ausbremst. Die Führungskräfte arbeiten nach dem Motto: ‚Je weniger Neues ich mache, umso weniger Fehler können passieren. Neues bedeutet automatisch Unruhe, Probleme, eventuell sogar interne Veränderungen – auweh.‘

Und wehe, es wagt sich einmal ein innovativ denkender Mitarbeiter arglos mit einer neuen Idee in die Chefetage – der stellt eine regelrechte Bedrohung für seinen Vorgesetzten dar! Und dagegen wehrt dieser sich natürlich...“

Nur so sind die verkrusteten, antiquierten Unternehmensstrukturen zu erklären, in denen die Führungskräfte seit Jahrzehnten fest auf ihren Posten sitzen, das „Fußvolk" aber munter nach dem Prinzip „hire and fire" geführt wird. Boch: „Hier setzen wir mit unserem Konzept bereits an. Wir arbeiten nur für Unternehmen, die bereit sind, uns völlig freie Hand zu lassen. Das heißt auch, daß wir konkret Entlassungen und Neueinstellungen vornehmen." Mit anderen Worten:

Stell Dir vor, Dein Boß ist weg und keiner vermißt ihn

Die Motivationsfrage haben wir also geklärt, den Mitarbeiterstamm nötigenfalls um reine Mitläufer und Vorruhestandsposten bereinigt. Aber wie kommt ein Unternehmen nun an qualifiziertes Personal, das nicht nur fachlich, sondern vor allem menschlich zur (neuen) Unternehmensphilosophie paßt?

Manpower

Gerfried Boch: „Generell gilt es, hier einen Weg aus der Durchschnittlichkeit heraus zu finden. Was nützt Ihnen ein dynamischer, energiegeladener Mitarbeiter in der Buchhaltung? Genausowenig wie ein akribischer, introvertierter Pedant etwas im Kundenkontakt zu suchen hat. Überlegen Sie sich deshalb genau, wen Sie in Ihrem Unternehmen einsetzen wollen. Bedarfsanalyse, Persönlichkeitsprofil, Aufgabengebiet – definieren Sie alles auf den Punkt genau, wenn Sie sich entschieden haben, jemanden einzustellen."

Um die klassischen Fehler der Personalchefs und Geschäftsführer zu vermeiden und ein konstruktives Bewerbungsgespräch zu führen, benötigt man eine satte Portion Selbstdisziplin. Aber es macht Spaß. Und hinterher haben beide Seiten ein gutes Gefühl. Gerfried Boch: „Mit den antiquierten Frage-Antwort-Spielchen zwischen Bewerber und Personalchef können Sie heute eine qualifizierte Kraft nicht mehr von einem Bluffer unterscheiden. Es kann z.B. passieren, daß eine nur mäßig qualifizierte, aber dafür in Sachen Bewerbungsrhetorik geschulte Kandidatin in einem Gespräch so glänzend abschneidet, daß sie den ausgeschriebenen Job bekommt. Und 14 Tage später gibts den großen Katzenjammer, wenn langsam allen Beteiligten dämmert, daß da eine eloquente Aufschneiderin eingestellt wurde!"

Mit anderen Worten: Neue Wege zum Kunden werden ganz entscheidend von der Auswahl des richtigen Personals bestimmt – womit wir (scheinbar) vom eigentlichen Thema unseres Gesprächs ein wenig abweichen müssen (aber wir kommen darauf noch mit einer kleinen Überraschung zurück!):

Wie führe ich denn nun ein optimales Bewerbungsgespräch?

Konkret:

1. Hinhören!
   Sie schildern Ihr Unternehmen in den leuchtendsten Farben und lassen den Bewerber gar nicht zu Wort kommen? Wenn es Ihnen ein Trost ist: Sie stehen damit nicht allein. Fast 80% aller Einstellungsgespräche laufen immer noch nach diesem Muster ab. Viel besser: Hören Sie zu. Beobachten Sie die Signale des Bewerbers, seine Körperhaltung, seine Art, sich zu artikulieren. Öffnen Sie sich für die Ausstrahlung, das Wesen des Bewerbers und hören Sie gut auf Ihre Intuition. Der erste Eindruck ist in den allermeisten Fällen der richtige!

2. Fragen stellen!
   Wie kam der Bewerber zu Ihrem Unternehmen? Was für Vorstellungen und Wünsche verbindet er mit der ausgeschriebenen Position? Was ist ihm wichtiger: Money, Money – oder Selbstverwirklichung und Eigenverantwortlichkeit? Fragen Sie nach seinem Privatleben – Freizeitbeschäftigungen, Familie, Haustiere, Musik, Filme etc. Sie werden staunen, welche konkreten Rückschlüsse da möglich sind! Warum hat er seinen ehemaligen Arbeitgeber verlassen? Gab es menschliche Ungereimtheiten oder rein berufsbezogene Gründe? Wie steht der Bewerber zum Thema Karriere? Welche langfristigen Ziele und Träume hat er, und wie sieht er die Chancen, sie zu verwirklichen? Hat er konkrete oder eher schwammige Vorstellungen? Fragen, fragen und nochmals fragen!

3. Auf Zwischentöne achten!
   Hat der Bewerber störende Angewohnheiten? Nägelkauen, Zwinkern etc. oder fühlen Sie sich in seiner Gegenwart vielleicht sogar unwohl? Wenn ja – unbedingt den Grund herausfinden! Unbewußte, emotionale Abneigung ist ein sehr deutliches Warnsignal!

Eine harte Nuß!

Gerfried Boch: „Wir haben Livegespräche zu dritt mit einem Bewerber und dessen Vorgesetzten in spe geführt – Sie glauben gar nicht, wie schwer es einem Personalmanager oder Geschäftsführer fällt, für fünf Minuten jemandem einfach nur zuzuhören! Manche sind regelrecht besessen von einem Darstellungszwang, da kriegt ein Bewerber kaum ein Wort dazwischen.“

Kommt uns allen irgendwie bekannt vor, oder? Boch: „Grundsätzlich kann man ein Einstellungsgespräch mit dem sprichwörtlichen ersten Rendezvous vergleichen. Ein Mitarbeiterverhältnis unterliegt den gleichen menschlichen Kriterien wie eine Partnerschaft, mit dem Unterschied, daß man in seiner Firma womöglich noch mehr Zeit verbringt als mit seinem Lebensgefährten. Also ist es doch nur logisch, seinen Arbeitgeber bzw. seine Mitarbeiter mindestens so sorgfältig und gewissenhaft auszuwählen wie seinen Partner!“

Also gut. Die Entscheidung ist gefallen, der Neue hat einen unterschriebenen Vertrag in der Tasche – und Sie als Personalchef eine Menge zu tun. Oder wollen Sie, daß der neue Mitarbeiter am nächsten Ersten von dem Nichts steht?

Keine Visitenkarten. Kein Firmenwagen. Und kein Schreibtisch

Der Neue kommt. Meldet sich mit Feuereifer zur Stelle – und weiß im nächsten Moment gar nicht mehr, wie ihm geschieht. Keiner ist über den Neuankömmling informiert worden, keiner weiß Bescheid. Der versprochene Wagen ist noch nicht bestellt, das Büro bis unter die Decke mit Akten und alten Unterlagen des Vorgängers vollgestopft, und der Telefondame bleibt nichts anderes übrig, als dem verdutzten Mann einen Kaffee anzubieten. Der Neue fühlt sich fallengelassen, steht verloren am Empfang, Enthusiasmus und Motivation tendieren stark gegen Null. Was ist geschehen?

Gerfried Boch: „Der Informationsfluß im Unternehmen hängt unmittelbar vom guten Willen der einzelnen Mitarbeiter ab. Wenn Infos z.B. über neue Mitarbeiter durch sieben Abteilungen und ein Sekretariat gefiltert weitergegeben werden, führt das zu Fälschungen – natürlich ganz unbeabsichtigt.“

Fatal: Der Neue ist sauer, die Firma bestürzt, und alle Beteiligten sehr betroffen. Wie findet man aus solch einer Situation wieder ans Licht? G. Boch:

„Die Wege müssen kürzer werden. Das heißt, Verantwortung nicht auf viele einzelne verteilen, sondern für jedes Projekt einen Alleinverantwortlichen einsetzen. Auf diese Weise gehen kaum Informationen verloren, und im Falle ‚Neueinsteiger‘ hätte es einen direkten Ansprechpartner gegeben.“

Noch ein Wort zur Werbeagentur des Hauses

Zurück zum Thema. Und zu der alles entscheidenden Frage: Was ist derzeit eigentlich mit der Werbung los? Gerfried Boch: „95% aller Werbung landet auf dem Müll. Und das hat einen Grund. Weil sie ganz einfach unglaubwürdig, häufig einfallslos und manchmal richtig schlecht ist. Wieso? Natürlich ist es bequem, wenn man mit einer Agentur zusammenarbeiten kann, die genau weiß, was ein Unternehmen will und wie es repräsentiert werden möchte. Aber woher soll eine Agentur denn wissen, wo es im Unternehmen nicht stimmt? Ob es eventuell ganz neue Ansätze gibt? Die Agentur kann nur das umsetzen, was sie weiß."

Und oft stricken Agenturen aus einer Mischung von Unwissenheit und blühender Phantasie ein Mäntelchen zusammen, das dem Unternehmen entweder zu klein – aber nicht selten viel zu groß ist! Wenn dann noch Klüngeleien und Sachvergünstigungen eine Rolle spielen, ist die Sache erledigt.

Gerfried Boch: „Die Agentur macht nur noch, was der Kunde will, aus Angst, den Etat zu verlieren, und der Kunde, sprich das Unternehmen, wird sich hüten, eine Agentur in die Wüste zu schicken, die sich mit Einbauküchen zum Einkaufspreis oder schicken Neuwagen als Kundenpflegemittel unentbehrlich macht. Voilà – und das Image verändert sich in hundert Jahren nicht! Wieso sollten da mit einem Ruck die Verkaufszahlen in die Höhe gehen? Wir bieten unseren Kunden eine ganzheitliche Betreuung, die selbstverständlich einen konzeptstarken Werbeauftritt beinhaltet. Und zwar *nachdem* wir alle internen Mängel und Ungereimtheiten beseitigt haben, aus dem Wissen heraus: In diesem Unternehmen stimmts wieder!"

Die Agentur im klassischen Sinne hat also in der Tat ausgedient. Und wie steht es um die vielen großen und kleinen Unternehmensberatungs-Institute, die mit ihren spektakulären, werbewirksamen Prospekten die Briefkästen der Chefetagen überfluten? Wie effektiv arbeiten sie wirklich, wann sollte ein Unternehmen sich auf eine solche Fremdhilfe einlassen und wann nicht?

Gerfried Boch: „Wenn ein Beratungsinstitut fertige Konzepte anbietet und darüber hinaus auch noch vor Beginn der Zusammenarbeit cash haben will – Finger weg! Und wenn sich diese Berater noch nicht einmal die Mühe machen, das Unternehmen wenigstens in drei gründlichen Besichtigungen kennenzulernen, die Mitarbeiter zu beobachten und sich ein paar Zahlen anzusehen – ebenso. Seriöse Berater arbeiten ganz anders." Und wie?

Beispiel IFKUMO: „Wir garantieren dem Unternehmen eine 10prozentige Kostenreduzierung bei gleichzeitiger Erhöhung der Effizienz durch Neutralisierung der Störfaktoren. Und: Wir bleiben auch nach dem eigentlichen Beratungsprogramm bei dem Unternehmen präsent, beobachten und greifen wenn nötig ins Geschehen ein."

Und genau das unterscheidet ihn von einem Institut, das nur heiße Luft verkauft – gegen harte Währung. Denn kurzfristige, standardisierte Maßnahmen können auch nur kurzfristig wirken, alles andere muß hart und in winzigen Schritten solange wiederholt werden, bis es jedem einzelnen Mitarbeiter – vom Geschäftsführer über die Sekretärin bis zum Pförtner – in Fleisch und Blut übergegangen ist.

Gerfried Boch: „Und erst dann sehen wir vom IFKUMO unser Honorar. Wir arbeiten auf Erfolgsbasis, d.h. wir verabschieden uns nicht nach zwei, drei Seminaren mit unserem Scheck in der Hand, sondern erst wenn das von uns gecoachte Unternehmen schwarze Zahlen schreibt, schreiben wir unsere Rechnung."

Mutig. Aber der Erfolg gibt ihm recht. Und noch etwas: Es ist erfrischend und abwechslungsreich, mit ihm zu sprechen!

Institut für Kommunikations- und Marken - Optimierung

<u>8 Regeln für Erfolgsoptimierung</u>

1. Systematische, permanente Kommunikationsharmonisierung vom Vorstand bis zum Pförtner.

2. Konsequentes, zeitnahes, ungefärbtes Kunden-Feedback bis zur Firmenspitze.

3. Offene, zukunftsorientierte, informations- und innovationsfördernde Systeme.

4. Konstruktive Zerstörung.
   Bereitschaft, traditionelle Organisationsstrukturen und Ablaufprozesse permanent zu durchleuchten und gegebenenfalls durch effizientere zu ersetzen.

5. Chaos-Kompetenz.
   Fähigkeit, den raschen Veränderungen des Marktes mit einer institutionalisierten Spontanität zu begegnen (wenig Hierarchien, kurze Entscheidungswege).

6. Profil zeigen nach innen und außen durch
   - Corporate Communications (CC)
   - Corporate Design (CD)
   - Corporate Behaviour (CB)

   CC und CB müssen in allen Belangen kongruent sein.

7. Konsequente Weiterentwicklung der Handlungskompetenz aller Mitarbeiter.

8. Nivellierung aller Statussymbole.

Stephan Größel
Wirtschafts- & Finanzmanagement
Gesellschaft für Konzeptberatung in Wirtschafts-,
Finanz- und Unternehmensfragen

„Gib dem Klienten einen Vorteil durch deine Tätigkeit!"

Was macht ein Unternehmen in einer Größenordnung von ca. 15 bis 50 Mitarbeitern, wenn es sich vor die Aufgabe gestellt sieht, seine Marktposition auszubauen oder sie gar erst zu etablieren? Viele kleinere Betriebe sehen sich außerstande, ohne große Budgets für Werbung und Marketing genügend Initiative an den Tag zu legen, um auf Klientensuche zu gehen. Doch erfolgreiches Gewinnen von Klienten hängt, wie man weiß, nicht in erster Linie von der Größe des Budgets ab. Oft ist die Größe der Ideen und Einfälle sehr viel ausschlaggebender für den nachhaltigen Erfolg. Die Firma *Wirtschafts- & Finanzmanagement Gesellschaft für Konzeptberatung in Wirtschafts-, Finanz- und Unternehmensfragen* in Wiesbaden hat erfolgreich demonstriert, wie es auch ganz anders gemacht werden kann. Das Unternehmen ist ein hochqualifiziertes Beratungsunternehmen für eine Klientel, deren Hauptproblem darin besteht, daß sie den Hauptteil der Steuerlast dieses Staates zu tragen hat. Die Hauptaufgabe des Unternehmens besteht nach eigener Aussage darin, dem Klienten Liquiditätsvorteile zu verschaffen, durch Senkung der Steuerlast und durch Erzielen einer hohen Rendite bei anspruchsvollen Kapitalanlagen.

Geschäftsführer Stephan Größel, Jahrgang 1967, ist alles andere als ein Newcomer in diesem Metier. Er gehört zu den Spitzenberatern, die ohne viel Aufsehens solide und kontinuierliche Ergebnisse bringen, würde sich allerdings kaum selbst jemals als solcher bezeichnen. Als er sich vor einiger Zeit unternehmerisch selbständig machte und mit einem Stab von etwa 25 Mitarbeitern in einen ohnehin überbesetzten Markt ging, war jedoch alles andere als sicher, ob ihm hierbei seine verkäuferischen Fähigkeiten zugute kommen könnten. Denn Einzelkämpfer sein ist eines, Unternehmer sein ein ganz anderes Kapitel. Menschen zu führen verlangt anderes Wissen und Können, als Menschen etwas zu verkaufen. Unser Gesprächspartner hat diese Aufgabe gemeistert, allerdings mit einigen ungewöhnlichen Ideen, die mit Sicherheit in keinem Lehrbuch zu finden sein werden. Vielleicht ist gerade das seine Erfolgsformel: *Nicht* das zu tun, was in den Lehrbüchern steht.

„Herr Größel, Sie standen als Unternehmer vor der Aufgabe, sich einen neuen Klientenkreis aufzubauen. Wie packt man diese Aufgabe am sinnvollsten an?“

Stephan Größel: „Selbstverständlich sollte man immer zuerst eine Stärken-/ Schwächeanalyse des eigenen Unternehmens oder, als Geschäftsführer, der eigenen Person durchführen. Da wir aus dem Finanzbereich kamen, war natürlich klar, daß die Stärken in der Beratung liegen. Doch Beratung in Wirtschafts- und Finanzangelegenheiten ist ein sehr dehnbarer Begriff. Wir mußten also unser Profil sehr genau und konzentriert definieren. Ich schaute mir an, bei welchen Zielgruppen wir als Einzelpersonen oder innerhalb anderer Vertriebe den größten Nutzen gebracht hatten. Dabei wurde offensichtlich, daß durch die Qualität der Beratung und durch die gehobene Auswahl der Produktpartner allein schon die Klientel eingegrenzt und klar definiert wurde. Jene Menschen mit gehobenem Einkommen nämlich, bei denen die Steuerlast sehr hoch und der Beratungsbedarf absolut nicht gesättigt ist.

Die Frage war nun, wie sprechen wir genau diese Menschen an. Denn es ist speziell bei dieser Zielgruppe alles andere als einfach, einen Fuß in die Tür zu bekommen. Weil sie eben zu den Spitzeneinkommen zählen, versuchen viele unseriöse Anlagehaie, an diese Menschen heranzutreten. Die Erfahrungen, die in diesem Zielgruppen mit der Anlagebranche bestehen, sind nicht immer positiv. Eher im Gegenteil: Leider gibt es auf diesem Markt sehr viele schwarze Schafe, die sich nur kurzfristig bereichern möchten. Unsere Philosophie lautet daher: Qualifizierte Beratung und eine langfristige gute Beziehung zu unseren Klienten pflegen. Man muß sich also etwas Besonders einfallen lassen, wenn man sich diese Klientel als Zielgruppe aufbauen möchte. Man darf keinesfalls die abgetretenen Trampelpfade benutzen. Wenn man sich der gleichen Mittel bedient wie andere, wird man in die Scherbenhaufen treten, die andere hinterlassen haben. Natürlich muß man diese Scherbenhaufen in einem späteren Stadium der Beratung auf jeden Fall beseitigen, aber in diesem Stadium wäre es zu früh, sich mit den Hinterlassenschaften anderer Finanzberater auseinanderzusetzen. Der Klient läßt einen ja gar nicht an sich heran, wenn die eigene Vorgehensweise ihn an die unseriösen Praktiken anderer auch nur vage erinnert. Man muß sich also deutlich abheben von der Masse, sehr deutlich."

„Wie sind Sie also genau vorgegangen? Sie haben diese Aufgabe ja gut gelöst, denn schon nach wenigen Monaten waren Sie in diesen sonst eher verschlossenen Kreisen voll akzeptiert, wie wir wissen. Wie haben Sie es bewerkstelligt?"

Stephan Größel: „Im Nachhinein sieht es vielleicht zu einfach aus, um überzeugend zu wirken. Allerdings müssen wirkungsvolle Wege nicht immer kompliziert oder teuer sein. Ich habe zuerst den Rat einer PR-Expertin in Anspruch genommen. Die Beraterin ist in gehobenen Kreisen im Rhein-Main-Gebiet sehr bekannt und beliebt. Sie war jahrelang Geschäftsführerin von UNICEF und brachte einiges an Erfahrung mit, was sicherlich dabei geholfen hat, in die Gesellschaftskreise zu gelangen, die wir heute beraten. Sie hat uns im Prinzip zunächst dabei geholfen, das äußere Erscheinungsbild zu vervollkommnen. Dabei kam es vor allem auf eines an: Das Auftreten nach draußen mußte in jedem Detail von der Einrichtung bis zur Visitenkarte dem Anspruch entsprechen, den wir uns selbst gesetzt hatten. Da darf es keine Brüche geben, keine Disharmonien. Sie half also bei der Auswahl der Büromöbel ebenso wie bei der Gestaltung der schriftlichen Druckerzeugnisse. Es ist aber auch notwendig, daß *jeder einzelne Mitarbeiter* sich mit dem Image des Unternehmens identifiziert, auch wenn dieses Image vielleicht in der Öffentlichkeit noch gar nicht existiert! Mit anderen Worten, allein dadurch, daß jeder Mitarbeiter sich darüber bewußt ist, wer wir als Unternehmen sind – ein hochqualifiziertes Beratungsunternehmen in Finanzangelegenheiten für eine sehr anspruchsvolle Klientel – allein dadurch wird dieses Image in der Öffentlichkeit bereits zu einem guten Stück etabliert. Das ist PR-Arbeit. Und die kostet nicht viel!"

„Das war aber noch nicht alles?"

Stephan Größel: „Natürlich müssen Sie sich dann bei jenen Zielgruppen vorstellen und bekannt machen, die Sie als Ihre Klientel ausgewählt haben. Mit anderen

Worten, die Kontaktphase ist der nächste wichtige Schritt. Wie trete ich an meine Zielgruppe heran? Wie packe ich dies am sinnvollsten an, damit die Tür weiter aufgeht, nicht weiter zugeht. Wenn man es nämlich auch nur ein wenig falsch macht, ist die Chance gering, überhaupt jemals zu einem qualifizierten Beratungsgespräch zu kommen. Das Instrument hierzu waren Mailings."

„An welche Adreßlisten?"

Stephan Größel: „Wir besorgten uns die Adressen von einem der bekannten Direct-Mailing-Adreßverlage. Aber: Ich legte Wert darauf, daß die Anschriften mit Telefonnummern versehen sind. Und erkundigte mich, inwieweit es gestattet und legitim ist, diese Telefonnummern auch zu benutzen. Da es sich ausschließlich um Geschäftsanschriften handelte, gab es hier keinerlei juristische Hindernisse."

„Wieviele Adressen waren es, und wie sah das Mailing aus?"

Stephan Größel: „Es waren Adressen von Selbständigen und Angestellten in Führungspositionen, also ausschließlich gehobene Einkommensschichten. Wir starteten mit einer Auswahl von 1.500 Adressen, was relaiv wenig ist für ein Mailing. Doch die Vorgehensweise unterschied sich in mehrfacher Hinsicht von allem, was in den Lehrbüchern steht und sonst üblich ist:

Erstens: Die Briefe wurden *nicht* als Drucksache verschickt.

Zweitens: Die Briefe wurden in normale Briefumschläge couvertiert, und zwar Umschläge von gehobener Qualität, wie man sie normalerweise nur bei ganz persönlichen Briefen verwendet.

Drittens: Die Anschriften wurden *mit der Hand* in sauberer Schrift auf den Umschlag geschrieben. Das war das aufwendigste Stück Arbeit, denn es braucht dazu viel Zeit. Und um das Ganze abzurunden, war die Briefmarke keine gewöhnliche, sondern eine speziell ausgesuchte schöne Sondermarke.

Wir haben also alles getan, um diesen Brief so zu gestalten, daß er nicht in einem Stapel von Postsendungen untergeht. Wir wollten erreichen, daß er auf jeden Fall geöffnet und vollständig gelesen, nicht nur überflogen wird."

„Hatten Sie Erfolg damit?"

Stephan Größel: „Wir hatten sogar großen Erfolg. Zudem habe ich einen weiteren Schritt veranlaßt – und hier kommen die Telefonnummern mit ins Spiel: Wir haben wenige Tage nach der Aussendung den Empfänger angerufen und ihn gefragt, ob er unseren Brief erhalten und gelesen hatte. Dann hat unser Berater bzw. die Beraterin am Telefon unsere Unternehmensphilosophie erläutert und einige Fragen gestellt, um herauszufinden, ob ein bestimmter Beratungsbedarf bei unserem Gegenüber vorhanden ist. Mit dem Hinweis darauf, daß wir unseren Klienten deutliche und mitunter auch erhebliche Liquiditätsvorteile zu verschaffen pflegen, war es dann meist nicht mehr schwer, einen persönlichen Beratungstermin zu vereinbaren."

„Wie hoch war die Terminierungsquote durch diese Aktion?"

Stephan Größel: „Wenn man es in bezug setzt zu den Aussendungen, lag diese Quote von Terminen bei ca. 15 Prozent."

„Was ja doch ziemlich viel ist. In der Regel sind ja bereits Rückläufe bzw. Responses von zwei bis vier Prozent ein Beweis für gute Arbeit. Was war nun rein statistisch betrachtet das Outcome dieser Termine? Wieviele Geschäftsabschlüsse kamen zustande?"

Stephan Größel: „Die Beratungsquote in Relation zu den Aussendungen lag bei etwa zehn Prozent. Das wichtigste Ergebnis jedoch waren erfolgreich aufgebaute Klientenbeziehungen, die über viele Jahre halten und die durch Empfehlungen in weiteren Beratungen resultieren. Wenn dieser Aspekt im Vordergrund steht, dann ist Umsatz für ein Unternehmen immer die logische und positive Konsequenz."

„Nun ist natürlich eine solche Art des Mailings sehr aufwendig. Nicht nur die viel teureren Porti, sondern auch die Zeit, die es braucht, all die Umschläge von Hand zu beschriften, geht ins Geld. Glauben Sie wirklich, daß dies für den Erfolg der Aktion so ausschlaggebend war?"

Stephan Größel: „Ja, und wichtig war uns außerdem, daß die Briefe nicht nur persönlich wirken, sondern auch persönlich *sind*. Und das sie Beachtung finden. Ich erwähnte es bereits: Wenn Sie sich von der Masse abheben wollen, dann müssen Sie dies bereits beim *ersten Kontakt* mit dem Klienten tun. Hier entscheidet sich, ob Sie einen Klienten gewinnen oder nicht. Denn letztendlich sehe ich es als unsere Aufgabe an, anderen Menschen bei der Verwirklichung ihrer finanziellen Vorteile zu helfen. Und die liegen im Durchschnitt bei mindestens acht- bis zehntausend Mark je Beratungsgespräch. Dafür ist kein Aufwand zu groß."

„Eine solche Aktion lebt aber auch von der Qualität des Produkts, das Sie anbieten. Wie sieht diese Produktauswahl in Ihrem Falle aus?"

Stephan Größel: „Sie können ja in der Finanz- und Anlagebranche die Produkte einer Vielzahl von Anbietern vermitteln. Das erstreckt sich von der Immobilienbranche über Banken, Investmentfonds, Versicherungsgesellschaften bis hin zu Spezialanbietern. Wir haben uns von Anfang an auf jene Produktanbieter konzentriert, die bereits seit vielen Jahren einen ausgezeichneten Ruf und eine hervorragende Bilanz haben und die dafür bekannt sind, daß sie die Klientel, die wir ausgewählt haben, auch wirklich ausgezeichnet bedienen. Mit anderen Worten, der Nutzen unserer Produkte für den Klienten ist wirklich optimal. Wenn wir einen Investmentfonds empfehlen, dann nicht irgendeinen, sondern einen der besten. Wenn wir eine Immobilie empfehlen, dann muß es eine sein, bei der die Lage stimmt, der Einkaufspreis in einem vernünftigen Verhältnis zur langfristig erzielbaren Mieteinnahme steht und der Klient beim Wiederverkauf einen möglichst hohen Gewinn realisiert. Wenn es darum geht, ein breit gestreutes Portfolio zu verwalten, dann lassen wir dies nicht durch irgendeine Bank durchführen, sondern durch eine renommierte Vermögensverwaltung. Und wenn es um komplizierte und aufwendige Finanzierungen geht, dann suchen wir natürlich die Kooperation mit der Geschäftsbank unseres Klienten und arbeiten bei Bedarf mit seinem Steuerberater eng zusammen. Wir achten also sehr darauf, daß wir in jedem Detail besser sind als die Mitbewerber auf dem Markt."

„Das setzt aber auch sehr qualifizierte Mitarbeiter voraus?"

Stephan Größel: „Es ist gut, daß Sie dieses Thema anschneiden. Die Ausbildung ist leider immer noch ein Stiefkind in der Finanz- und Anlagebranche. Nur wenige Finanzberater legen Wert auf eine umfassende Ausbildung, auf umfassende Schulungen und Weiterbildung. Auch hier heben wir uns wieder von der allgemeinen Masse ab: Wir legen sehr viel Wert auf Qualität auch in der Ausbildung. Und eines der ersten Prinzipien, das wir unseren Mitarbeitern vermitteln, lautet: Wahrheit und Klarheit. Bei allem, was der Berater dem Klienten mitteilt, muß er der Wahrheit genüge tun und auf einfache und klare Weise die Sachverhalte erläutern. Nur dann ist gewährleistet, daß ich den Klienten, zu dem ich mir den Kontakt mühsam erarbeitet habe, auch tatsächlich als Klienten gewinnen und behalten werde. Weichen Sie einmal von der Wahrheit ab, und Sie haben verspielt. Das heißt nicht, daß man sich nicht irren oder keinen Fehler machen darf. So etwas kommt vor und ist menschlich. Aber Sie müssen dann zu Ihrem Fehler auch stehen, müssen ehrlich zu Ihrem Klienten sein und ihm auch dann die Wahrheit sagen. Ehrlichkeit ist mehr wert als ein abgeschlossenes Geschäft."

„In kurzen Worten: Was ist Ihre Verkaufsstrategie? Wie kommen Sie zum Abschluß?"

Stephan Größel: „Ein guter Berater findet zunächst heraus, was der Klient braucht und wünscht, und er verhilft ihm dann, es zu bekommen. Die beste Formel, die ich kenne, lautet: *Vertrauen vor Problem, vor Nutzen, vor Preis*. Daraus folgt der Vorteil für den Klienten. Am wichtigsten ist, erst einmal ins Gespräch zu kommen und Vertrauen aufzubauen. Das geschieht durch die Art und Weise der persönlichen

Kommunikation, der persönlichen Ansprache; aber auch dadurch, daß man gute Referenzen vorweisen kann. Denn dann und nur dann glaubt Ihnen der Klient, daß Sie kein Newcomer sind.

Wenn ein gewisses Maß an Vertrauen besteht, geht man in die Details dessen, was der Klient in seiner Situation verbessert haben möchte. Es dreht sich fast immer um die Frage, wie Liquidität jetzt oder in Zukunft erhöht werden kann, aber die Umstände sind sehr verschieden. Man muß sich also auskennen. In steuerlichen Fragen. In Versicherungsfragen. In unterschiedlichen Anlageformen. In Fragen der Altersversorgung, speziell bei Selbständigen und GmbH-Geschäftsführern. Etc. Man kann nur dann ein Problem eingrenzen und genau betrachten, wenn man Kompetenz und Fachwissen mitbringt. Daher auch der Nachdruck auf die Ausbildung.

Dann zeigt man dem Klienten auf, welche Strategie man für ihn erarbeitet hat (das geschieht erst in einem zweiten Gespräch) und erläutert ihm den Nutzen, den er davon hat. Hat er den Nutzen verstanden, kann man über den Preis sprechen. Wenn man so vorgeht, wird der Klient seinen Vorteil sehen, verstehen und in Anspruch nehmen."

„Eigentlich eine denkbar einfache Vorgehensweise. Wird sie auf diese Weise von den Mitarbeitern auch in der Praxis durchgeführt?"

Stephan Größel: „Diese vier Bausteine müssen die Mitarbeiter immer beachten und auch in dieser Reihenfolge etablieren. Eine andere Vorgehensweise wird nicht zum Erfolg führen. Aber *wie* der einzelne Mitarbeiter dies umsetzt, das muß er für sich selbst erarbeiten. Man kann nicht nach Schema F vorgehen."

„Auf einen Nenner gebracht, wie lautet die erfolgreiche Vorgehensweise für ein Unternehmen, das neu in einem Markt tätig wird oder sich neue Klientenkreise eröffnen möchte?"

Stephan Größel: „Sich vorzustellen, sich beim Zielpublikum bekannt zu machen und dann herauszufinden, was es exakt ist, das dieses Zielpublikum braucht oder wünscht. Also exakt den Bedarf ermitteln. Und dann eine genau auf diesen Bedarf zugeschnittene Lösung anbieten, die sich von anderen deutlich abhebt. Ich kann diesen Punkt, daß man sich deutlich abheben sollte, gar nicht überbetonen. Er ist gerade für Unternehmen in einem Markt mit extrem starker Konkurrenz so ungeheuer wichtig. Man darf dabei erfinderisch sein, muß aber dennoch in der Wahl der Mittel die *Mentalität der Zielgruppe* genau beachten. Ich könnte mir eine ganze Menge phantasievoller Mailings vorstellen, die sicher auffallen würden. Ob sie aber auch den gewünschten Effekt erzielen, ist nicht immer gesagt. Die Art der Ansprache Ihrer Zielgruppe muß zum Erscheinungsbild Ihres Unternehmens *und* zur Mentalität der Zielgruppe passen. Und sie soll sich deutlich abheben von dem, was der Klient längst kennt. Denn wir gehen ja davon aus, daß wir dem Klienten etwas anbieten, was er in dieser Art noch nicht kennengelernt hat."

„Man muß sich also in positiver Weise unterscheiden?"

Stephan Größel: „Für den Klienten *erkennbar positiv*. Es ist immer die Frage, wie kommt es beim Klienten an. Machen Sie einige Tests, am besten sind einige kleine Umfragen beim Zielpublikum. Es ist billiger zwei oder drei Tests zu entwerfen und das Zielpublikum darüber zu befragen, als von dem auszugehen, was man selbst vielleicht für richtig oder positiv hält."

„Gibt es noch einen wichtigen Baustein bei der Klientenfindung?"

Stephan Größel: „Ja, es ist der Umfang und die Qualität der Betreuung, die der Klient erfährt, nachdem er mit uns in irgendeiner Art und Weise ins Geschäft gekommen ist. Die meisten Berater in unserer Branche lassen sich nach einem Abschluß nie wieder bei ihrem Klienten blicken. Es ist aber wichtig, wirklich gute Folgebetreuung anzubieten."

„Bauen Sie eine Vertriebsstruktur auf, ähnlich wie man dies in der Finanzbranche kennt?"

Stephan Größel: „Nein, daran sind wir überhaupt nicht interessiert. Wenn ein neuer Berater in unserem Unternehmen beginnt, dann erhält er zunächst seine grundlegende Ausbildung oder Ergänzungen zu dem, was er schon weiß. Er bekommt seinen Arbeitsplatz, an dem er sich wohlfühlen kann. Er erhält alle Unterlagen, die er für die Beratung benötigt, zu jedem einzelnen Themenkomplex. Er kann auf eine anbieterunabhängige EDV zurückgreifen. Wir geben ihm jede Hilfestellung, die er benötigt, um zum Erfolg zu gelangen.

Und dann geht er so schnell wie möglich in die Praxis. Praxis, Praxis, Praxis lautet bei uns die Devise. Es gibt praxisbezogenes Training innerhalb der Gruppe. Wir üben das Telefonieren – Sie glauben gar nicht, wieviele Berater schlichtweg Angst vor dem Telefon haben! Innerhalb einer Gruppe lernt man diese Hemmschwelle schnell zu überwinden. Dabei werden allerdings wirkliche Klienten angerufen, also keine ‚vorgetäuschten'. Wenn der Berater diese Wand durchbrochen hat, dann hat er es fast schon geschafft. Denn wer nicht telefonieren kann, der wird auch nachher im Gespräch mit dem Klienten in irgendeiner Weise Angst haben. Er wird auch Angst haben, dem Klienten seine Vorteile aufzuzeigen. Und es wäre ja wohl ein schlechter Service unseren Klienten gegenüber, ihnen Vorteile vorzuenthalten.

Weiterhin ist es wichtig, die Art und Form der Analyse genau zu vermitteln. Analyse ist die Bezeichnung für die Bestandsaufnahme beim Klienten. Die sogenannte Ist-

Situation. Sie wird immer im Erstgespräch durchgeführt; im Mittelpunkt des Gespräches stehen dabei die Ziele und Wünsche des Klienten. Denn durch die Analyse legt der Berater den Grundstein für die Strategie. Ist die Analyse gut, kann man daraus eine ausgezeichnete Strategie erarbeiten. Wurde sie mangelhaft durchgeführt, wird man dem Klienten nachher keinen guten Dienst erweisen. Wenn der Berater all das geschafft hat, dann lernt er, auch andere Menschen zu führen. Dabei lautet das Motto: *Führen heißt Vorführen*. Niemand wird als Führungsperson erfolgreich sein, der nicht die Dinge selbst getan hat, die er von den ihm anvertrauten Mitarbeitern verlangt. Im Unterschied zu den herkömmlichen Vertriebsstrukturen geht es hier um Qualität, nicht um Quantität. Und es geht keinesfalls darum, den eigenen Bekanntenkreis abzuklappern mit dem Produkt – wie das bei manchen Finanzvertrieben üblich ist. Der angehende Berater erhält von uns Adressen, die er kontaktieren und besuchen kann. Er muß sie nicht selbst auftun. Darin liegt wohl ein großer Unterschied zu Strukturvertrieben."

„Die Klientenfindung steht und fällt also mit dem Mitarbeiter, mit der Qualität seiner Ausbildung?"

Stephan Größel: „Absolut! Wer dies vernachlässigt, der wird über kurz oder lang Schiffbruch erleiden. Im wesentlichen sind es vier Bausteine, die den Erfolg ausmachen:

1. der qualifizierte Mitarbeiter,
2. der Vorteil, den man dem Klienten bringt,
3. die Produktpalette aus dem Angebot renommierter Unternehmen,
4. das Ziel jeder Beratung: daß ein Austausch stattfindet, bei dem jeder gewinnt.

Unser oberstes Gebot ist es, darauf zu achten, daß der Klient bestens von uns bedient wird. Denn der beste und erfolgreichste Weg Klienten zu finden, ist der gut bediente und zufriedene Klient selbst! Er wird uns weiterempfehlen. Und es gibt kein besseres Entree als eine persönliche Empfehlung durch den Klienten."

„Was würden Sie sagen, ist bei alledem die wichtigste Stütze des Erfolgs?"

Stephan Größel: „Daß ich dem Klienten einen *spürbaren Vorteil* verschaffe. Nur wenn der Klient einen Vorteil hat, dann hat auch der Berater das Gefühl, etwas Gutes getan zu haben. Wenn ich zuerst immer an den Vorteil des Klienten denke und danach eine Strategie ausarbeite, dann mag dies in vielen Fällen zu einem geringeren oder auch mal gar keinem Geschäftsabschluß führen. Aber es ist langfristiges Denken. Gib dem Klienten einen Vorteil durch deine Tätigkeit, und die Konsequenz wird ein erfolgreiches und angesehenes Beratungsunternehmen sein. Das ist langfristiges Denken und eine gesunde Unternehmensphilosophie."

Prof. Dr. Ralph-Peter Setzepfandt
Institut für Finanz-Marketing und Investitions-Consult GmbH

„Nicht das Produkt interessiert den Kunden, sondern nur die Lösung seiner eigenen Probleme.“

Daß es nicht leicht sein würde, einen vielbeschäftigten Mann wie Professor Dr. Ralph-Peter Setzepfandt für ein Interview an den Tisch zu bekommen, war uns von vornherein klar. Deshalb einigten wir uns auf einen Termin für ein telefonisches Interview. Doch – wie das Schicksal so spielt – mehrere Ansätze scheiterten am Terminkalender des Herrn Professors oder an unserer eigenen Zeitplanung.

Umso erfreuter waren wir dann, als wir kurzfristig die Chance zu einem persönlichen Treffen erhielten, das der Top-Trainer zwischen zwei Terminen arrangieren konnte. Hals über Kopf machten wir uns auf den Weg ins Mövenpick am Stuttgarter Flughafen, um dort, zwischen wartenden Hotelgästen und eilig hin und her huschendem Personal, mit ihm über die innersten Beweggründe eines Spitzenverkäufers zu sprechen...

Ralph-Peter Setzepfandt ist Gastprofessor für Finanz-Marketing. Vor allem aber trainiert er Spitzenverkäufer, vorzugsweise im Finanzdienstleistungsbereich bei Vermögensberatungsgesellschaften, Banken, Versicherungen und Immobilienverkäufern. Er kennt die Probleme der Verkäufer in- und auswendig, aber auch die Probleme der Führungskräfte – beispielsweise im Hause BMW –, was ihn in die Lage versetzt, zwischen „drinnen und draußen“ Verbindungen zu etablieren. Das Wichtigste aber: Er ist ein Mann der Praxis, der sich zum Spitzenverkäufer und – auf höherer Ebene – bis zum Vertriebschef eines Großunternehmens emporarbeitete. Er hat alle die Dinge, die er in seinen Seminaren behandelt, selbst durchlebt und mit Erfolg gekrönt.

Im Grunde seines Herzens ist er Verkäufer geblieben. Selbst heute noch, da er hochmotiviert und immer gut vorbereitet als Trainer von Termin zu Termin hastet, kann er es nicht verhindern – wie er schmunzelnd gesteht –, daß frühere und neue Kunden „mit Aufträgen drohen“. Er weiß also, wovon er spricht, wenn er die anfänglichen Schwierigkeiten eines neuen Verkäufers nennt und die Punkte aufzählt, an denen er scheitern kann. Er weiß ebenso, wovon er spricht, wenn er jenen inneren Drang beschreibt, der einen Spitzenverkäufer über das Niveau eines guten Verkäufers erhebt. Und er weiß es auch, wenn er mit lebhaften Worten und unterstreichenden Gesten die inneren Klippen sichtbar macht, die es für einen Verkäufer immer wieder zu umschiffen gilt, auf seinem langen Weg zur Spitze. Er weiß desgleichen, wie er Vertriebsvorgesetzten helfen kann, ihre Vertriebsmannschaften noch erfolgreicher zu machen.

Sollten Sie neugierig geworden sein, so können wir das verstehen; hier das interessante Gespräch:

„Herr Professor Setzepfandt, wie sind Sie in die Finanzdienstleistungsbranche gekommen?“

Ralph-Peter Setzepfandt: „Als ich in den sechziger Jahren mit der Branche in Berührung kam, gab es für mich zwei bemerkenswerte Dinge: Zum einen ging damals die IOS in Flammen auf, und zum anderen befand ich mich zu jener Zeit bei der Tochter einer Wirtschaftsprüfungsgesellschaft, bei der die ersten steuersparenden Kapitalanlagen konzipiert wurden. Der Kapitalanlagemarkt befand sich im Umbruch und das war mehr oder weniger der Auslöser für mich, diesen Weg einzuschlagen. Im Jahre 1971 machte ich mich dann im Vertrieb selbständig und bekleidete in den Jahren 1978 bis 1983 den Posten des Vertriebschefs der Dr. Jung AG.

Seit nahezu 25 Jahren also arbeite ich erfolgreich als Vermögensberater, vor allem aber als Ausbilder für Finanzdienstleister und als Trainer für Spitzenverkäufer. Ich stehe immer noch mitten im Verkauf, denn wenn man in 25 Jahren nicht alles falsch gemacht hat, dann läßt sich gar nicht verhindern, daß Kunden nach wie vor mit Aufträgen drohen. Wer diese Stationen nicht selbst alle durchlebt hat, bevor er sich anmaßt, in Trainingsseminaren seine Weisheiten an Spitzenverkäufer weiterzugeben, ist lediglich ein Cheftheoretiker. Solche Märchenerzähler finden dann keine geistige Wellenlänge zu ihren Seminarteilnehmern."

„Beginnen wir am Anfang des langen Wegs zum Spitzenverkäufer: Wie kommt ein junger Mensch zur der Entscheidung, Verkäufer zu werden?"

Ralph-Peter Setzepfandt: „Einige wenige *spüren* in sich das Verkäuferische. Das sind die ungeschliffenen Edelsteine im Vertrieb. Die meisten reizt entweder das Geld, das man im Verkauf verdienen kann, oder aber es sind Menschen, die nach langen Jahren der Berufserfahrung im Innendienst an ihre Grenzen stoßen. Leider gibt es viel zu viele Chefs, die aus Angst um ihre eigene Position gute Leute abwürgen, anstatt sie zu entfalten. Ein wirklich guter Chef umgibt sich mit Leuten, die besser sind als er. Die Folge: Er und das Unternehmen wachsen mit ihnen. Versäumt er die Chance, so läuft er Gefahr, daß die guten Leute entweder von Headhuntern in andere, bessere Positionen abgeworben werden, oder daß sie sich fragen: Wo kann ich mich besser entfalten? Und da bietet natürlich der Verkauf für kontaktfreudige Menschen die besten Aussichten. Richtiges Verkaufen kann und muß man lernen."

„Allgemein bekannt sein dürfte das traurige Ergebnis, daß nicht viele Leute lange im verkäuferischen Bereich verbleiben?"

Ralph-Peter Setzepfandt: „Das hat seine Gründe: Sehr häufig werden beim Einstellungsgespräch von den Vertriebschefs ganz tolle Zahlen an die Wand gemalt. Sie sind – rein theoretisch – erreichbar; allerdings nur von absoluten Spitzenprofis. Nur rund zehn Prozent der Verkäufer *sind* Spitzenverkäufer mit der entsprechenden Motivation. Wenn ein Verkäufer allerdings wirklich gut ausgebildet wird, hat er durchaus die Chance, in diesem Beruf aufzugehen. Leider fehlt es bei einigen Vertriebsgesellschaften am guten Willen, den Verkäufern eine hervorragende fachliche Ausbildung mit auf den Weg zu geben. Ein Verkäufer, dem die fachlichen Grundlagen fehlen, ist nicht nur unsicher, sondern er begibt sich auch in eine für ihn extrem gefährliche Haftungssituation. Er wird von den Kunden nicht ernst genommen und ist zum Versager verdammt. So wird häufig der Siegertyp gepredigt, aber der Verlierer gezüchtet. Ist das nicht pervers?

Die Gefahr für angehende Verkäufer liegt vor allem in den sogenannten Durchschußmodellen: Das sind Vertriebsstrukturen, in denen die Fluktuation *ausnehmend* hoch ist, was daher kommt, daß man den neuen Leuten zu große Rosinen in den Kopf setzt und anschließend verlangt: Mein lieber Freund, du mußt dir hohe Ziele aneignen. Hier finden wir einen der entscheidenden Punkte: Hohe Ziele sind natürlich etwas Gutes. Nur, diese hohen Ziele sind im angesprochenen Fall meist etwas, das diesen jungen Verkäufern von irgendwelchen Vorgesetzten geradezu aufoktroyiert wird. Es sind oft *nicht ihre eigenen Ziele*. Es ist wie bei einem Hund: Man sagt, wenn Sie einen Hund motivieren wollen, dann müssen Sie ihm eine Scheibe Wurst vor die Nase halten. Das nützt allerdings nur, wenn er gerade Appetit auf Wurst hat. Fiel seine Entscheidung zugunsten einer Nudeldiät aus, nützt es gar nichts. In meinen Führungskräfteseminaren zeige ich nicht nur die Wege auf, wirkungsvoll Verhaltensweisen zu verändern, sondern vor allem Möglichkeiten, die Motivation der Verkäufer positiv zu beeinflussen.

Die Ziele der angehenden Verkäufer müssen in der Regel entwickelt werden. Die wenigsten verstehen es jedoch, in gemeinschaftlicher Arbeit mit ihren Leuten, deren eigene Ziele herauszuarbeiten. Man muß den Verkäufern Hilfestellung geben und ihnen die Frage bewußt machen: Was muß *ich tun*, um diese Ziele zu erreichen? Geschieht dies nicht, so sammeln sich Mißerfolgserlebnisse an und die Kreativität, Ausreden zu erfinden, wird gefördert.

Dies birgt eine weitere Gefahr: Ein Verkäufer gibt nicht gerne zu, wenn er versagt. Selbst dann nicht, wenn der Mißerfolg tatsächlich an ihm selbst liegt. Er macht stets das Unternehmen dafür verantwortlich. Dies baut Spannungen auf, denen er nur selten gewachsen ist. Und er überträgt natürlich seine negative Einstellung zu dem Unternehmen auf sein Umfeld. Wie soll er da neue Kunden finden können?

Erfolg bedeutet nicht zuletzt harte Arbeit. Bedingt durch überzogene Versprechungen verwechseln die jungen Leute oft freie Arbeitszeiteinteilung mit weniger Arbeit. In Wirklichkeit bedeutet dies nur: Mich kann niemand mehr daran hindern, um so viel *mehr* zu arbeiten, wie ich gerne möchte. Hat er das einmal verstanden, beginnt bereits die Motivation eines Verkäufers spürbar zu werden, und er wird von sich aus mehr und Besseres leisten als man von ihm verlangt.

Ein weiterer Grund für die hohe Fluktuation ist falsche Motivation durch Chef und Verkäuferkollegen. Motivation kann doch nur *Hilfe zur Eigenmotivation* bedeuten. Eine schlimme Unsitte ist es deshalb, die jungen Leute – anstatt sie zu motivieren – nur jede Woche einmal aufzuputschen, bis sie regelrecht nach draußen schweben. Beim ersten Kunden, den sie in ihrer Euphorie besuchen, holen sie sich eine blutige Nase. Das Fatale: Je öfter sie aufgeputscht werden, desto tiefer fallen sie und desto mehr tut dieser Fall weh. Irgendwann kommt zwangsläufig der Punkt, an dem das Aufputschen – weil es sich um keine echte Motivation handelt – nicht mehr wirkt. Dann brechen die Leute zusammen, und jede Motivation ist illusorisch, weil die Persönlichkeit und die erforderliche Professionalität noch nicht durch permanente Trainings ausreichend entwickelt wurden."

„Motivation und Erfolg haben viel mit starkem Willen und persönlicher Absicht zu tun. Gibt es Leute, die im Grunde gar nicht beabsichtigen, erfolgreich zu sein?"

Ralph-Peter Setzepfandt: „Sie treffen den Nagel auf den Kopf: Ich führe hin und wieder Einstellungsgespräche auf Managementebene bei Banken und Versicherungen. Wenn mein Bewerberinterview zu Ende ist, schauen mich die Leute zwar mit glänzenden Äuglein an. Doch auf meine entsprechende Frage hin erhalte ich oft zur Antwort: ‚Ich glaube, ich versuchs mal...' Sie können sich vorstellen, wie ich darauf reagiere: ‚Das müssen Sie unbedingt tun', sage ich dann, ‚nur nicht hier!' Denn Menschen, die mit der Einstellung aufwarten, Erfolg nur versuchen zu möchten, die wollen den Erfolg in der Tat nicht wirklich. Sie sind nicht in der Lage, sich mit einer Idee zu identifizieren. Ihr einziger Vorteil: Sie sind nie frustriert, denn wenn bei dieser inneren Einstellung der Erfolg tatsächlich ausbleibt, dann können sie sagen: ‚Ich wußte ja gleich, daß es nicht geht, deswegen habe ich es ohnehin nur mal versucht.' Sie verwenden ihre ganze Kreativität, um Ausreden dafür zu erfinden, warum es *nicht* geht, anstatt nachzudenken: ‚Was muß ich tun, *damit* es geht?' Motivation läßt sich schlußendlich keinem Menschen aufzwingen, sondern sie entsteht aus dem bewußt herbeigeführten Zusammenwirken der Persönlichkeit des Verkäufers mit seiner zielorientierten Professionalität."

„Auch ein hoher Verdienst kann Leute nicht bei der Stange halten, wenn die notwendige Grundeinstellung fehlt?"

Ralph-Peter Setzepfandt: „Ich glaube, es liegt daran, daß Geld allein auf die Dauer kein Motivationsfaktor ist. Der materielle Aspekt wird bei manchen Chefmotivatoren viel zu hoch angesiedelt. Geld kann nur ein Hilfsmittel sein, die angestrebten Ziele im Leben zu erreichen. Es kann auch nur *die Folge* des Erfolgs sein, aber niemals der Erfolg selbst. Man könnte nun sagen: Ich kann mich auch ohne Geld selbst, verwirklichen. Mit etwas mehr Geld geht das allerdings leichter als mit etwas weniger Geld. Ein möglichst hohes Einkommen ist deshalb nichts Falsches und motiviert natürlich, wenn die durch Geld zu verwirklichenden Ziele echt und erstrebenswert sind.

Viel wichtiger ist es jedoch herauszufinden, was bedeutet zum Beispiel ‚ein angenehmes Leben' für mich, was bedeutet Glück für mich? Ist Glück für mich eine Familie? Ist es für mich das berühmte Auto mit dem schwarzen Pferdchen auf gelbem Grund? Was für den einen Glück ist, kann für den anderen totaler Nonsens sein. Wenn ich aus einem Seminar herausgehe und die Leute sagen zu mir, ‚Mensch, Herr Setzepfandt, das war wirklich toll', dann bedeutet das in gleicher Weise Erfolg und Glück für mich. Dies zu erreichen, ist ein starker Motivationsfaktor. Hat man also erst einmal herausgefunden, was Glück für einen selbst bedeutet, dann verfügt man über ein Ziel, und die Grundlagen für wirkliche Motivation sind geschaffen. Mein Ziel ist es, meine Fangemeinde erfolgreich zu machen. Natürlich habe ich auch in meinem Privatleben klar definierte Ziele. Glück kann man übrigens ebenso auf berufliche Ziele übertragen. Leute, deren berufliche Ziele über den privaten stehen, zählen nicht umsonst zu den Spitzenmanagern in unserer Wirtschaft."

„Verkauf ist nicht immer eitel Sonnenschein; wie lernt ein Verkäufer mit dem Mißerfolg umzugehen, ohne die Motivation zu verlieren?"

Ralph-Peter Setzepfandt: „Ich sage zu meinen Leuten in den Seminaren: Es ist nicht immer einfach, positives Denken zu praktizieren, doch wir Verkäufer müssen vor allem eine positive Einstellung zum ‚Nein' finden. Jedes ‚Nein' bringt uns dem nächsten ‚Ja' ein Stückchen näher. Wer also als Verkäufer mit dem ‚Nein' nicht leben kann, wird auch keine ‚Jas' finden. Bemerkenswert dabei: Die Erfolglosen sind oft nicht schlechter als die Erfolgreichen. Sie *tun* nur einfach nicht das, was erforderlich ist, um erfolgreich zu sein; oft schlicht und ergreifend nur deshalb nicht, weil sie Angst vor einem ‚Nein' haben.

Ich coachte eine Menge Verkäufer, ging also mit ihnen zum Kunden, und wir hatten tolle Gespräche. Als wir dann draußen waren, fragte ich oft: ‚Warum haben Sie eigentlich nicht nach dem Abschluß gefragt?' Antwort: ‚Wir hatten gerade so eine angenehme Atmosphäre, die wollte ich dadurch nicht zerstören.'... Nonsens! Reine Angst vor dem ‚Nein'."

„Nun stellt sich der erste Erfolg ein; man sagt, Erfolg bringt neuen Erfolg?"

Ralph-Peter Setzepfandt: „Je erfolgreicher ich bin, desto motivierter bin ich natürlich. Es gilt allerdings, zuvor noch ein paar Hürden zu überwinden: Wir Menschen sind vom Denken her an sich negativ geprägt. Das kann man beobachten, wenn man eine glänzende Idee hat und erzählt sie anderen. Bestimmt ist dann so ein Nieselpriem dabei, der sagt: ‚Das geht doch gar nicht. Das wird doch sowieso nichts.' Deshalb muß man sich förmlich antrainieren, daß man zunächst mal überhaupt *merkt*, wenn man sich in einem negativen Gedankenkreislauf bewegt. Wenn man sich dabei ertappt, kann man sich auch daraus befreien: Positives Denken führt zwangsläufig zu positivem Handeln, und positives Handeln führt immer öfter zu Erfolgen, was wiederum neue Motivationsschübe auslöst. Siegertypen im Sport denken ja schließlich ebensowenig darüber nach, wie es sein wird, wenn sie sich als Verlierer aus der Arena schleichen. Sie leben bereits beim Start in der Vorstellung, wie es sein wird, wenn sie nach dem Sieg den Beifall ihrer Fans erleben. Dies ist ‚auf Zielerreichung ausgerichtetes Denken‘ und bringt allein für sich schon einen starken Motivationsschub.

Sie können dieses Phänomen auch bei den Politikern beobachten: Die Erfolgreichen zeigen in schwierigen Situationen Lösungsansätze auf. Die Mitläufer beschränken sich darauf aufzuzeigen, warum jeder aufgezeigte Lösungsansatz so nicht funktionieren kann. Erfolgreiche Verkäufer glauben an die Kraft des positiven Denkens und haben eine hohe Erwartungshaltung an sich selbst.

Grundvoraussetzung dafür ist natürlich, daß der Verkäufer von seinem Umfeld her die richtige Unterstützung bekommt. Allein gegen alle, das ist nur von ganz Robusten zu schaffen. Es ist stets dasselbe Spiel: Wenn jemand aus seinem bürgerlichen Beruf ausbricht und Finanzdienstleister werden will, bekommt er in der Regel sofort zu hören: ‚Was hat dich denn aus der Bahn geworfen?‘ Dann gibt es zwei Möglichkeiten für ihn: Entweder er fällt in Depression oder er ist so robust, daß seine Umgebung in Depression fällt. Nahezu aussichtslos wird es nur dann, wenn sein Lebensgefährte ebenfalls in die gleiche Kerbe schlägt. Bekommt er dagegen zu hören: ‚Keine Frage, du schaffst das; du hast es noch immer geschafft‘, dann hat er die notwendige Motivation, sich auf die Sache zu konzentrieren.

Meiner Meinung nach sollte man Motivationsseminare für die Frauen der Verkäufer durchführen, und zwar *ohne* daß die Verkäufer dabei sind. Sie würden dann sehen, daß die anderen Frauen genau die gleichen Probleme haben und würden über genug eigene Motivation verfügen um ihre Männer entsprechend zu motivieren. Fangen diese dann an, zu verkaufen, schließt sich der Kreislauf: Der finanzielle Faktor ist plötzlich gesichert. Man kann Ausgaben tätigen, um sich Dinge anzuschaffen, die für einen Außendienstler nun mal erforderlich sind: Ein vernünftiges Büro, ein vernünftiges Auto. Heute müssen Verkäufer ja mit ‚Schlepptops‘ oder Notebooks ausgerüstet sein. Erfolglose handeln im Gegensatz dazu nach dem bekannten Motto: Lieber Ofen, gib mir warm, dann bekommst du von mir auch Holz. Ihnen ist noch nicht klar, daß sie Unternehmer sind. Und jedes Unternehmen, ob Autohandel, Fernsehgeschäft oder Möbelhandel, sie alle müssen mehrstellige Investitionen in Kauf nehmen. Ein Verkäufer investiert weit weniger. Doch selbst dazu ist so mancher Verkäufer nicht bereit. Woher soll dann eine Motivation kommen? Er handelt dann nicht als Unternehmer, sondern als Unterlasser!“

„Probleme zu lösen – und zwar eines nach dem anderen – bedeutet demgemäß, den Motivationsfaktor nach und nach zu erhöhen?“

Ralph-Peter Setzepfandt: „Motivation ist nicht etwas das vom Himmel fällt, das man geschenkt bekommt oder das einem zusteht. Man muß sich die Grundlagen dafür erarbeiten. Eigenmotivation ist nur möglich, wenn ich in der Lage bin, meine Probleme auszuräumen. Dies kann getan werden, indem ich mir meine Ziele aufschreibe, sie in Teilziele zerlege und mir überlege, was ich tun muß, um diese Teilziele zu erreichen. Natürlich muß ich bereit sein mich selbst zu kontrollieren, das heißt, bei Abweichungen zu analysieren, was ist der Grund dafür und was muß getan werden, damit ich diese Ziele trotzdem erreiche. Der Spitzenverkäufer zeichnet sich vor allem dadurch aus, daß er dann, wenn es nicht gehen will, die Ärmel hochkrempelt und sagt: ‚Jetzt erst recht.' Das sind diejenigen, die dicke Fische fangen; die anderen machen nur das Wasser trüb. Wenn die Zufallsverkäufer den möglichen Kunden die Nutzen ihrer Produkte so gut verkaufen würden wie ihren Vorgesetzten ihre Ausreden, so könnten sie auch kurzfristig echte und beständige Spitzenverkäufer werden.

Die größten Hindernisse für Verkäufer sind zweifellos finanzielle Probleme. So manche gescheiterte Existenz sucht im Verkauf ihr Heil. In verkäuferischen Berufen – und ganz speziell im Finanzdienstleistungssektor – wird die notwendige Kreativität jedoch von finanziellen Problemen förmlich gekidnappt. Wie soll ich über die Problemlösungen der Kunden nachdenken, wenn ich ständig daran herumkaue, wie ich wohl meine eigenen Probleme in den Griff bekomme? Überdies meckert meine Frau unter Umständen: ‚Was – schon wieder nichts verkauft? Wie sollen wir die nächste Miete bezahlen?' Machen wir uns nichts vor: Wenn jemand beabsichtigt, im Verkauf seine finanziellen Probleme zu lösen, dann braucht er sehr viel Disziplin und Durchsetzungsvermögen. Doch immerhin hat er dadurch ein kurzfristiges Ziel, das der Auslöser für einen entsprechenden Motivationsschub sein kann. Aber wer selbst in den Seilen hängt, wird selten damit ziehen."

„Stichwort Disziplin: In welchem Bezug stehen Hartnäckigkeit und Ausdauer zur Motivation eines Spitzenverkäufers?"

Ralph-Peter Setzepfandt: „Während seiner Laufbahn überquert der Verkäufer zwei Schwellen. Die eine läßt er hinter sich, wenn er in der Lage ist, mehr oder weniger regelmäßig Umsatz zu produzieren. Der Weg dahin ist oft mit vielen Mißerfolgen gepflastert, denn jeder Beruf muß erlernt werden. Im allgemeinen kann man mit zwei, drei Jahren rechnen, bis jemand das reichhaltige fachliche und verkäuferische Instrumentarium beherrscht, das für einen guten Verkäufer notwendig ist. In diesem Stadium ist er noch weit vom Spitzenverkäufer entfernt, verfügt aber als Persönlichkeit bereits über die notwendige Motivation besser und besser zu werden.

Doch, ‚aller Anfang ist leicht', wenn Sie mir erlauben, das bekannte Sprichwort einmal umzukehren. Die höchsten Weihen erreichen aber nur die wirklich hochmotivierten Spitzenverkäufer. Leute, die Beharrlichkeit mitbringen, die bereit sind, sich ständig weiterzubilden, sich den Veränderungen am Markt anzupassen und die immer wieder bereit sind, in Trainingsseminaren ihre fachliche, verkäuferische und rhetorische Professionalität zu vervollkommnen. Bei ihnen wirkt der Drang zum Erfolg. Fleiß und Beharrlichkeit sind zu Unrecht in der gegenwärtigen Zeit durch leistungsverweigernde Mitmenschen mit negativen Bezügen versehen. Für einen Spitzenverkäufer bedeuten Fleiß und Beharrlichkeit nichts Unangenehmes: Wenn mir meine Ziele so wichtig werden, daß ich sie erreichen möchte, koste es was es wolle, dann ist Fleiß und Beharrlichkeit etwas Selbstverständliches, ja sogar etwas Nebensächliches. Der Großteil der Verkäufer muß sich – um dahin zu kommen – zunächst wohl oder übel zu Fleiß und Beharrlichkeit *zwingen*. Mit Trainings läßt sich jedoch erreichen, daß man – wenn man über lohnenswerte Ziele verfügt – lernt, bereits so zu denken und zu leben, *als hätte man diese Ziele schon erreicht*. Das ist die zweite Schwelle: Sie müssen an sich selbst und ihre Zielerreichung wirklich glauben. Wenn Sie so denken und reden, dann möchten Sie diese Ziele nicht mehr missen; also tun Sie alles dafür, sie zu erreichen, um das damit verbundene Glücksgefühl tatsächlich zu erleben. Nicht das Anfragen wird belohnt, sondern das Durchhalten."

„Auf welche Fehler der Verkäufer stoßen Sie bei Ihren Trainings am häufigsten?"

Ralph-Peter Setzepfandt: „Wer fachliche und (oder) verkaufspsychologische Fehler macht, kann naturgemäß nicht motiviert sein. Einer der häufigsten Fehler hat mit der Ausbildung zu tun: Es gibt Unternehmen, bei denen die Verkäufer keinerlei *verkäuferische* Ausbildung erfahren, sondern nur fachlich ausgebildet werden. Das ist genau so falsch wie der vorhin genannte umgekehrte Weg. Die Folge: Der Verkäufer geht zum Kunden und erzählt ihm auf Fachchinesisch alles mögliche, nur nicht das, was dieser hören will. Vor allem junge Verkäufer unterliegen dem starken Drang, den Kunden auszubilden, oder zu zeigen, was sie schon alles können und bewirken genau das Gegenteil von dem, was sie erreichen wollen.

Eine kleine Anekdote: Als ich in der Branche anfing, gehörte ich aufgrund meiner Ausbildung zu den wenigen Leuten, die fachlich richtig Durchblick besaßen. Doch damals besuchte ich mindestens 40 Kunden, ohne einen einzigen Abschluß zu tätigen. Als ich eines Tages einen solchen Interessenten ein zweites Mal besuchte, sagte der Mann zu mir: ‚Herr Setzepfandt, nun sind Sie aber mal einen Moment lang still.' Nach dieser für einen redegewohnten Verkäufer extremen Tortur meinte er schließlich: ‚Wissen Sie was? Ich mache es trotzdem…' Ich wollte natürlich wissen, was das Wörtchen ‚trotzdem' zu bedeuten hatte. Daraufhin gab er mir zur Antwort: ‚Herr Setzepfandt, Sie haben richtig Ahnung, aber das Ganze ist mir einfach viel zu kompliziert.' Das war der Moment, als ich begriff, daß ich meine

Kunden nicht ausbilden, sondern durch Darstellung des Kundennutzens und durch Erarbeitung von Lösungen einfach nur *aufschreiben* sollte. Schlußendlich wurde ich einer der erfolgreichsten Verkäufer, aber nur deshalb, weil ich schlicht und ergreifend erkannte: *Nicht das Produkt interessiert den Kunden, sondern nur die Lösung seiner eigenen Probleme.*

In gutem Training kann man entsprechende Fragetechniken erarbeiten: Wenn man den Kunden mit gezielten Fragen dahin bringt, das zu beantworten, was man ihm sagen müßte, dann ist die Problemlösung *sein Baby* und dann erkennt er auch die Notwendigkeit einer positiven Entscheidung. Das heißt, daß ein Verkäufer ebenso lernen muß zu *schweigen* und zuzuhören, das heißt, das was der Kunde sagt, ernst zu nehmen und abzuwägen. Bei einem guten Verkaufsgespräch spricht der Kunde etwa 70 Prozent der Zeit, und der Verkäufer *hört zu*. Wenn ein Verkäufer nicht sämtliche Verkaufstechniken beherrscht, bekommt er pausenlos blaue Augen geschlagen. Dann kann er nicht motiviert sein, trotz der besten und schönsten Ziele. Damit meine ich nicht primitive Verkaufstricks, sondern die erlaubten psychologischen Methoden, durch die der Kunde seinen Bedarf erkennt."

„Was kann der Chef, der Unternehmer, für die Motivation seiner Verkäufer tun?"

Ralph-Peter Setzepfandt: „Eine ganze Menge: Die wenigsten Unternehmen verfügen über eine Unternehmenskultur. Sie sind nicht in der Lage, den Verkäufern Sicherheit zu vermitteln. Es gibt Unternehmen, da schwingen die Verkäufer noch auf der Totenbahre das Unternehmensfähnchen. Bei anderen Unternehmen fangen sie schon mit 45 Jahren an darüber nachzudenken, wie lange es dauert, bis sie endlich in Rente gehen dürfen. Bei den sogenannten menschlichen Durchschußmodellen sagt der Vorgesetzte etwa: ‚Ihr braucht *mich*, aber ich brauche *euch nicht*.'

Bei einem Unternehmen mit Kultur setzen sich die Vorgesetzten mit dem Mann auseinander, der sich gerade eine blutige Nase geholt hat, und suchen Wege, wie es trotzdem gemacht werden kann. Sie erarbeiten Umsatzplanungen nicht nur durch Abfragen, wieviel sich jeder vornehmen möchte. Das ist Umsatzplanung nach der Pfeilwurfmethode. Wichtig für eine Zielerreichung ist nicht nur die Planung des Umsatzes, sondern vor allem *die Planung von Aktivitäten*. Ein guter Vertriebschef erarbeitet mit jedem seiner Vertriebsleute Schritt für Schritt die Aktivitäten, die zu erledigen sind. Er geht auch mal mit raus und zeigt, wie *er* die Sache anpacken würde; er muß dazu natürlich in der Lage sein. Dadurch wächst das Zugehörigkeitsgefühl viel stärker noch als durch schöne und durchaus wichtige Veranstaltungen oder Wettbewerbe. Was die Eigenmotivation des Verkäufers zwangsläufig fördert, ist die echte Vorbildfunktion. Viele entledigen sich dieser Vorbildfunktion mit dem dümmlichen Argument, daß man schließlich auch einen Jagdhund nicht zum Jagen tragen kann. Die vergessen dann, welche intensive Ausbildung und Reviererfahrung ein Jagdhund braucht, bis er seine Aufgabe selbständig erfüllen kann.“

„Welche Auswirkungen hat fundierte Ausbildung auf die Motivation?“

Ralph-Peter Setzepfandt: „Hier finden wir ein entscheidendes Manko in großen Bereichen der Branche: Leider werden viel zuviele Verkäufer ohne entsprechende Grundausbildung auf die Menschheit losgelassen. Ein Einführungsgespräch, ein Tag Verkäuferschulung; sie grasen Oma, Opa, Onkel und die Freunde ab, und dann entscheidet sich, ob sie den fachlichen und verkäuferischen Anforderungen der täglichen harten Akquisitionsarbeit wirklich gewachsen sind – oder nicht. Da stimmt dann schon der Ansatz nicht. Unabhängig davon, daß derartig nicht ausgebildete Verkäufer von manchen Vermögensvernichtern geradezu gezüchtet werden, weil mit solchen unbedarften Verkäufern Nonsensangebote leichter plaziert werden.

Fachliche und verkäuferische Ausbildung einerseits sowie rhetorisches Training andererseits, gepaart mit der besagten Vorbildfunktion, sind Motivationshilfen auf höchster Ebene. Ich kann die Unternehmer, die nicht so handeln, nicht verstehen. Es ist entweder Ingnoranz oder Sparen an der falschen Stelle, d.h. man erspart sich zukünftige Umsätze, wenn im Rahmen des Personalmanagements für wichtige Ausbildungsmaßnahmen weniger Geld ausgegeben wird als für die Anschaffung eines Dienstwagens. Es wird diesbezüglich zuviel von Mitarbeitermotivation geredet, aber zuwenig dafür getan. Schließlich muß ich Verantwortung für diese Menschen und ihre Familien übernehmen, wenn ich sie schon aus ihrem bisherigen Beruf reiße. Diese Menschen gehen mit dem ängstlichen Gedanken hinaus, hoffentlich fragt mich der Kunde nicht dieses und jenes, was ich nicht beherrsche. Und was macht der Kunde? Er fragt genau das, was wie mit Leuchtschrift auf der Stirn des Verkäufers geschrieben steht. Solche Menschen sind unmöglich in der Lage, andere zu begeistern und restlos zu überzeugen, weil ihnen selbst die Überzeugung noch fehlt. Ihre Unsicherheit drückt sich bereits in der Sprache aus.

Wie anders verhält sich ein gut ausgebildeter Verkäufer, der weiß, wovon er spricht: Er verfügt über Daten und Fakten, steht dem Kunden Rede und Antwort und überzeugt seinen Kunden von der Notwendigkeit, eine positive Entscheidung treffen zu müssen. Er ist jemand, dem man vertrauen kann. Die Achtung, die ihm der Kunde entgegenbringt, strömt zurück zum Verkäufer und gibt ihm ein gutes Gefühl; einen echten Motivationsschub. Er *weiß* es nicht nur, er *spürt* es förmlich, daß das, was er tut, vollkommen richtig ist. Für ihn ist es leicht, zum Kunden ein partnerschaftliches

Verhältnis aufzubauen. Für den Kunden wiederum ist es leicht, ihn zu mögen. Gibt es etwas Schöneres in irgendeinem Beruf?"

„Stichwort Unsicherheit und Sprache; wie erreicht man, daß das Gesagte beim Gegenüber so ankommt wie es gemeint ist?"

Ralph-Peter Setzepfandt: „Indem man eine klare Sprache und die Sprache des anderen benutzt, denn das versteht der Partner. Das Beherrschen der Körpersprache gehört mit dazu. Wenn ich dem Kunden mit todtraurigem Gesicht erzähle, daß ich ihm heute das Allerschönste bringe, dann wird er mir das nicht abnehmen. Ein guter Arzt, ein guter Rechtsanwalt ist nicht nur deshalb besser, weil er ein paar Medikamente oder ein paar Paragraphen mehr kennt. Er ist auch deshalb besser, weil er sich selbst besser verkaufen kann und weil er sich verständlicher, daher menschlicher ausdrückt. Ein bißchen Showeffekt gehört dazu, darf nur nicht übertrieben sein. Das wichtigste allerdings ist eine kraftvolle, klare Sprache. Da ich nicht weiß, was mein Gesprächspartner denkt, wenn ich mich unklar ausdrücke, muß ich sagen, was ich will. Wenn ein anderer das denken soll, was ich will, so muß ich es ihm klar sagen. Positives Denken führt zu klarer positiver Sprache. Dies setzt beim Gesprächspartner wiederum positive Gedanken in Gang, und die sind die Voraussetzung für positive Entscheidungen.

Diese sind das Ergebnis klarer Sprache. Sie ist die Ausströmung positiven Denkens und wirkt ansteckend. Der Clou: Nicht nur der andere hört mich reden, genausogut höre ich mich selbst. Als Trainer zum Beispiel bleibt mir keine Chance negativ zu denken. Dadurch, daß ich Motivationsseminare halte und das Gesagte immer und immer wieder von mir selbst und meinen Seminarteilnehmern höre, motiviere ich mich zwangsläufig selbst. Ebenso ist es bei einem guten Verkäufer. Jemand der sagt, was er denkt, der von einem Produkt überzeugt ist und dies gut rüberbringt, der motiviert nicht nur den Kunden, sondern in gleichem Maße sich selbst. Er ist begeistert und wirkt begeisternd. Diese Begeisterung steckt natürlich den Kunden an und *reflektiert wiederum auf ihn selbst zurück* und wird so zur andauernden Begeisterung. Gute Seminare helfen mit, diese andauernde Begeisterung zu erhalten.

Es läßt sich leicht beobachten: Erfolgreiche Menschen benutzen eine andere Sprache als weniger erfolgreiche. Sie denken nicht nur an ihre Provision, sondern daran, welchen Nutzen sie dem Kunden bringen können. Daraus entsteht im Prinzip das Vermögen des Verkäufers, eine kraftvolle positive Sprache benutzen zu können. Zur Vollendung gelangt diese Sprache durch eine bedingungslos positive Erwartungshaltung des Sprechenden. Und genau dies ist gemeint, wenn man von ‚Powertalking' spricht. Wer sich Erfolg nicht vorstellen kann, spricht wie ein Verlierer."

„Wie tragen Sie als externer Trainer zur entsprechenden Motivation bei?"

Ralph-Peter Setzepfandt: „Externe Trainer besitzen unternehmensinternen Trainern gegenüber einen entscheidenden Vorteil: Sie stehen nicht wie der innerbetriebliche Trainer unter demselben Erfolgszwang wie der Verkäufer. Externe Trainer erzählen zwar das gleiche – mit anderen Worten –, ihre Glaubwürdigkeit ist jedoch deshalb größer, weil sie in den Betrieb nicht involviert sind.

Allerdings darf nicht verschwiegen werden, daß es Trainer gibt, die den Verkäufern mitteilen: ‚Wenn ihr den Kunden genau das sagt, was ich jetzt zu euch sage, dann schreibt ihr jeden auf.' Das hat mit Motivation nicht das geringste zu tun. Im Gegenteil: Das ist Verdummung, denn dadurch nehmen sie den Leuten jede Motivation selbst nachzudenken und sich mit sich selbst auseinanderzusetzen. Solche Selbstüberheblichkeit von Trainern ist entweder der Ausdruck von Arroganz oder der Unkenntnis, daß jeder Mensch anders zu behandeln ist. Wenn zwei Käufer die gleiche Entscheidung treffen, so tun sie das noch lange nicht aus den selben Motiven. Ein Trainer, der eine eigene Verkäuferkarriere hinter sich hat, wird niemals derart unqualifizierte Äußerungen machen. Außerdem klingt es beim Kunden unnatürlich, wenn ich nicht meine eigene Sprache, sondern die eines Trainers benutze. Die *Systematik*, die bei tausend anderen Verkäufern funktionierte, gebe ich den Verkäufern natürlich mit auf den Weg; nicht aber nur die Worte, die *ich* gebrauchen würde. Die muß der Verkäufer selbst finden. Er muß sie in seinen und des Kunden Sprachgebrauch übersetzen.

Im Laufe der Zeit hat der Verkäufer dann seine Richtung ausgelotet. Er denkt nicht mehr über Fleiß und Beharrlichkeit, über Ausbildung, Ausrüstung oder finanzielle Probleme nach. Er beschäftigt sich permanent mit den *Lösungen für die Probleme seiner Kunden.* Hier verspürt er bereits eine starke Motivation. Seine Fragen an mich als Trainer sind dann andere als die Fragen, die er zuvor hatte. Der Weg zur Spitze liegt offen vor ihm. Jetzt hängt es allein von seinen Zielen ab: Sind sie hoch genug? Sind sie stark genug? Sind sie ihm wichtig genug? Hier wird deutlich, daß nichts Materielles und keine Selbstzweifel zwischen ihm und der Spitze stehen; allein die Art seiner eigenen Gedanken entscheidet, ob er sich aufschwingen kann, das Erforderliche zu tun oder ob er auf dem Erreichten verharrt; oder ob er gar an seiner eigenen Antriebslosigkeit scheitert.

Es gehört zu den wichtigen Aufgaben eines Trainers, den Verkäufern zu helfen, sich selbst kennenzulernen. Denn Motivation ist auch die Identifikation von Menschen mit sich selbst, ihren Zielen, ihren Kunden, ihren Aufgaben und ihren Unternehmen. Voraussetzung ist aber erstmal ein hohes fachliches und praxisbezogenes Know-how des Trainers, gemischt mit umsetzbaren Ratschlägen, die den Verkäufern helfen, ihre Fachkompetenz und ihre verkäuferische Fähigkeiten zu verbessern. Die daraus resultierenden Verkaufserfolge steigern zweifellos wieder die Motivation. Denn nichts motiviert mehr, als hart erarbeiteter Erfolg. Je höher die persönliche Motivation des Verkäufers ist, desto zielorientierter sind die Entscheidungshilfen, die er seinem Gesprächspartner anbietet. Und dann folgt der Kunde den Ratschlägen seines Verkäufers. Erfolg heißt ja schließlich: Er-folg-t mir.

Auf diesem Niveau beginnt eine weitere Mechanik zu wirken: Schaut man sich die Maslowsche Bedürfnispyramide an, so findet man dort unter anderem das Bedürfnis nach Anerkennung. Wenn ein guter Verkäufer aufsteigt, dann steigt er gleichzeitig innerhalb der Gesellschaft auf. Er erhält Einladungen, seine Meinung erlangt Gültigkeit, er ist plötzlich jemand, auf den man hört. Dies zu erreichen kann unter Umständen ein höheres Ziel und eine größere Motivation bedeuten als alles andere. Erfolgreiche Menschen verkehren lieber mit ebenfalls erfolgreichen Menschen.

Diese Motivation ist für den gesamten Berufsstand der Finanzdienstleistungsbranche von Bedeutung. Ich kämpfe in jedem meiner Trainings dafür, diesem Beruf ein Berufsbild zu geben. Ich arbeite dafür, daß die Finanzdienstleister sauber verkaufen. Sauber verkaufen kann nur jemand, der selbst hochmotiviert ist und auf diesem Niveau den Kunden seine Hilfe zur Verfügung stellt. Denn wenn man einmal nicht mehr auf jeden Auftrag angewiesen ist, kommt man nicht so leicht auf dumme Gedanken.

Mein Beitrag zur Sauberkeit in der Finanzdienstleistungsbranche ist es, dafür zu sorgen, daß die Leute phantastisch ausgebildet sind, ihr verkäuferisches Handwerkszeug beherrschen und hochmotiviert und mit Freude und Ehrgeiz hinausgehen. Damit ist der Weg zum Spitzenverkäufer geebnet, dem es gelingt, seine eigene Zukunft und die Zukunft seiner Kunden erfolgreich zu gestalten. Er ist auch derjenige, der Krisenzeiten gut übersteht und als erster aus den Startlöchern kommt, wenn sich der wirtschaftliche Aufschwung ankündigt. Er hat auch begriffen – und das ist im Augenblick sehr wichtig –, daß der Aufschwung zuerst im eigenen Kopf stattfindet. Anstatt nur darüber zu reden, was er tun würde wenn…, ist er durch diese Selbstmotivation bereit, das zu tun, was erforderlich ist, um sich die Voraussetzungen für seinen persönlichen Erfolg selbst zu schaffen!

Er ist derjenige, der mit Freude neue Kunden besucht und gewinnt – und der vor allem eines schafft, womit sich andere oft schwertun: Er bekommt von seinen Kunden mühelos und permanent interessante Empfehlungen und schafft sich so aus seiner Motivation heraus den Zugang zu immer neuen Kunden. Und der Weg über Empfehlungen zu neuen Kunden zu kommen, gehört schon immer zu den besten, schnellsten und leichtesten Akquisitionsmöglichkeiten. Empfehlungen gekonnt zu nehmen, d.h. zu bekommen, ist eine hohe Verkäuferkunst, die ständig trainiert und angewandt werden muß. Das Erarbeiten aktiver Empfehlungen ist ein zusätzliches hartes ‚Verkaufsgespräch' mit ganz spezieller Einwandbehandlung. Ein Verkäufer, der nicht fähig ist, jedes Jahr mindestens 20% Neukunden zu akquirieren, wird nach spätestens fünf Jahren seinen Kundenstamm verloren haben."

TEIL II

Individuelle Methoden, neue Kunden zu finden

Wenden wir uns nun weiterem allgemein gültigen Know-how zu, individuellen Wegen und Methoden, um neue Kunden zu finden. Besser gesagt, wie Sie Ihre eigenen Methoden verbessern können. In den folgenden Kapiteln geht es vor allem darum, die verschiedenen gängigen Methoden einander gegenüberzustellen, sie zu gewichten und ihre Verwendbarkeit für Unternehmen unterschiedlichster Größenordnung, vom einzelnen Berater bis hin zum großen Konzern, aufzuzeigen. Dabei ist natürlich vorwegzuschicken, daß es 1001 verschiedene Methoden gibt, um neue Kunden zu finden. Sie alle hier in einem Buch aufzulisten, ist schlichtweg nicht möglich. Wir können allenfalls Beispiele aus den einzelnen Rubriken anführen und einige wichtige Eckdaten nennen, genug jedenfalls, damit Sie entscheiden können, welche Wege Sie für sich selbst einschlagen oder welche Methoden Sie in Ihrem eigenen Unternehmen verbessern möchten.

Wie Sie Ihre individuellen Methoden der Kundengewinnung optimieren

Wenn der Kunde bereit ist, für Geld, das ich nicht habe, Ware oder Dienstleistung in Empfang zu nehmen, die er nicht hat, ist der Verkauf perfekt.

C. Desprit

Die Welt erscheint einem manchmal doch wirklich ungerecht: Einige Unternehmen sind ununterbrochen durch auffallende Werbefeldzüge in den Medien präsent und auch bei den Kunden in aller Munde. Während andere, die in genau den selben Branchen durch nicht minder aufsehenerregende Kampagnen zwar ebenfalls präsent, aber trotzdem nicht allzu erfolgreich sind. Woran liegt das? An der Art der Werbung, am Auftreten des Unternehmens in der Öffentlichkeit, an den Direktmarketing-Aktivitäten? Betrachten wir in diesem Zusammenhang einmal einige bekannte Beispiele in einem ganz neuen Licht:

„Alle reden vom Wetter – wir nicht.“ Mit diesem Slogan versuchte die Deutsche Bundesbahn bereits 1968 und für eine lange Zeit danach, die Autofahrer zum Umsteigen auf die Schienen zu bewegen. Mit allerdings mäßigem Erfolg. Mitte der achtziger Jahre mußte dann ein rosaroter Elefant als Sympathiefigur für die Züge herhalten, der von großflächigen Plakaten herab Rabattpreise ankündigte. Doch dieser Aufwand konnte das Desaster Anfang der Neunziger nicht verhindern: Die Bahn war unbeliebt wie nie zuvor. Bis, ja bis endlich ein cleverer Kopf des Unternehmens auf die Idee kam, den potentiellen Bahnfahrern (sprich Autofahrern!) statt mehr oder weniger inhaltsloser Sprüche und Sparkampagnen einen *triftigen Grund zum Umsteigen* zu liefern. Das Zauberwort hieß *Bahncard*, ein im Zeitalter der kärtchenbewehrten Brieftaschen durchaus salonfähiges Rabattsystem von sage und schreibe 50 Prozent! Dazu kam eine klare Werbebotschaft auf großflächigen Plakatwänden, die diesen Vorteil eindrucksvoll belegte:

- Ein Jahr Deutschland. Für alle. Für die Hälfte. (Abbildung der Bahncard)

Oder:

- Ganzer Komfort. Halber Preis. Bahncard First. (Abbildung Bahncard 1. Klasse)

Oder:

- Wer wird denn da noch sein Entchen schinden?
  Leipzig–Berlin 12,50 Mark. Mit der Bahncard. (Abbildung 2CV)

Oder:

❐ Dafür strampelt sich doch keiner mehr ab.
Köln–Bochum 10,70 Mark. Mit der Bahncard. (Abbildung Fahrrad)

Das Timing war ideal, eine Erhöhung der Mineralölsteuer stand unmittelbar bevor, und die Straßen waren chronisch verstopft. Dazu kam, daß der Preisvorteil klar erkennbar war, ganz im Gegensatz zu den manchmal abenteuerlichen Rechenbeispielen vergangener Sparangebote, die ohne Taschenrechner und mathematische Vorbildung für den Otto Normalverbraucher nicht nachvollziehbar waren. Plötzlich wurde die Bahn auch für überzeugte Autofahrer interessant, die geschäftlich oder privat bisher keine Alternative zur Autobahn sahen. Neue Zielgruppen interessierten sich für die Bahn, das Image von der „Notlösung für Führerscheinlose und Studenten" wandelte sich spürbar zum salonfähigen Transportmittel sowohl für Pendler als auch für Urlaub und Busineß. Das Zaubermittel hieß: *Neue Kunden durch klar erkennbaren Vorteil.*

Ein anderes Beispiel: Eine Uhr zeigt wenige Sekunden vor zwölf, Gläser klirren, leise wird getuschelt. Dann, Schlag Zwölf, knallt der Sektkorken, eine turbulente Feier beginnt. Silvesterstimmung, in der plötzlich die Botschaft: „KKB ist Citibank. Feiern Sie mit!" auftaucht. Positiver kann man seine potentiellen Kunden nicht ansprechen. Weder komplizierte Leistungspakete noch schwer verständliche Geschäftsbedingungen sind Gegenstand der Werbung, sondern einzig und allein der Imagetransfer.

Dazu kamen rund eine Million Rosen, Pralinen und Minisektflaschen, die in den Zweigstellen an die Kunden verteilt wurden. Der Hintergrund: Die New Yorker Citicorp war mit 97% an der KKB beteiligt, und während diese konstant auf Erfolgskurs lag, mußte die Muttergesellschaft schwere Verluste hinnehmen. Also beschloß man 1991, die erfolgreiche Tochter KKB unter dem Namen Citibank europaweit zu etablieren. Mit dem Image der ehemaligen Konsumentenkreditbank, die sich Anfang des Jahrhunderts auf Teilzahlungskredite spezialisiert hatte, sollte nun Schluß sein und anhand der Silvesterfeier der Beginn eines neuen Bankzeitalters dokumentiert werden. Die Bank als globaler Vertrauenspartner, als Berater und dank Telefon-Banking und Computerservice – rund um die Uhr verfügbarer Geschäftspartner.

Sie sehen, ganz im Gegensatz zur Bahnkampagne, bei der klare Rechenvorteile im Vordergrund standen, liegt der Schwerpunkt hier ausschließlich beim *Image der Bank.* Von der Hausbank für Verbraucher, die mit Kleinkrediten eine neue Einbauküche finanzieren möchten, zur *Hausbank der gutverdienenden Weltbürger*, die sich mit diesem Bankwesen identifizieren können und sollen. Das Zaubermittel hieß in diesem Falle also: Neue Kunden durch neues Image.

Begeben wir uns auf ein ganz anderes Terrain. Die Erfolgsstory „vom Fischladen zum Meeresbuffet" klingt phantastisch. Vor rund 100 Jahren wurde die Bremerhavener *Nordsee Hochseefischerei GmbH* gegründet, die ihre fangfrischen Meeresfrüchte über ein eigenes, landesweites Vertriebsnetz anbieten konnte. Doch diese Stützpunkte waren auf den ersten Blick nicht als klassische Einzelhandels- und Restaurantkette zu erkennen, sondern traten jeweils mit ihrer eigenen Werbestrategie auf. Bis 1986 eine einheitliche Gestaltung und Ausstattung die „Meeresbuffets" in jeder Stadt identifizierbar machte. Parallel dazu konnten die verschiedenen Einzeletats in einen Topf geworfen und damit große, nationale Kampagnen finanziert werden.

Ziel: Eine jüngere, lifestyleorientierte Zielgruppe anzusprechen und gleichzeitig das Image der Restaurants und Läden vom Backfisch- und Rollmopslieferanten auf anspruchsvollere Meeresfrüchte wie feine Schalen- und Krustentiere anzuheben. Dazu werden regelmäßig Aktionen mit nur kurzfristig erhältlichen internationalen Spezialitäten veranstaltet, die vor allem die Genießer unter der typischen Laufkundschaft in den Fußgängerzonen ansprechen. Mit durchschlagendem Erfolg! Umfragen ergaben bei repräsentativen Zielgruppen einen Bekanntheitsgrad, der durch ein durchweg positives Image gestützt wird, von über 90%. Assoziiert werden mit dem Namen Nordsee inzwischen nicht nur frische Fische, sondern ausgefallene Menüs, niedrige Preise und eine freundliche und vor allem kompetente Bedienung hinter der Theke. Die Meeresbuffets sind kleine Feinschmeckeroasen, in denen das Märchen vom König Kunde noch wörtlich genommen wird. Erfolg auf der ganzen Linie! Das Zaubermittel? Neue Kunden durch neue *Corporate Identity*!

Und noch ein drittes Beispiel, diesmal aus der Textilbranche. Was verbanden Sie früher mit dem Namen C&A? Preiswerte Mode, eher konventionell als schick, stimmt's? Irgendwie farblos und ohne Image. Und woran denken Sie heute, wenn sie das Logo entdecken?

Die C&A-Kampagne zielt ebenfalls nicht auf die Produkte – erschwingliche Mode für jede Generation –, sondern auf ein *neues Lebensgefühl*. Mit aufwendig produzierten, künstlerischen und positiven Kurzfilmen und Clips, die mundgerecht für die individuellen Wertvorstellungen jeder Zielgruppe konzipiert wurden, eroberte sich C&A die Herzen ihrer Kunden im Sturm. Dabei wurde nicht versucht, ein für alle Zielgruppen passendes Image aufzubauen, sondern ganz *verschiedene Tonarten* angeschlagen. Während die „Kid's-World"-Spots Kinder bei ihrer Lieblingsbeschäftigung, dem ungebremsten Toben und Spielen zeigen, transportiert der „Don-Quixote"-Clip mit 70er-Jahre-Rockmusik und stimmungsvollen Bildern eine unabhängige, romantische Identifikationsmöglichkeit für Teenager, die langsam ihren eigenen Stil entwickeln. Individualität vor Konformität heißt die Devise. Die Zauberformel? Neue Kunden durch neue Botschaften.

Sie sehen, worauf es hinausläuft? Immer ist es ein individueller Weg zum neuen Kunden. Wie wir schon sagten, *den* besten Weg gibt es nicht! Es kann immer nur die eigene, optimierte Vorgehensweise sein, die dann in aller Konsequenz verfolgt wird. Daß man dabei auch daneben greifen kann, soll anhand des Textilfranchisegebers *Benetton* gezeigt werden:

Erinnern Sie sich noch an die Großflächenplakate, von denen Ihnen ein blutverschmiertes Neugeborenes entgegenschrie? Oder an die Sterbeszene im Kreis der Familie? Den todgeweihten, ölverklebten Seevogel? Und wer könnte die blutgetränkte Uniform eines im Krieg getöteten Mannes vergessen? Richtig, der italienische Textilkonzern Benetton versuchte, mit diesen aufrüttelnden Motiven eine Werbung der ganz anderen Art, nach dem Motto: Weg vom Produkt, hin zum Schocker. Die Kampagne war vom Hersteller auch als reine Imagekampagne und nicht als Absatzförderung angelegt, und warum nicht einmal etwas anderes als Produkte und Topmodels zeigen? Inzwischen hat sie jedoch mehr Kritiker als Befürworter. Das Image wurde transportiert, aber welches eigentlich?

Heute stehen nicht mehr hochwertige Pullover und Shirts, sondern brutale und tabubrechende Bilder im Vordergrund des Benetton-Images. Die Kampagne hat inzwischen dazu geführt, daß viele Verbraucher nur noch eine vage Vorstellung von der Sortimentsgestaltung des italienischen Herstellers haben, geschweige denn, etwas über die Qualität der Stücke sagen können. Auf die Frage, worin sich denn nun ein Benetton-Pullover von einem C&A-Sonderangebot unterscheide, wird der Zielgruppe in absehbarer Zeit vermutlich nur noch eines einfallen: „Naja, die C&A-Werbung ist positiver, Benetton wirbt ja nur noch mit Blut.“ Womit die Qualität der Produkte mit keiner Silbe erwähnt würde. Ob das im Sinne des Erfinders war?

Wozu diese Aufzählung der Kampagnen gut sein sollte? Nun, ganz einfach. Bevor Sie Ihre eigene, Ihre ganz individuelle Methode entwickeln, ist zunächst einmal nur folgendes wichtig: Entscheidend ist nicht, wie eine Kundenansprache gemeint ist, sondern *wie sie ankommt!* Und daß sie gut ankommt, dafür können Sie eine ganze Menge tun! Denn was nützt Ihnen eine ausgeklügelte Kampagne und der cleverste Akquiseversuch, wenn Sie dabei am potentiellen Kunden vorbei argumentieren und planen? Zugegeben, es nicht einfach, die berühmten roten Knöpfe, die einen Kunden für Ihre Ansprache öffnen, zu finden; die ablaufenden Mechanismen sind kompliziert und vielschichtig.

Sie haben in dem vorstehenden ersten Teil des Buches die Tips der Professionals nachlesen können. Haben ihnen auf die Finger geschaut. Haben sich sicher das eine oder andere schon zu Herzen genommen, vielleicht schon in die Praxis umgesetzt.

Wie aber ist es nun um Ihre Vorgehensweise bestellt?

Entwickeln Sie Ihre eigene Methode nun systematisch, indem Sie die Eckpfeiler der Kundengewinnung in Ihrem eigenen Unternehmen verbessern. Wie, das verraten wir Ihnen in den nachfolgenden Kapiteln. Wenn Sie darüber hinaus noch die Tips beherzigen, die wir Ihnen im anschließenden letzten Kapitel unter der Rubrik „Neue Wege zum Kunden" vermitteln, dann kann eigentlich nichts mehr schiefgehen!

Beginnen wir nun mit der treffsicheren Definition Ihrer Zielgruppen – und wie Sie sich diese erschließen.

AUF EINEN BLICK

1. Der zentrale Satz, um den sich alles in Sachen Werbung und Kundenakquise dreht, sollte gleichzeitig zu Ihrer ganz persönlichen goldenen Regel für sämtliche Akquiseaktivitäten avancieren:
   Entscheidend ist nicht, wie eine Aktion gemeint ist, sondern wie sie beim Kunden ankommt!
2. Dasselbe gilt für sämtliche Marketingaktivitäten eines Unternehmens. Wenn eine Kampagne am Kunden vorbei konzipiert wurde, ändern auch die besten Absichten nichts am Mißerfolg.
3. Erfolgreiche Beispiele der Neukundengewinnung wurden in diesem Kapitel aufgezeigt. Diese sind:
   - ❒ Neue Kunden durch klar erkennbaren Vorteil.
   - ❒ Neue Kunden durch neues Image.
   - ❒ Neue Kunden durch klare Corporate Identity.
   - ❒ Neue Kunden durch eine neue Botschaft.

   Zahllose weitere individuellen Wege und Methoden ließen sich herausarbeiten. Wichtig ist, daß Sie Ihren Weg finden und verfolgen.

1. So definieren und erreichen Sie treffsicher Ihre Zielgruppen

Werbung ist jene Wissenschaft, welche die Aufmerksamkeit des menschlichen Verstandes lange genug erregt, um Geld herauszuschlagen.

Stephen Butler Leacock

Beginnen wir mit einem Wort der Kritik. Würde zielgruppenverfehlende Werbung als olympische Disziplin zugelassen, die deutschen Agenturen hätten gute Chancen. Die Werbung im allgemeinen und die TV-Spots im besonderen hatten sich seit Ende der 80er Jahre zu einem „l'art-pour-l'art"-Kult entwickelt, bei dem sich die Macher selbst zu wichtig, die Endverbraucher dafür um so unwichtiger nahmen. Dabei wurde viel Geld investiert, um möglichst nicht aufzufallen und statt dessen gängige Klischees in Form von austauschbaren TV-Spots zu transportieren – ob schwülstige, mit künstlicher Schönheit überladene Parfumclips oder Bier- und Chipswerbung mit deutschtümelnder Geselligkeit. Ausnahmen bestätigen die Regel. Der Auftraggeber staunt ob der aufwendig produzierten bewegten Bilder und verdrängt die Frage in seinem Hinterkopf, ob sein Endverbraucher mit diesen auch etwas anfangen kann. Der Werber ist zufrieden, und der Fernsehzuschauer gähnt im Kollektiv.

Zugegeben, wir haben das Bild jetzt absichtlich ein wenig überzeichnet. Es gab und gibt auch genügend positive Beispiele, man denke nur etwa an den berühmten Werbespot, da ein Garagentor sich öffnet, dahinter die Nobelmarke eines deutschen Automobilherstellers sichtbar ist, und neben der Luxuskarosse fährt gemächlich ein Radfahrer hervor – unterlegt mit dem verbalen Hinweis, daß man für die Umwelt ruhig sein Auto mal in der Garage lassen darf (Mercedes-Werbung von Springer & Jacobi). Es gibt also neben vielen verfehlten Werbespots auch zahlreiche gute, solche von Topagenturen. Wodurch unterscheiden sie sich von den anderen? Wohl in erster Linie mal dadurch, daß man sie *gerne* sieht. Daß sie die *Herzen* ansprechen, neben dem Kalkül. Daß sie eine klare, einfache und vor allem *ehrliche* Botschaft vermitteln. Und daß sie eine starke, aber einfache Art der Kommunikation sind, die man auf Anhieb versteht.

Sicher ist, wenn sich erst einmal alle Werber als *Dienstleister* und *Berater* ihrer Kunden (und nicht nur als Kreative) verstehen, werden mehr „echte" Erfolgskampagnen auf den Bildschirmen erscheinen. Um zu beraten, muß man die Mentalität und Bedürfnisse der Zielgruppen genauestens kennen. Das gilt sowohl für die ausführende Werbeagentur, als auch – und noch viel mehr – für ihren Auftraggeber, für Sie, der Sie eine Werbekampagne lancieren möchten. Und noch bevor Sie sich überhaupt mit Ihrem Kunden beschäftigen, sollten Sie Ihr Produkt kennen und wissen, was es für den Kunden tun kann, nicht wahr? Und sollten die exakten Vorteile Ihres Produkts herausgearbeitet haben. Doch langsam, ein Schritt nach dem anderen. Legen Sie sich ein großes Blatt Papier bereit, es geht los!

Definieren Sie Ihr Produkt

Bevor man sich Gedanken über eine Käuferspezies machen kann, muß man logischerweise erst einmal das eigene Produkt definiert haben. Es widerspräche dem gesunden Menschenverstand, diesen Punkt erst *nach* der Zielgruppenbestimung abzuhandeln. Stellen Sie sich daher zunächst die produktbezogenen Fragen, bevor Sie über Ihren Kunden nachdenken. Zum Beispiel solche: Was verkaufen Sie? Sind es Dienstleistungen, Gebrauchsgüter oder Verbrauchsgüter? Handelt es sich um einen Luxusartikel oder einen Artikel des täglichen Bedarfs? Wichtig ist auch, *wie oft* man Ihr Produkt kaufen kann. Täglich, wöchentlich oder nur ein einziges Mal? Wobei wir hier der Klarheit halber betonen möchten, daß ein Produkt auch eine Dienstleistung sein kann, also nicht nur etwas sein muß, daß man anfaßt oder das einen maschinellen Herstellungsprozeß durchlaufen hat. Ein Produkt in diesem Sinne ist alles, was man einem anderen verkauft – vom Fingernagelschneider bis zur Unternehmensberatung.

Die wohl wichtigste Frage in diesem Zusammenhang lautet: *Warum* sollte jemand Ihr Produkt überhaupt kaufen? Wird ein grundsätzlicher Bedarf wie Kleidung, Nahrung oder Unterkunft gedeckt? Wird lediglich ein subjektives Bedürfnis befriedigt? Erleichtert Ihr Produkt das Leben Ihrer Kunden? Kann Ihr Produkt deren Probleme lösen? Wenn ja, haben Sie bereits den goldenen Haken gefunden, an dem Sie Ihre Werbung befestigen können. Eine klare Produktdefinition und eine klare Herausarbeitung dessen, was das Produkt für Ihren Kunden macht, ist die halbe Miete auf dem Weg zu neuen Kunden. Haben Sie Ihr Produkt schriftlich definiert? Dann sind Sie bereit für den nächsten Schritt: Arbeiten Sie den *einzigartigen Vorteil* Ihres Produkts heraus!

Stichwort USP: der einzigartige Vorteil Ihres Produkts

„Unique selling proposition“ bezeichnet den herausragenden, den *entscheidenden* Verkaufsvorteil, den Ihr Produkt vor allen anderen besitzt. Und den Sie mit Ihrer Werbung transportieren möchten. Entscheiden Sie sich, ob Sie den objektiven Nutzen Ihres Produktes bzw. Ihrer Dienstleistung dazu verwenden oder den rein gefühlsmäßigen. Der Unterschied wird deutlich in Kampagnen wie „Du darfst“, bei der es in erster Linie um die schlanke Linie geht, während der gesundheitliche Aspekt eher zweitrangig ist. Highlights wie „Wir geben Ihrer Zukunft ein Zuhause“ zielen ganz klar auf die *emotionalen* Aspekte bei den Käufern ab.

Besitzt Ihr Produkt einen solchen USP auf den ersten Blick nicht, dann müssen Sie ihn unter Umständen gar erfinden oder müssen Ihr Produkt so weit individualisieren, daß es einen USP aufweist! Ein Weg, wie man dies erreichen kann, besteht darin, ein Problem zu finden, eine Tatsache, die nach einer Lösung verlangt, die Ihr Produkt anbieten könnte.

Allerdings kann man auch dabei danebenliegen und nur um des Verkaufens willen einen „Bedarf“ konstruieren, der überhaupt nicht vorhanden ist. Ein Beispiel für solch einen „unechten Bedarf“ ist der seit Beginn der neunziger Jahre andauernde Trend, gewöhnliche Pkw mit *Differentialgetriebe* auszustatten und so dem Kunden zu signalisieren: „Schaut her, damit seid Ihr im Gelände so sicher wie in der Stadt!“ Natürlich fährt kaum einer aus der angesprochenen Käufergruppe täglich so scharfe Off-road-Strecken, daß sich diese Zusatzausstattung lohnen würde. Es sind zudem keine *echten* Geländewagen. Aber allein der Gedanke, etwas Außergewöhnliches zu besitzen, gibt dem Kunden das Gefühl der Überlegenheit, der Gewißheit, besser eingekauft zu haben – und sei es auch noch so nutzlos. Ein gutes Beispiel, wie ein nahezu überflüssiges Produkt durch systematische, künstlich geschaffene „Bedürfnispflege“ Marktpräsenz erlangen konnte!

Natürlich gibt es gerade im Autobereich auch sinnvolle Möglichkeiten, einen wirklichen, einen exklusiven USP herauszustellen. Denken Sie nur an verstellbare Sitze für Menschen mit Rückenschäden, an Spezialsitze für extrem kleine oder große Fahrer, an Saisonbezüge für Sommer und Winter, an variable Rückbänke, die sowohl für den Familienausflug als auch zum Transport von Möbelstücken geeignet sind, an ein Notrufsystem per Knopfdruck wie in den Banken, an automatische Abstandwarner an den Blinklichtern, die Karambolagen beim Einparken verhindern...lassen Sie Ihre Phantasie spielen!

Ein kleines Beispiel aus der Geschichte des Nobel-Füllfederherstellers Parker mag illustrieren, wie ein USP geschaffen werden kann, wie man ihn *machen* kann. Dazu ein Auszug aus einem anderen Buch (das nebenbei bemerkt eine ganze Reihe weiterer Beispiele zu diesem Thema des USP enthält):

> Im Jahre 1921 kam dann der endgültige Durchbruch mit einem Schreibgerät, das weltweit neue Maßstäbe für die gesamte Füllhalterindustrie setzte: der *Parker Duofold*. Am 22. November dieses Jahres, also rechtzeitig zum Weihnachtsgeschäft, trat Kenneth Parker, der Sohn des Firmengründers, mit einer großen Anzeige im Chicago Tribune auf den Plan:
> *„Verehrte Frau, hier ist ein Geschenk, von dem Sie wissen, daß er es verwenden wird“*, so verkündete die Headline, und gleich im ersten Absatz wird der *Duofold*, die Neuentwicklung aus dem Hause Parker, dort positioniert, wo er hingehört: neben Cadillac, Packard und Pierce

Arrow, den Automobil-Nobelmarken jenes angehenden zweiten Jahrzehnts. Der Duofold ist für die Welt der Schreibgeräte das, was diese Marken für die Welt des Autos bedeuten: Ein exklusiver Besitz, der Prestige signalisiert. Das Besondere war die Garantiedauer auf diesen einmaligen Füllfederhalter: Dreizehnhundert lange Wochen einwandfreies Funktionieren, das sind 25 lange Jahre, eine ganze Generation.
Was hatten Parker Vater und Parker Sohn anders gemacht als die Mitbewerber auf dem Markt der Schreibfedergeräte? Zu dieser Zeit gab es in Amerika einige große und unzählige kleine Herstellerfirmen von Füllfederhaltern, die an diesem aufsteigendem Geschäftszweig partizipieren wollten. Und es gab einige wenige Markenanbieter, die sich um die Gunst der Käufer bemühten, indem sie durch Anzeigen auf die Vorzüge ihrer Füllhalter aufmerksam machten.
Die Qualität der verfügbaren Markenfüllhalter war inzwischen bei allen Herstellern nahezu gleich. Auch rein äußerlich unterschieden sie sich kaum voneinander: ihre schlanke Form und schwarze Farbe machten es schwer, auf den ersten Blick den Hersteller zu erkennen. Der Markt war aufgeteilt, Stagnation und Langeweile machten sich breit.
Wer rastet, der rostet, dachten wohl George S. Parker und sein Sohn Kenneth, der nach seiner Ausbildung in einer Werbeagentur ins väterliche Unternehmen eingetreten war. Das Füllhaltergeschäft mußte neu belebt werden! Also beschloß man, etwas völlig anderes auf den Markt zu bringen. Statt schlanker und zierlicher Federhalter einen großen dicken. Statt einer kleinen, schmalen Feder eine üppig breite. Statt tristem Schwarz ein leuchtendes Orange. Statt durchweg gleicher Qualität die beste, die der Markt je gesehen hatte. Und statt den durchschnittlich üblichen 2,50 Dollar für ein Schreibgerät deren satte sieben. Und genau mit dieser Strategie schlug der neue Füllfederhalter *Duofold* die Konkurrenz ins weite Feld.
Der Duofold, den man sowohl mit der geschraubten Kappe als auch mit dem Schreibtischhalter erwerben konnte – also in *zweierlei* Hinsicht (Duofold = zweifach) verwenden konnte, dessen Feder außerdem von beiden Seiten schrieb (so gut war sie), der doppelt so viel Tinte faßte, das Doppelte wog und mehr als das Doppelte kostete, wurde vom Handel zunächst mit Skepsis betrachtet. Gar so anders war dieser Füllfederhalter. Erst eine Umfrage unter der potentiellen Käufergruppe, der reichsten Bevölkerungsschicht in Chicago, ergab, daß 65 Prozent der Befragten den neuen Füller „umwerfend gut" fanden. In kürzester Zeit war er ausverkauft, und binnen eines halben Jahres wurde der Duofold in Amerika zum *meistgekauften* Füllfederhalter in der Prestigeklasse." [1]

Sie sehen, wie einfach es manchmal ist? Und hier wurde der Preis sogar nach oben getrieben! Entscheidend ist: Der Kunde kauft, was ihm einen deutlichen Vorteil bringt. Wichtig ist daher, daß Sie an diesem Schritt so lange arbeiten, bis Ihnen selbst der Unique Selling Proposition, der USP, wirklich bekannt ist. Dann erst sollten Sie sich intensiv Ihrer Zielgruppe widmen und sich nun die nächste Frage stellen: Was ist Ihr Kunde eigentlich für ein Mensch?

1 aus: Mens-Schimann u.a., Exclusive Marken, S. 121 ff.

Kennen Sie Ihren Kunden?

Unser ganzes Leben besteht aus einer ununterbrochenen Flut von Eindrücken, Informationen und Nachrichten. Billiarden von präzisen Bildern sind in unserem Kopf abgespeichert und mehr oder weniger jederzeit abrufbar. Aus diesem Grunde existiert kaum ein Thema aus unserem täglichen Leben, aus dem Zeitgeschehen, zu dem wir nicht spontan eine persönliche Meinung äußern könnten. Jeder von uns trägt seine persönlichen Wertvorstellungen und Ideale mit sich – ob politisch, wirtschaftlich, ethisch oder moralisch. Die Schlußfolgerung daraus für Sie: Es gibt unzählige verschiedene Personenkategorien, Zielgruppen, Kundengruppen. Jede mit ihrer eigenen, persönlichen Wirklichkeit.

Wie kann man nun seinen Kunden eingrenzen? Ihn faßbar machen? Ihn präzisieren? Die Lösung heißt: Geben Sie Ihrem Kunden ein Gesicht!

So finden Sie das Gesicht Ihres Kunden heraus

Verabschieden wir uns als erstes vom angestaubten, aber weitverbreiteten Image des gesichtslosen, farblosen und anonymen Kunden. Sein ganzes Begehren erfüllt sich im Kauf eines speziellen – nämlich unseres – Produktes. Bitte? Ach, Sie kennen Ihre Kunden, auf Sie trifft das nicht zu? Von wegen. Machen wir ein Experiment. Stellen Sie sich vor, Sie müßten über einen Ihrer Kunden eine Geschichte erzählen mit dem Titel: „Wie im richtigen Leben." Suchen Sie sich einen beliebigen Namen aus Ihrem Kundenkreis und beginnen Sie.

Schreiben Sie alles auf, was Ihnen zu diesem Kunden einfällt und versuchen Sie, eine Woche seines Lebens nachzustellen. Sein Unternehmen, seine Arbeit, seine Gewohnheiten, seine Einkäufe, seine sozialen Kontakte. Was für ein Auto fährt er? Welche Zeitung, welche Illustrierten liest er? Stichwort Fernsehen: Informiert sich Ihr Kunde gezielt oder gehört er eher zu den Zappern („Kanalspringern")? Kennen Sie sein Haus, seine Wohnung? Wohin reist er im Urlaub? Hat er Familie und Grundstück auf dem Land? Oder lebt er als gutverdienender Single auf einem Hausboot?

Sie halten das für überflüssig und kindisch? Da liegen Sie gar nicht mal so falsch. Nur Kinder verfügen über soviel Zeit und Phantasie, um sich derartige fiktive Gedanken zu machen. Aber genau das ist unser Problem! Vielleicht fehlt es an Kindern in den Chefetagen? Machen Sie diese Übung also einmal wirklich konsequent. Sie werden staunen, wieviel es noch über Ihre Zielgruppe, Ihren Kunden zu wissen gibt! Und machen Sie es wieder auf Ihrem Blatt Papier!

Zielgruppengrundinformation

Genügten vor einigen Jahren noch die klassischen Marktanalysen bezüglich Alter, Geschlecht, Wohnort und Kaufkraft zur Erstellung einer Zielgruppendefinition, so sind heute ganz andere Werte relevant. Wir müssen die *Seele* unserer potentiellen Käufer beleuchten. Ihre Bedürfnisse, Ängste und Wünsche. Persönliche und berufliche Pläne sind nahezu untrennbar geworden. Der Lebensmittelpunkt hat sich nicht zuletzt durch den rapiden Preissturz bei Telefaxgeräten, Datenleitungen aller Art und schnurlosen Telefonen in die eigenen vier Wände verlagert. Die Freiberufler waren die ersten, die es wagten, sich öffentlich zur neuen Häuslichkeit zu bekennen, indem sie ihren Arbeitsplatz aus dem Büro einer bestimmten Firma nach Hause verlegten. Manchmal zum Ärger der Unternehmer, die dadurch einen großen Teil ihrer Kontrolle und ihres Einflusses auf Mitarbeiter verloren. Aber inzwischen ist es geradezu in Mode gekommen, „für sich selbst" zu arbeiten, auf eigene Rechnung und nach dem Leistungsprinzip, anstatt wie bisher in aller Ruhe auf das monatliche Gehalt zu warten. Mit anderen Worten: Wurde früher die Werbung vom Konsumenten nach Feierabend, also während der Freizeit, wahrgenommen, treffen wir den Käufer heute zu den verschiedensten Tageszeiten bei der Arbeit – oder eben während einer Pause – in seiner Wohnung an. Tageszeitungen werden nicht mehr ausschließlich beim Frühstück gelesen, der Fernseher läuft zu ganz unregelmäßigen Zeiten, Einkäufe werden nicht mehr nach Feierabend kurz vor 18.00 Uhr erledigt, sondern beliebig über den Tag verteilt. Wir müssen mit der Werbung die schützende Schale der häuslichen Harmonie durchbrechen. Und hier liegt der erste Stolperstein, der in den nächsten Jahren für eine spürbare Auslese in Sachen Werbung sorgen wird: Süßlicher Schwachsinn wie die klassische Windel-Schokoriegel-Tütensuppe-Haushaltsreiniger-Werbung nach dem Schema „Kluge-Mutti-dummer-Mann", mit unrealistisch gestylten Teenagern und überfütterten, polierten Babies wird nicht mehr nachsichtig lächelnd zur Kenntnis genommen („die armen Hersteller, die wissen eben nicht, daß wir uns schon seit zwanzig Jahren nicht mehr damit identifizieren"); sie wird gnadenlos abgeschaltet.

Wie Sie die ideale Zielgruppe finden

Der erste Schritt ist also: Definieren Sie, *wen* Sie erreichen wollen. Sind es die Endverbraucher, die Produzenten oder die Wiederverkäufer? Entwickeln Sie einen Steckbrief, der diese Zielgruppe in nahezu allen Punkten ihrer Lebensgestaltung charakterisiert. Hinterfragen Sie sämtliche nur denkbaren Punkte des Lebens, die im entferntesten mit Ihrem Produkt oder Ihrer Dienstleistung zu tun haben könnten. Eckdaten sind dabei:

- ❒ Ist Ihr Idealkunde männlich oder weiblich?
- ❒ Wie alt ist er? Sprechen Sie auch Jugendliche an?
- ❒ Lebt Ihr Kunde in der Stadt oder auf dem Land?
- ❒ Zur Miete oder im eigenen Haus?
- ❒ Was liest Ihr Kunde, wann und an welchem Ort?

- ❐ Was verspricht er sich davon?
- ❐ Was sieht er sich im Fernsehen an?
- ❐ Welche ethischen/religiösen Standpunkte vertritt er?
- ❐ In welchem sozialen Umfeld bewegt er sich?
- ❐ Ist er eher rational eingestellt oder ein emotionaler Genußmensch?
- ❐ Treibt er Sport?
- ❐ Hat er Kinder?
- ❐ Wenn ja, erzieht er sie autoritär oder eher tolerant?
- ❐ Ist Ihr Idealkunde Angestellter oder selbständig?
- ❐ Wieviel gibt er durchschnittlich pro Monat für Garderobe, Auto, Urlaub, Freizeit etc. aus?
- ❐ Mit welchen Persönlichkeiten identifiziert er sich? Mit einem Gelehrten, einem Forscher oder vielleicht eher mit einem Filmstar?

Eine Lifestyle-Typologie

Michael Conrad und Leo Burnett haben in Zusammenarbeit mit dem Sinus-Institut die sogenannte *Lifestyle-Typologie* entwickelt. Die Zielgruppenauswahl nach Lebensstil und Konsumgewohnheiten ist nicht nur intelligent, sie ist nachweislich auch effektiver als andere Methoden. Zwölf Lifestyle-Typen könnten die Grundlage Ihrer gezielten Marketingkampagne bilden; dabei handelt es sich um Menschen, die beruflich und privat die gleichen Ambitionen haben, die sich ihr Lebensumfeld ähnlich einrichten und die die gleichen Medien nutzen; auch die Konsumgewohnheiten sind nachweislich sehr gleichartig. Die Lifestyle-Forschung wird seit 1973 betrieben und immer wieder aktualisiert. Das folgende sind die zwölf Lifestyle-Typen (und vergleichen Sie bitte einmal, welche davon Ihre potentiellen Zielgruppen sind!).[2]

(Die angegebenen Prozentzahlen beziehen sich auf die Gesamtbevölkerung der alten Bundesrepublik Deutschland):

2 Aus: Consumer-Adressen Deutschland. Für mehr Qualität im Direktmarketing. Herausgegeben von Merkur Direktwerbegesellschaft mbH & Co KG, Einbeck 1994. Die hier dargestellten Lifestyle-Typen entsprechen den Forschungsergebnissen von Sinus / Conrad / Burnett. Abdruck erfolgte mit freundlicher Genehmigung der Herausgeber.

Erstmals wurde die Lifestyle-Forschung 1973 von Michael Conrad und Leo Burnett in Zusammenarbeit mit Sinus durchgeführt und in regelmäßigen Abständen aktualisiert und optimiert.
Merkur hat sich an der Ende 1990 aktualisierten Forschungsreihe beteiligt und ist seitdem in der Lage, die Ergebnisse auf das Adressenpotential „Deutschland Privat" zu übertragen bzw. nach Lifestyle-Kriterien zu bewerten und zu selektieren.

ERIKA

Erika, die aufgeschlossene häusliche, patente Hausfrau und Mutter, konservativ, aber offen für neue Erfahrungen. Über 50 Jahre alt, lebt in 1- bzw. 2-Personen-Haushalt, überwiegend keine Kinder mehr im Haus. Volks- und Hauptschulbildung. Einkommen 1.500,– bis 2.500,– DM bzw. 3.500,– bis 4.500,– DM. Rustikal eingerichtet. Sieht zwischen 19.00 und 22.00 Uhr fern. Hört zwei Stunden und mehr Radio pro Tag. Liest u. a. Das Beste, Bunte, Das Haus, Mein schöner Garten, Ratgeber für Frau und Familie, Das goldene Blatt, Fernsehwoche, die regionale Tageszeitung. **10 % Anteil an der erwachsenen Gesamtbevölkerung** (alte Bundesländer).

ERWIN

Erwin, der Bodenständige, hat durch harte Arbeit einen bescheidenen Wohlstand erreicht. Als genügsamer Pascha ist er das unverrückbare Oberhaupt seiner Familie. Über 50 Jahre alt, lebt in 1- bzw. 2-Personen-Haushalt, überwiegend keine Kinder mehr im Haus. Volks- und Hauptschulbildung, abgeschlossene Berufsausbildung, Facharbeiter. Einkommen 2.000,– bis 3.500,– DM bzw. über 4.500,– DM. Rustikal eingerichtet. Sieht zwischen 19.00 und 24.00 Uhr fern. Hört kaum Radio. Liest u.a. Bunte, Bild, Bild am Sonntag, regionale Tageszeitung, Prisma. **12 % Anteil an der erwachsenen Gesamtbevölkerung** (alte Bundesländer).

WILHELMINE

Wilhelmine, die bescheidene pflichtbewußte, tugendhafte Rentnerin: anspruchslos und schicksalsergeben, über 60 Jahre alt, lebt in 1- bzw. 2-Personen-Haushalt, über die Hälfte verwitwet. Volksschule, ca. 50 % Berufsausbildung, überwiegend Hausfrau. Einkommen unter 1.500,– DM. Konventionell gemütlich eingerichtet. Sieht zwischen 17.00 und 21.00 Uhr fern, hört 2 Stunden und mehr Radio am Tag. Liest u. a. Frau im Spiegel, Das goldene Blatt, Neue Post, Ein Herz für Tiere, Fernsehwoche, regionale Tageszeitung. **12 % Anteil an der erwachsenen Gesamtbevölkerung** (alte Bundesländer).

FRANK UND FRANZISKA

Frank und Franziska, die Arrivierten, erfolgreiche und selbstbewußte Bildungsbürger. Sie sind konservativ-liberal, leistungsorientiert und seit einigen Jahren auch umweltbewußt. Zwischen 40 und 50 Jahre alt, leben in 2- bzw. 4-Personen-Haushalten, überwiegend verheiratet, mit Kindern. Mittlere Reife bzw. Abitur oder Hochschulabschluß. Höchster Akademikeranteil. In qualifizierten und leitenden Funktionen tätig. Einkommen um 7.000,– DM. Klassisch-modern eingerichtet. Sehen weniger fern, zwischen 22.00 und 24.00 Uhr. Hören maximal 1 Stunde Radio pro Tag. Lesen u. a. Spiegel, Stern, Wirtschaftswoche, Manager-Magazin, Das Haus, Brigitte, Das Beste, Essen und Trinken, regionale Tageszeitung, Handelsblatt. **7 % Anteil an der erwachsenen Gesamtbevölkerung** (alte Bundesländer).

Claus und Claudia, die neue Familie, sehen den Sinn ihres Lebens in Partnerschaft und ökologischem Engagement. Bei ihnen dreht sich zwar vieles ums Kind - aber auf Wohlstand und Selbstverwirklichung wollen sie nicht verzichten. Zwischen 30 und 40 Jahre alt, leben meist in 3- bis 5-Personen-Haushalten, verheiratet, mit Kindern. Mittlere Reife bzw. Abitur oder Hochschulabschluß. Überwiegend Beamte und qualifizierte Angestellte, Doppelverdiener. Einkommen 3.000,– bis 6.000,– DM. Sind individuell, leger-gemütlich eingerichtet. Sehen zwischen 17.00 und 18.00 Uhr bzw. 21.00 bis 24.00 Uhr fern, hören gelegentlich Radio. Lesen u. a. Eltern, Ratgeber für Frau und Familie, Mein schöner Garten, Für Sie, Journal für die Frau, Geo, HörZu, regionale Tageszeitung, Anzeigenblatt. **7 % Anteil an der erwachsenen Gesamtbevölkerung** (alte Bundesländer).

CLAUS UND CLAUDIA

STEFAN UND STEFANIE

Stefan und Stefanie, die jungen Individualisten, Intellektuelle eines neuen Typs. Ihr kritisches Bewußtsein und ihren genußsüchtigen Lebensstil erleben sie nicht als Widerspruch. Sie sind die Trendsetter der Gegenwart. 20 - 30 Jahre alt, leben in kleinen Haushalten bzw. Wohngemeinschaften. Abitur, Hochschulabschluß. Qualifizierte und leitende Berufe bzw. Studenten. Einkommen 1.500,– DM oder über 6.000,– DM. Sind unkonventionell oder repräsentativ/ individuell eingerichtet. Sehen morgens und nachts fern. Hören 2 Stunden und mehr Radio pro Tag. Lesen u. a. Spiegel, Stern, Die Zeit, Capital, Manager-Magazin, FAZ / Süddeutsche / Welt, Geo, Chip, Schöner wohnen, Emma, Tempo, Cosmopolitan. **6 % Anteil an der erwachsenen Gesamtbevölkerung** (alte Bundesländer).

Michael und Michaela, die Aufstiegsorientierten,
typische Vertreter der modernen Konsum- und Leistungsgesellschaft. Karriere- und statusbewußt, ehrgeizig, aber trotzdem genußfreudig. 30 – 50 Jahre alt, leben in 3- und 4-Personen-Haushalten. Hauptschule, mittlere Reife, abgeschlossene Berufsausbildung. Mittlere Angestellte, kleinere Selbständige mit Neigung zur Weiterbildung. Doppelverdiener. Einkommen 3.500,– bis 6.000,– DM bzw. über 7.000,– DM. Sind rustikal bzw. nostalgisch eingerichtet. Sehen spätabends und nachts fern, hören bis zu 2 Stunden Radio, auch Autoradio. Lesen u. a. Stern, Das Beste, Eltern, Meine Familie und ich, Burda-Moden, Brigitte, ADAC, HörZu, Prisma, RTV, Welt, Bild.
8 % Anteil an der erwachsenen Gesamtbevölkerung
(alte Bundesländer).

Tim und Tina, die fun-orientierten Jugendlichen,
wollen alles, was Spaß macht. Nachdenklichkeit ist nicht ihre Sache. Sie hecheln jedem Trend hinterher und sind dabei glücklich. Der Ernst des Lebens soll warten. Meist unter 20 Jahre alt, leben meist noch im Haushalt der Etern. Mittlere Reife, Abitur. Noch in Ausbildung oder mittlere Angestellte bzw. Facharbeiter. Einkommen meist unter 2.000,– DM. Avantgardistisch eingerichtet. Sehen laufend fern, morgens, nachmittags, abends, hören bis zu 4 Stunden Radio am Tag. Lesen u. a. Cosmopolitan, Bravo, Cinema, Sounds, Sport, Auto, Motorrad, Bild, Wiener, Petra, PM-Magazin, Kicker. Gehen ins Kino.
7 % Anteil an der erwachsenen Gesamtbevölkerung
(alte Bundesländer).

Martin und Martina, die trendbewußten Mitmacher,
sehen ihren Lebensinhalt in Freizeitaktivitäten und Konsum. Im Beruf sind sie nicht sehr engagiert, Prestige ist ihnen wichtiger. Zwischen 20 und 60 Jahre alt, Schwerpunkt unter 40, leben in 3- und Mehrpersonen-Haushalten, 2/3 verheiratet, 1/3 ledig. Keine Schwerpunkte bei Bildung und Beruf. Überdurchschnittlich viele kleine Selbständige. Einkommen 3.500,– bis 6.000,– DM. Sind klassisch-modern eingerichtet. Sehen intensiv zu allen Zeiten fern. Hören weniger Radio. Lesen u. a. TV Hören und Sehen, Funk-Uhr, HörZu, Freizeit-Revue, Neue, Quick, Fußball-Magazin, Brigitte, Tina, Bild, regionale Tageszeitung.
5 % Anteil an der erwachsenen Gesamtbevölkerung
(alte Bundesländer).

MONIKA

Monika, die Angepaßte, liebt Mode und Kosmetik, Romanzen und die neuesten Hits. Ihre Träume sind kleine Fluchten aus dem Alltag. Zwischen 20 und 30 Jahre alt, lebt in 3- und 6-Personen-Haushalt, überwiegend verheiratet. Meist Hauptschulabschluß, einfache Angestellte, Arbeiterin, Teilzeitbeschäftigte. Einkommen 2.000,– bis 4.000,– DM. Ist leger-gemütlich eingerichtet. Sieht am liebsten vormittags fern, hört 2 Stunden und mehr Radio am Tag. Liest u. a. Freundin, Für Sie, Maxi, Tina, Bild der Frau, Bravo, Girl, Eltern, Flora, Bild und Funk, Praline, Freizeit-Revue, Quick, Bild, Bild am Sonntag. **8 % Anteil an der erwachsenen Gesamtbevölkerung** (alte Bundesländer).

EDDI

Eddi, der Coole, liebt Action und Abenteuer. Er ist ein echter Macho: Auto, Motor, Video. Meist unter 30 Jahre alt, lebt im 1- bzw. 3- und 4-Personen-Haushalt, 50 % verheiratet. Hauptschulabschluß, Arbeiter, Facharbeiter. Einkommen unter 3.000,– DM. Ist leger-gemütlich eingerichtet. Sieht überdurchschnittlich fern zu allen Zeiten. Hört Radio, liest u. a. ADAC, Motorrad, Fußball-Magazin, Kicker, Sportbild, Pop Rocky, Bravo, Bild, Bild am Sonntag. **7 % Anteil an der erwachsenen Gesamtbevölkerung** (alte Bundesländer).

INGO UND INGE

Ingo und Inge, die Geltungsbedürftigen, haben wenig Zukunft. Sind beruflich und privat resigniert, Schuld haben immer die anderen. Zwischen 20 und 50 Jahre alt, Leben in 1- bis 4-Personen-Haushalten, 1/3 haben Kinder, höchster Anteil Geschiedener. Volks- und Hauptschulbildung, einfache Angestellte, Arbeiter, hoher Anteil an Umschulungen. Kein erkennbarer Schwerpunkt beim Einkommen. Sind repräsentativ eingerichtet. Sehen meist nach 22.00 Uhr fern, hören Radio. Lesen u. a. Auto-Zeitung, Test, DM, Freundin, Mädchen, Bunte, Bildwoche, Playboy, Penthouse.
7 % Anteil an der erwachsenen Gesamtbevölkerung (alte Bundesländer).

Eine Möglichkeit, sich diese Typologie zunutze zu machen, besteht darin, gezielte Anzeigenwerbung in den einschlägigen Medien zu gestalten, die genau Ihre Zielgruppe, genau Ihren Kundentypus anspricht. Eine weitere wäre, diese Zielgruppen mit Direct-Mailing zu kontaktieren; eine andere, über TV und Radio genau zu jenen Zeiten zu schalten, da diese Zielgruppen nachweislich „auf Empfang" sind. Machen Sie sich die Lifestyle-Forschung zunutze! Die „Großen" auf dem Parkett der Kundengewinnung machen es seit zwanzig Jahren so.

Überprüfen Sie noch einmal diesen Schritt. Kennen Sie Ihren Kunden nun genau? Wissen Sie, wo er zu finden ist? Wissen Sie, was er mag, welche Vorlieben er hat, was er verabscheut? Könnten Sie ihn kalt auf der Straße unter einhundert Passanten erwischen? Machen Sie ruhig einmal die Nagelprobe, es ist ein hochinteressantes Experiment!

Wenn Sie sich auf diese Weise einen exakten Eindruck über Ihren Kunden verschafft haben, dann sollten Sie sich als nächstes an seiner Stelle vor den Fernseher setzen und sich mit seinen Augen die Werbespots betrachten. Und mit seinen Augen Zeitschriften lesen. Zeitungen. Werbungen, Anzeigen. Eine ganz neue Welt wird sich auftun! Längst nicht alles, was Sie dabei erkennen werden, wird auf Anhieb Freude aufkommen lassen, wie wir am folgenden Beispiel zeigen werden. Und wir sind damit schon im nächsten Schritt, nämlich bei der Frage: Wie spreche ich meine nun gefundene Zielgruppe denn am besten an – und wie am besten nicht? Beginnen wir mit dem allabendlichen Werbeblock.

Der Werbeblock und sein Dilemma

20.12 Uhr. Auf dem Bildschirm werden detailgetreu Kugeln in Kopf und Gedärm des Bösewichts plaziert, er sinkt stöhnend in eine Lache seines eigenen Blutes, Sirenengeheul von Ferne, und – pünktlich auf die Sekunde: der Werbeblock. Zur Hauptsendezeit im allgemeinen eine lukrative Angelegenheit für Sender und Hersteller. Unsere noch überreizten Nerven werden im Schnelltempo mit der überaus gesunden Babynahrung, der superbilligen Reisegesellschaft und dem absoluten Hochgenuß eines Kaffees konfrontiert. Noch ehe diese Informationen unser Bewußtsein erreichen, befinden wir uns wieder in der Hinrichtungsszene. Unser reizüberflutetes Gehirn schließt sich kurz und folgert: Blutbad durch Babynahrung?

Szenenwechsel. Wir blättern in der Zeitschrift „Eltern". Der Titel ist nicht weiter erklärungsbedürftig, die Zielgruppe eindeutig: leckere Rezepte für die ganze Familie. Der Bastelbogen für die Kleinen mit phantasievollem Weihnachtsschmuck. Strickmuster, Ratgeber, Kummerkasten. Und selbstverständlich finden wir eben jene Babynahrung aus dem TV-Block, hier in einer ganzseitigen vierfarbigen Anzeige zwischen bunten, kurzweiligen Themen für die ganze Familie präsentiert. Eine appetitliche Symbiose.

Und die Moral von der Geschicht' erklärt sich eigentlich von selbst – durch eine Portion gesunden Menschenverstand. Nicht der Werbespot oder die Anzeige allein entscheidet über Erfolg, sondern auch das Umfeld, die Stimmung, in der sich der potentielle Kunde gerade befindet! Wenn unser Bewußtsein mit der brutalen Gewalt und Aggression eines Actionfilms angefüllt ist, sind wir für den Werbespot für Babynahrung im typischen „Heile-Welt"-Outfit nicht empfänglich. Der erhoffte „Kauf-mich-Effekt" des hochpreisigen Sendeplatzes versandet irgendwo zwischen Verwirrung und Bedrücktheit. Und nicht nur bei der Plazierung wird regelmäßig voll danebengegriffen: Auch die *Botschaft* der Werbung scheint manchmal eher auf imaginäre Außerirdische zugeschnitten zu sein als auf die real existierenden Endverbraucher in unserem Sonnensystem.

Nun behaupten Sie im Brustton der Überzeugung „Werbung soll nicht als schön empfunden werden, sie soll wirken!" Mit Verlaub – aber das ist Blödsinn. Die Käufer sind mündig geworden. Und so plausibel die Theorien vom manipulativen Effekt der Werbung in den Ohren zahlungskräftiger Kunden klingen, seit Beginn der Neunziger herrscht ein ganz deutlicher Trend in Richtung Autonomie des Käufers. Wir können also aus dieser Übung eine wichtige Erkenntnis ziehen: Das Wissen darüber, wann, wo und wie unser – Ihr – Kunde am liebsten angesprochen werden möchte und wann Sie ihn besser mit Ihrer Botschaft in Ruhe lassen sollten.

Merken Sie sich als Grundsatz: Der Kunde möchte eine klar verständliche und ehrliche Werbebotschaft vernehmen. Er möchte auf bildhafte, verbale oder melodische Weise mit Informationsgehalt verführt werden. Er möchte verführt werden, ja – aber nicht mit falschen Versprechen, falschen Idealen oder Fehlbildern. Das wesentliche Element Ihrer Werbebotschaft ist die Ehrlichkeit der Information. Weniger ist dabei oft mehr. Das Understatement kommt meist besser an als die zu dick aufgetragene Butter. Vorbei sind die Zeiten, da als besser galt, wer die fettere Gans vorzeigte. Gute Taten geschehen oft im Stillen. Gute Werbebotschaften wirken sanft. Manchmal mit ganz leisen Tönen. Effektvoll. Etwa die Werbung für Licher Bier „Aus dem Herzen der Natur". Mit der Musik von Edvard Grieg hinterlegt. Tiere auf der Leinwand statt biersaufender Germanentypen. Werbung sollte Zustimmung schaffen, nicht Ablehnung; man denke an das Beispiel Benetton. Wählen Sie also das richtige Umfeld, in das Ihre Werbebotschaft paßt, an die richtige Zielgruppe gelangt und eine positive Grundstimmung schafft. Und stellen Sie sicher, daß Ihre Aussage ehrlich ist.

Die zielgruppenorientierte Werbung

Theoretisch müßte jetzt ein vollgeschriebenes DIN-A 3-Blatt vor Ihnen liegen, auf dem Sie genau formuliert haben, welche Käufergruppe Sie mit Ihrer Werbung ansprechen wollen, wie sich diese Käufergruppe von anderen unterscheidet, welche

Vorteile sie von Ihrem Produkt hat. Legen Sie fest, was die Ideale, Träume und Wünsche Ihrer Zielgruppe sind. Wovon schwärmen sie? Was möchten sie? Und: Wovor haben sie Angst? Was verabscheuen sie?

Wichtig: Nicht *Ihre* Vorstellungen und Maßstäbe sind hier von Bedeutung, sondern allein die Ihrer Kunden! Also werfen Sie bitte alle eigenen Kriterien über Bord. Nicht Sie sind die Hauptperson, sondern Ihre Zielgruppe! Definieren Sie, welcher Käuferkreis auf welche Tonart der Werbung reagieren könnte. Sie können wählen zwischen:

- ❐ humorvoller, ironischer Präsentation des Produktes,
- ❐ provozierender, meinungsbildender Werbung,
- ❐ beruhigender und vertrauenerzeugender Kundenansprache,
- ❐ assoziativer, prestigebildender Tonart,
- ❐ rein sachlicher, informativer Werbung.

Darüber hinaus besteht manchmal sogar noch die Möglichkeit, bestimmte Ängste Ihrer Zielgruppe in der Werbung direkt anzusprechen. Denken Sie an die (umstrittene) Kampagne einer Versicherung, in der ein makaber in Szene gesetzter Rollstuhl als Synonym für Hilflosigkeit eingesetzt wurde. Botschaft: „Schon morgen könnten Sie hier drin sitzen!“ Mit Ängsten zu operieren kann allerdings auch zum Bumerang werden und – wie in diesem Fall geschehen – offene Ablehnung beim Zuschauer provozieren.

Sie sollten aber auf keinen Fall darauf aus sein, es allen recht zu machen. Sobald Sie nämlich die „Tonarten“ der Kundenansprache mischen, entstehen schwache, identitätslose und damit überflüssige Werbefeldzüge. Finden Sie einen gemeinsamen Nenner von Produkt, Firmenimage und Zielgruppendenken, und entwickeln Sie eine *konsequente Strategie*. Ob Sie diese im Hause konzipieren oder eine Agentur damit beauftragen, ist eigentlich zweitrangig. Wichtig ist jedoch, daß Sie sich im Falle der Zusammenarbeit mit einer Agentur so klar ausdrücken und so detailliert vorbereiten, daß die Agentur weiß, was Sie wollen.

Welches Medium ist das richtige?

Jetzt, wo Sie formuliert haben, wen Sie ansprechen wollen, heißt es: selektieren. Also: Welches Medium der Kundenansprache nehmen Sie? Aus diesem Pool können Sie wählen:

1. Zeitschriften

Sie sind das erfolgreichste Medium für Markenhersteller, weil sie auf die jeweiligen Zielgruppen zugeschnitten sind. Ideal ist, daß sich hier die Leserreaktion durch Response-Aktionen per Coupon oder Postkarte unmittelbar nachprüfen läßt. Entscheiden Sie sich, ob Sie Ihre Zielgruppe in einer Fachzeitschrift erreichen, oder vielleicht eher in einer der auflagestärksten Fernsehzeitschriften. Interessiert sich Ihr Idealkunde für Kreuzworträtsel oder für die aktuellen Themen der Woche? Liest Ihre Zielgruppe Horoskope? Nach diesen Kriterien wählen Sie Ihre Plazierung innerhalb der Zeitschrift. Paßt es zu Ihrem Image, auf die Rückseite des Titels zu gehen, oder würde eine kleinere Anzeige im Innern des Hefts besser wirken?

In diesem Fall achten Sie unbedingt auf das redaktionelle Umfeld! Neben einem Artikel über qualvolle Schlachtviehtransporte für Gulasch zu werben, wirkt äußerst unglaubwürdig und geschmacklos. Es sei denn, Sie handeln mit Fleisch aus artgerechter Züchtung und hauseigener, nahezu schmerzfreier und rascher Schlachtung. Dann stellen Sie genau *diesen USP* heraus – und die Sympathie der Gegner tierquälerischer Fleischherstellung ist Ihnen sicher. Frei nach dem Motto: Tu Gutes und rede darüber – aber nur, wenn es wahr ist!

Wie sieht Ihre Zielgruppe Ihre Produkte? Wirken Sie vielleicht in einer reinen Sachaufnahme in schwarz/weiß mit einem kurzen Dreizeiler besser als in einer vierfarbigen, bewegten Anwendungssituation? Oder beeindruckt hier am ehesten eine Vorher-Nachher-Darstellung? Steht das Produkt oder der Kunde im Vordergrund?

Wie wäre es mit einer redaktionell gestalteten Sammelanzeige, zu der Sie sich mit Kollegen zusammenschließen? Das wirkt seriös und die Kosten bleiben überschaubar. Oder gestalten Sie doch mal eine Beilage für eine Zeitschrift!

2. Zeitungen

Ob national, regional oder als Beilage, die Tageszeitungen sind ideal für den regionalen Handel, während Markenartikler darin meistens nur ein Zusatzmedium sehen. Durchforsten Sie die Tageszeitungen Ihrer Region kritisch nach Anzeigen der Konkurrenz. Existieren sogenannte „Anzeigenfriedhöfe", in denen etliche Unternehmen für das selbe Produkt werden? An welchen Tagen lohnt es sich, eine Beilage zu schalten? Liest Ihre Zielgruppe Lokalnachrichten, das Feuilleton oder lieber den Sportteil? Im grauen Einerlei der Zeitungen heißt es außerdem: Auffallen! Arbeiten Sie mit klaren Anzeigen, die dominante Headlines präsentieren. Erschlagen Sie Ihre Leser nicht mit zuviel Text. Seien Sie mutig und lassen Sie Weißräume innerhalb der Anzeige offen. Und variieren Sie den Rahmen der Anzeige.

Warum ein schlichter, viereckiger Kasten, wenn vielleicht ein ausgefallenes Muster oder das stilisierte Firmenlogo – optisch attraktiv – viel besser zu Ihrem Image paßt? Eine 1/1-Anzeige ist in einer Tageszeitung ja wirklich riesig, das heißt, sie bietet attraktive Gestaltungsmöglichkeiten ohne „Platzangst". Was die Kosten anbelangt, hier einige – allerdings völlig unverbindliche – Beispiele, ohne Gewähr, versteht sich: Eine ganze Seite kostet in der Wochenendausgabe der *Frankfurter Allgemeine Zeitung* DM 49.500, in der *Bild Zeitung* DM 395.365 bei einer Auflage von über 4,5 Mio. Stück, im *Handelsblatt* DM 35.905 bei 133.000 Auflage und in der *Welt am Sonntag* DM 50.689 bei 424.000 Auflage. Kleinere Anzeigen werden nicht nach Seitenformat, sondern nach Millimetern und Spalten berechnet. Bei den Anzeigenpreisen lohnt es sich übrigens, zu verhandeln! Je nach Saison, Wochentag, Plazierung, Gestaltung und Format bieten die Tageszeitungen oft erstaunlich günstige Angebote! Die Preise der regionalen Zeitungen liegen freilich deutlich unter denen der nationalen Blätter.

3. Elektronische Medien – Funk, TV, Video, Teletext
Betrachten wir einmal die verschiedenen elektronischen Medien. *Fernsehen* soll unterhalten und Informationen auf leichtverdauliche Weise transportieren. Obwohl es ein elektronisches Medium ist, liegt seine Verwandtschaft eher bei den Publikumszeitschriften als beim Funk. Die Zielgruppe ist ähnlich bunt gemixt und die Aufmachung in beiden Fällen gleich: bunt, soundstark, eindringlich. Ausnahmen bestätigen die Regel. Kommt einer der Sender für Sie in Frage? Wenn ja, warum? Wen hoffen Sie, damit zu erreichen? Die Philosophie der Fernsehwerbung wurde eingangs bereits ausführlich abgehandelt, deshalb an dieser Stelle nur ein paar Zahlen, um die Kosten zu verdeutlichen. Der derzeit attraktivste Sendeplatz ist die ARD-Werbeuhr. Die 20 Sekunden vor Beginn der Tagesschau um 20.00 Uhr kosten ca. DM 76.000. Die Werbezeiten innerhalb der Blöcke bei den privaten Sendern kosten für 20 Sekunden Sendezeit zwischen DM 450 beispielsweise um 6.00 früh und DM 40.000 in der Hauptsendezeit von 20.00 bis 23.00 Uhr. Wobei in den vergangenen Monaten ein deutliches Absinken der Schaltkosten von bis zu 20 % zu verzeichnen war.

Dazu kommt der relativ hohe Produktionsaufwand. Auch hier differieren die Tarife regional sehr stark. Lassen Sie sich deshalb von unterschiedlichen Anbietern Kostenvoranschläge liefern! Und bevorzugen Sie Paketangebote, in denen die komplette Produktion en bloc angeboten wird.

Interessant sind auch die noch jungen Zusatzwerbeprogramme. Die Sendereihe „Empfehlenswert“ im ZDF mit Testergebnissen der Stiftung Warentest ist für viele Zuschauer eine Institution in Sachen Warenkunde geworden. Ein 25-Sekunden-Spot kostet dort zwischen DM 50.000 und DM 75.000 Schaltungskosten zuzüglich Produktionskosten von ca. DM 10.000. Keine billige Angelegenheit, doch je nach Themenschwerpunkt der Sendung sehr effizient!

Im Kommen sind auch die *Teletext*-Programme der privaten Kanäle. Im Augenblick sind allerdings noch zuwenig Haushalte mit einem Videotextdekoder ausgerüstet, daher läßt sich der unmittelbare Nutzen einer Schaltung innerhalb eines Textsystems schwer berechnen. Das Medium Teletext wird möglicherweise in einigen Jahren eine deutlich stärkere Rolle spielen; Sie sollten jedoch nicht zu denen gehören, die das Lehrgeld dafür bezahlen.

Was für das Fernsehen gilt, ist natürlich nur in Ansätzen auf die *Kinowerbung* übertragbar. Hier läßt sich anhand des gezeigten Films viel konkreter eine Zielgruppe bestimmen. Allerdings bieten die Filmtheater oft nur Schaltungspakete an, die Plazierungen in verschiedenen Filmen zu unterschiedlichen Zeiten enthalten. Die Trefferquote relativiert sich auf diese Weise wieder. Auch hier gilt: Verhandeln!

Das klassische *Imagevideo* eines Unternehmens ist nach wie vor ein attraktives Transportmittel für Produktwerbung und Firmenphilosophie. Doch Vorsicht: Es existieren bereits genug Negativbeispiele. Denken Sie an die einschläfernden Demovideos in Baumärkten! Vorbei sind die frühen achtziger Jahre, in denen Kunden fasziniert stehenblieben und die lieblos dargestellte Anwendung einer tropffreien Farbe auf dem Monitor verfolgten. Im Zeitalter der Reizüberflutung sind die Sinne der Kunden auf qualitativ hochwertige Bilder und knappe, schlüssige Texte sensibilisiert. Die Einsatzmöglichkeiten dieser Videos sind breit gefächert. Vom Einkaufszentrum über Präsentationen vor Ort beim Kunden, im Flugzeug, in öffentlichen Räumen (Erlaubnis einholen!), auf Messen und Ausstellungen, bei Seminaren und Schulungen etc.

Sie können auch Kopien an den Einzelhandel verteilen, der sie dann während der Geschäftszeiten ablaufen läßt. Oder Sie verschicken an ausgewählte Kunden eine Kassette zur Ansicht – auf die Gefahr hin, sie nie wiederzusehen. (Bei den Produktionskosten fällt das kaum ins Gewicht!) Ein Video wirkt oft besser und ist vor allem unterhaltsamer als ein klassisches Mailing.

Wenn Sie an eine solche Produktion denken, haben Sie einen langen Weg vor sich. Denn Sie brauchen eine Geschichte, ein Thema. Das kann ein neues Produkt oder ein Firmenimage sein, besser ist aber eine richtig gute, witzige oder spannende Idee, die vom Produkt weg und zum Kunden hinführt. Auch hier gilt: Glorifizieren Sie nicht Ihr Produkt oder das Unternehmen, sondern den Nutzen, den *benefit*, den Ihre Kunden daraus gewinnen können! Zeigen Sie statt der drögen Anwendungsbeispiele lieber, wie ein Kunde durch Ihr Produkt seine Lebensqualität steigern kann. Erfinden Sie kleine Geschichten, in denen der Produktnutzen – ob rational oder emotional – Probleme löst. Erzählen Sie Kurzkrimis, Slapsticks oder Science-fiction. Erfinden Sie eine Sympathiefigur und erwecken Sie sie zum Leben! Wenn Sie unabhängig von einem bestimmten Produkt Ihr Image aufpolieren möchten, dann erfinden Sie Situationen, in denen der Kunde ohne Ihre Dienste gar nicht mehr leben kann – überspitzt ausgedrückt. Kleine Mißgeschicke, kurze Anekdoten.

Eine weitere wichtige Regel lautet: Erschlagen Sie die Zuschauer nicht mit Informationen und geballten Textblöcken, sondern arbeiten Sie mit Musik, mit Naturgeräuschen und Atmosphäre. Weniger Text ist gleich mehr Wirkung. Uralt, aber in diesem Zusammenhang hochaktuell: Ein Bild sagt mehr als tausend Worte. Und ein bewegtes Bild sagt mehr als tausend Standbilder mit Untertitel. Packen Sie Ihre Zielgruppe bei ihrer Eitelkeit! Ein hochwertiges Firmenvideo mit einer wirklich guten Story und einem schlüssigen benefit als Kernaussage führt dazu, daß sich die Zuschauer (in diesem Falle die potentiellen Kunden) regelrecht ob dieser professionellen Präsentation geehrt fühlen. Nach dem Motto „Der ganze Aufwand dreht sich um mich!" funktioniert die Kundenakquise auf emotionaler Ebene. Natürlich läßt sich ein objektiver Produktnutzen damit nicht ersetzen, aber zumindest wirkungsvoll unterstreichen!

Ein wirksames Motto für den *Hörfunk* lautet: Bieten Sie Ihrer Zielgruppe Kino für die Ohren! Der Hörfunk eignet sich hervorragend zur Stabilisierung eines bereits eingeführten Markennamens und zur Verbreitung von firmenbezogenen Neuigkeiten oder Veranstaltungstips. Weniger geeignet ist dieses Medium zur Neueinführung eines Produktes oder eines Namens, weil hier der optische Reiz fehlt. Konzentrieren Sie sich deshalb auf eine klare, leicht verständliche Aussage im Zusammenhang mit Ihrem Produkt und setzen Sie die Funkspots ergänzend zu einer Print- und/oder TV-Kampagne ein.

Arbeiten Sie mit akustischen Aha-Effekten wie Tierstimmen, Naturgeräuschen, verfremdeten Stimmen. Wichtig: Dialoge wirken meistens besser als Monologe. Erfinden Sie zwei Personen, Tiere oder Pflanzen und lassen Sie sie sprechen. Oder geben Sie Ihrem Produkt eine witzige Stimme. Eine starke Idee erübrigt eine Penetrierung des Namens! Im Idealfall verschmelzen Produkt und Idee zu einer unverwechselbaren Einheit mit hohem Wiedererkennungswert. Vermeiden Sie den üblichen Aufmacher „Jetzt neu!" oder „Ja, jetzt können auch Sie..." Und buchen Sie nicht genau den Sprecher, der bereits 2/3 des Werbeblocks synchronisiert. Natürlich erreichen Sie über den Hörfunk bevorzugt Berufstätige, die den ganzen Tag über – ob im Büro oder am eigenen Schreibtisch zuhause – das Radio laufen lassen, um auf dem neusten Stand zu bleiben, oder die ganz einfach die Geräuschkulisse lieben und sich davon inspirieren lassen. Dazu kommen die Hausfrauen, eine gerade im Konsumentenbereich unverzichtbare Zielgruppe. Nicht zu vergessen die große Menge der Autofahrer, die wegen der Verkehrsdurchsagen das Radio grundsätzlich einschalten.

Hier finden wir eine genau definierte und kalkulierbare Zielgruppe vor – ein Idealfall. Wenn Ihr Kunde in dieses Raster paßt, müssen Sie sich nur noch Gedanken um das Sendegebiet und die Sendezeit machen. Wo wohnt Ihr Kunde? Ist er eher ein Typ, der öffentlich-rechtliches Programm hört oder bevorzugt er die privaten Sender? Vergleichen Sie die Themenschwerpunkte der Privaten. Sport, Kultur, Musik, Politik,

Wirtschaft – viele haben sich eindeutig spezialisiert. Schalten Sie dort, wo auch Ihr Kunde seine Informationen beziehen könnte! Wann sitzt Ihr Idealkunde im Auto? Wann macht er Mittagspause und dreht das Radio lauter? Bei privaten Sendern kostet die Werbesekunde zwischen DM 2,50 und DM 59 je nach Tageszeit. Ausnahmen bilden Radio NRW Nordrhein-Westfalen mit dem Spitzensatz von DM 180 und Antenne Bayern mit bis zu DM 105 pro Werbesekunde. Übrigens: Manche Sendestationen führen regelmäßig Umfragen und Untersuchungen bezüglich ihrer Hörerstruktur durch. Fragen Sie nach den Ergebnissen! Daraus können Sie wertvolle Erkenntnisse gewinnen, die Sie vor kostspieligen Fehlschaltungen bewahren.

4. Promotionveranstaltungen – Werbung hautnah an der Zielgruppe
Wo die Elemente klassischer Werbung und cleveren Veranstaltungsmarketings aufeinandertreffen, entsteht Bewegung. Dynamik. Promotion. Eine Spielwiese für phantasievolle Unternehmer. Und genau da scheint seit Beginn der Neunziger ein Problem zu liegen. Wie ist es zu erklären, daß so viele große und kleine Firmen ihre Agenturen damit beauftragen, Promotionkampagnen zu konzipieren? Vielleicht ist ihnen die kindliche Begeisterung abhanden gekommen, mit der einige erfolgreiche Unternehmer seit Jahren wirklich gute Promotion konzipieren? Denn hier geht es nicht um werbliches Fachwissen, um Statistiken und kalkulierbare Risiken. Nein, eine gehörige Portion Spieltrieb, eine konkrete Vorstellung von den Wünschen der Zielgruppe, jede Menge ausgefallener Ideen und eine gesunde Menschenkenntnis sind das Handwerkszeug für die Planung und Durchführung von Promotions. Frei nach dem Motto „Wenn der Kunde nicht zu mir kommt, muß ich eben zum Kunden gehen" werden Strategien entwickelt, die Zielgruppe vor Ort anzusprechen, zu begeistern und an das Unternehmen zu binden. Wobei nicht das pure Verkaufen im Vordergrund stehen darf – das spüren die potentiellen Kunden und fühlen sich genervt! – sondern Spaß, Spaß und nochmals Spaß. Wie konzipiert man nun eine Promotionkampagne? Zu allererst ist wieder einmal ein kreatives Brainstorming angesagt. Ziehen Sie speziell Mitarbeiter hinzu, die auf direkte Weise mit Ihrer Zielgruppe zu tun haben. Sei es, daß sie dazu gehören oder über Freunde und Familie enge Kontakte zu potentiellen Kunden pflegen.

Zu Beginn legen Sie fest, um welche Produkte bzw. Themenschwerpunkte es in Ihrer Kampagne gehen soll. Vielleicht die Einführung eines neuen Produktes? Abgesehen von den klassischen Verkaufshilfen wie Testmustern, Werbegeschenken und Warengutscheinen brauchen Sie jetzt einige originelle Ideen, wie Sie die potentiellen Kunden für Ihr Produkt begeistern können. Listen Sie die typischen Meetingpoints Ihrer Zielgruppe auf. Kinos, Geschäfte, Fußgängerzonen, Theater, Erlebnisbäder, Sportzentren, Clubs, Tanzschulen etc. Kooperieren Sie mit diesen Einrichtungen bei

Veranstaltungen! Die populärsten Promotionveranstaltungen sind Konzert-, Sport- oder Theaterabende, die zwar von einem Unternehmen finanziert werden, was durch Plakate, Firmenlogos und Werbegeschenke deutlich sichtbar ist, die sich aber ansonsten nicht von herkömmlichen Veranstaltungen unterscheiden. Hier können Sie ansetzen. Warum veranstalten Sie nicht einmal in der Fußgängerzone ein Open-air, möglichst in Zusammenarbeit mit den ansässigen Geschäften? Geben Sie dieser Veranstaltung einen griffigen Namen und rühren Sie kräftig die Werbetrommel. Straßenkünstler, Artisten und Musiker verteilen sich im Sommer überall in der Stadt. Warum bieten Sie ihnen nicht ein Forum, wo sie sich einen ganzen Tag lang präsentieren können? Dann haben Sie Ihre Attraktion, und wenn Sie dazu noch eine Bar mit ausgefallenen Getränken aufbauen, ziehen Sie Stadtbummler in rauhen Mengen an. Dekorieren Sie die Kulissen mit typischen Firmenmotiven, Schriftzügen oder Elementen aus Ihrer klassischen Werbung. Veranstalten Sie ein Gewinnspiel, bei dem ein ungewöhnlicher und attraktiver Hauptgewinn winkt. Ein Solarmobil, eine exotische Reise etc. Organisieren Sie eine „Schnitzeljagd" mit verschiedenen Etappen in der Fußgängerzone – natürlich firmengerecht gestaltet –, an denen die Passanten Preisfragen beantworten müssen. Kooperieren Sie mit Reisegesellschaften, Autoherstellern, Designern. Wer es etwas bescheidener mag, kooperiert mit anderen Unternehmen und veranstaltet eine Branchenpromotion – dabei ergeben sich oft interessante Kombinationen!

Wenn Sie im Rahmen einer solchen Veranstaltung dann Ihre Werbegeschenke oder Testmuster verteilen, verbinden Sie damit beim Kunden die Erinnerung an eine richtig gute Party in der Stadt.

Ergänzend könnten Sie sich überlegen, welche Produkte Ihr Sortiment zwar nicht umfaßt, die aber als Ergänzungsgeschäft mit Ihrem Angebot kombiniert werden könnten. Geben Sie eine „Limited edition" heraus, Accessoires oder kleine Luxusartikel, die nur bei Ihnen erhältlich sind und nicht im Handel. Uhren, Brillen, ein Buch, Radios, Terminkalender, Füller etc. Vielleicht kreieren Sie ein neues Sammelobjekt?

Veranstalten Sie eine große Testaktion Ihres neuen Produktes. Interessenten können sich per Postkarte um die Teilnahme bewerben und liefern am Ende der Testphase einen detaillierten Bericht ab, der dann in den einschlägigen Medien veröffentlicht wird. Damit schlagen Sie gleich mehrere Fliegen mit einer Klappe: Sie genießen eine dauerhafte Publicity, Sie sind durch objektiv wirkende Berichterstattung präsent und bleiben auch unter den Kunden im Gespräch. Sie sehen, Promotion heißt nichts weiter, als ein Produkt in unterhaltsamen, kurzweiligen Aktionen einzusetzen. Denken Sie nur an den weltweiten Erfolg der legendären „Camel trophy", eine Expedition unter abenteuerlichen Bedingungen, für die sich immer wieder unglaublich viele Teilnehmer bewerben. Das Wir-Gefühl, der Nervenkitzel und der Hauch von Abenteuer schaffen einen bleibenden Eindruck bei den Teilnehmern, der sich zwangsläufig mit der Zigarrettenmarke verbindet.

Denken Sie daran: Die entscheidenden Fragen auf der Seite Ihrer Kunden sind immer dieselben: Was habe ich von dieser Aktion? Bekomme ich etwas umsonst? Habe ich etwas, das andere nicht bekommen können? Und macht mir das Ganze überhaupt Spaß? Sorgen Sie dafür, daß im Rahmen Ihrer Promotion der Kunde alle diese Fragen mit ja beantworten kann. Und Sie haben gewonnen.

5. Außenwerbung

Bei diesem Wort denken wir an Plakate, Litfaßsäulen und ... – ja, woran noch? Sind Ihnen schon einmal die Leuchttafeln im Parkhaus aufgefallen? Ein idealer Platz, um spezielle Zielgruppen zu erreichen. Beispiele: Ein Inkassobüro wirbt in unmittelbarer Nähe zum Landgericht, ein Speditionsunternehmen neben einem großen Baumarkt, ein Juwelier in der Tiefgarage eines großen Geschäftskomplexes, ein Grußkartenhersteller neben dem Postamt, ein Klaviertransportunternehmen direkt unter einem Musikalienhandel. Die Liste läßt sich beliebig fortsetzen. Noch sind die Preise niedrig, da zur Zeit noch das Angebot die Nachfrage übersteigt. Ein völlig zu Unrecht unterschätzter Werbeträger!

Oder die Schaukastenwerbung an den Bushaltestellen – vor ein paar Jahren dachte noch niemand daran! Hier erreichen Sie natürlich berufstätige Pendler und Schüler. Und denken Sie an riesige Schriftzüge auf Stadtbussen und an öffentlichen Gebäuden, an die Bandenwerbung im Eisstadion, an die Wände der Aufzüge in Kaufhäusern und Geschäftskomplexen und, und, und.

Voraussetzung für gelungene Außenwerbung ist ein starkes Motiv, im Idealfall aus einer Anzeigenkampagne. Fragen als Headline bleiben eher im Gedächtnis als Behauptungen. Zitate, je prominenter, umso besser, ziehen auch heute noch. Begleiten Sie eine Plakataktion von Anzeigen, Aufklebern und Postkarten. Wie wäre es mit einer Plakatwand, die Passanten zum Malen oder Schreiben auffordert? (Motto: Die Zielgruppe will mitspielen.) Nach einer Woche haben Sie ein Kunstwerk voller Graffity, Parolen und Skizzen vor sich, das Sie dann z.B. für einen guten Zweck versteigern könnten. Und schon haben Sie wieder eine Aktion, über die es sich zu berichten lohnt. – Im Großraum Hamburg ist zur Zeit ein völlig neuartiges Projekt in Planung: die *interaktive Litfaßsäule*. Für 1995 ist im Großraum der Hansestadt die Installation von ca. acht elektronischen Litfaßsäulen geplant. Hier können sich Passanten per Fingerdruck die gewünschte Werbung oder Information anzeigen lassen.

Mediamix – die Zutaten entscheiden

Während in den vergangenen Jahren der Anteil an sogenannten Mono-Kampagnen nur unwesentlich gesteigert wurde, hat der Mediamix, also die Kombination der verschiedenen Medien, erheblich zugenommen. Die Gesellschaft für Konsumforschung GfK hat in einer langfristigen Studie bewiesen, daß Mediamix-Kampagnen eine deutliche Steigerung der Marktanteile gegenüber Mono-Kampagnen bewirken können. Auch aus rein praktischen Gründen empfiehlt sich die Aufteilung eines Werbeetats auf verschiedene Medien. Eine Printkampagne durch Funkspots zu unterstützen ist effektiv und verstärkt die Wirkung auf den Verbraucher.

Zehn goldene Regeln der Werbeansprache

Vor Ihnen liegen zahlreiche kreative Wege, auf denen Sie Ihre Produkte und Ihr Unternehmen in das wertegewandelte Denken Ihrer Zielgruppe transportieren können. Eine schöne, manchmal anstrengende und nie langweilige Aufgabe. Doch auch hier gibt es einige goldene Regeln, an denen Sie sich nicht vorbeimogeln sollten. Sie entscheiden nicht unbedingt über Umsatzsteigerungen oder Einbußen. Aber in jedem Fall darüber, ob Ihre Zielgruppe Sie akzeptiert oder nicht. Und wer außer Ihrer Zielgruppe bestimmt wohl darüber, ob Ihre Produkte gekauft werden oder nicht? Hier die „goldenen Regeln" im Überblick:

1. Versuchen Sie nie, es allen recht zu machen. Wenn Sie Jugendliche ansprechen, dann schlagen Sie auch deren Tonart an. Auf die Gefahr hin, daß die ältere Generation aus dem Ohrensessel stürzt.
2. Nerven Sie Ihre Zielgruppe nicht! Wenn Sie eine wirklich tragfähige Idee für Ihre Kampagne haben, brauchen Sie den Kunden nicht zusätzlich noch fünf Mal den Firmen- oder Markennamen in die Ohren oder Augen zu drücken.
3. Vergessen Sie bei aller Kreativität niemals die Worte „Menschenwürde" und „Gürtellinie" und – und das, was sie für Sie persönlich bedeuten.
4. Geldausgeben tut weh. Lindern Sie diesen Schmerz, indem Sie Ihren Kunden zeigen, daß sich die Ausgabe für sie lohnt.
5. Testen Sie Ihre Kampagne immer zuerst im kleinen Kreis, bevor Sie damit auf Ihre Zielgruppe losgehen.
6. Lassen Sie Ihre Zielgruppe nicht allein. Sorgen Sie immer für eine direkte Reaktionsmöglichkeit. Ob über eine 0130-Hotline oder Coupons, Hauptsache, der Kunde kann seiner Begeisterung (oder seinem Ärger) Luft machen.
7. Vermeiden Sie reißerisches Geschrei und inflationären Gebrauch von Superlativen. Nicht nur in Ihrer Werbung, sondern auch im persönlichen Gespräch.

8. Bleiben Sie bei der Wahrheit. Immer und in jedem Fall. Wenn die Kunden Ihrem Versprechen nicht mehr trauen können, was wird dann aus Ihrem Unternehmen?
9. Der Mann entscheidet, welches Auto gekauft wird, während die Frau die Farbe aussucht. Ganz bestimmt. Berücksichtigen Sie die Kaufgewohnheiten Ihrer Zielgruppe.
10. Beherzigen Sie die Erkenntnisse der Lifestyle-Typologie und machen Sie sich diese in all Ihren Werbekampagnen zunutze!

Ist Ihnen im Verlauf dieses Kapitels etwas aufgefallen? Haben Sie etwas vermißt? Richtig, wir haben bislang über Ihr Produkt und dessen USP gesprochen, über die Erarbeitung und Definition Ihrer Zielgruppen und darüber, wie Sie diese am besten erreichen können. Aber was ist eigentlich mit Ihnen und Ihrer Identität? Oder besser gesagt, mit der Identität Ihres Unternehmens? Denken Sie noch einmal an das Beispiel „Nordsee“ – ein klarer Fall von Kundenfindung durch eine neue Corporate Identity. Worum handelt es sich bei diesem Schlagwort? Beleuchten wir dies im nächsten Kapitel. Diesmal geht es also nicht um Ihre Kunden, die Zielgruppe oder die klassischen Werbemaßnahmen, sondern in erster Linie um Sie. Um Ihre Persönlichkeit, Ihren Charakter und Ihre Unternehmensphilosophie. Wir zeigen Ihnen, wie Sie systematisch und mit minimalem Aufwand ein klar erkennbares und positives CI (kurz für Corporate Identity) in der Öffentlichkeit aufbauen und vor allem halten können.

AUF EINEN BLICK

1. Der erste Schritt, neue Kunden zu finden, beginnt mit dem eigenen Produkt. Definieren Sie Ihr Produkt. Begründen Sie, warum es jemand kaufen sollte. Finden Sie heraus, welches Problem Ihr Produkt für wen zu lösen hilft.
2. Als nächstes erarbeiten Sie den USP, den einzigartigen Verkaufsvorteil Ihres Produkts. Wichtig: Hat Ihr Produkt bzw. Ihre Dienstleistung keinen USP, dann konstruieren Sie ihn. Bilden Sie Ihn heraus! Bleiben Sie dabei aber ehrlich und denken Sie an den Kundennutzen.
3. Dann erarbeiten Sie Ihre Zielgruppe. Denken Sie daran: Der Kunde ist keine undefinierbare Person, sondern ein Mensch aus Fleisch und Blut. Geben Sie ihm ein Gesicht, einen Namen, eine Identität. Entmystifizieren Sie ihn! Die Basiskriterien hierfür sind denkbar einfach: Alter, Familien-

stand, Beruf, Hobbies, Präferenzen in Kleidung und Essen sowie die Freizeitgestaltung.
Methoden dazu sind:
(1) Ausarbeiten alles dessen, was Sie über den Kunden wissen.
(2) Die Lifestyle-Typologie.

4. Als nächsten Schritt betrachten Sie die Welt der Werbung aus der Sicht Ihres Kunden. Lesen Sie die Zeitschriften, die er liest. Schauen Sie sich die Fernsehprogramme an, die er ansieht, mit den Werbespots. Machen Sie sich mit seiner Sichtweise vertraut.
5. Überlegen Sie sich nun Ihre Methode der Kundenansprache. Dies sollte zielgruppenorientiert geschehen. Dazu kommen beispielsweise in Frage:
   - ❒ die Vorlieben Ihres Kunden,
   - ❒ die Wünsche Ihres Kunden,
   - ❒ die Träume Ihres Kunden,
   - ❒ die Probleme Ihres Kunden,
   - ❒ die Ängste Ihres Kunden

   und andere Methoden der Ansprache, abhängig von der Zielgruppe.
6. Wählen Sie das richtige Medium der Zielgruppenansprache aus. Nehmen Sie das Medium, mit dem Sie Ihre potentiellen Kunden am sichersten und zur richtigen Zeit erreichen. Achten Sie darauf, daß das Umfeld stimmt, in dem Sie mit Ihrer Werbebotschaft auftreten.
   Medien bzw. Wege, unter denen Sie wählen können, sind:
   (1) Zeitschriften,
   (2) Zeitungen,
   (3) Funk, TV, Video und Teletext,
   (4) Promotionveranstaltungen,
   (5) Außenwerbung.
   Oft ist auch ein Mix dieser Medien sinnvoll.
7. Beherzigen Sie die zehn goldenen Regeln der Werbeansprache.

2. So erarbeiten Sie sich effektvoll eine Corporate Identity

Feuer, Sturm und Erdbeben mögen meine Gebäude, meine Einrichtungen und meine Waren zerstören – ich verliere nicht viel, wenn mir das Vertrauen meiner Kunden erhalten bleibt.

John Wanamaker

Jeder spricht vom Corporate Identity (CI), kaum einer außer den Großen des Big Business weiß, was wirklich dahinter steckt. Werden wir ruhig einmal etwas philosophisch: Was ist eigentlich die Identität, die Wesenheit? Man kann es mit Persönlichkeit, Eigenart, Charakter übersetzen. Eine spezifische Philosophie. Die Summe der verschiedenen Erscheinungsweisen, mit denen ein Unternehmen sich intern und extern präsentiert, heißt CI. Corporate Identity. Eine eingeführte Marke ist folglich nichts weiter als CI in Reinkultur. Wie stellen Sie sich z.B. eine „Frau Knorr" vor Ihrem geistige Auge vor? Richtig, sie ist eine ganz liebevolle Familienmutter, gepflegt, aber nicht gestylt, humorvoll, energisch und immer bereit, sich um jemanden zu kümmern. Sie verbinden also mit dem *Namen Knorr* eine klare *Identität.* Die Botschaft vom „Essen mit Lust und Liebe" und die damit verbundenen Assoziationen von Familie, heiler Welt und gutem Essen sind vom Hersteller durchaus beabsichtigt und werden von Ihrem Unterbewußtsein aufgebaut – dagegen können Sie sich kaum wehren. Ganz anders dagegen würde ein „Herr Apple Macintosh" erscheinen: jung, dynamisch, attraktiv, sehr modern und erfolgreich. Oder? Das ist CI in allerhöchster Vollendung. Es gibt eine Reihe von Untersuchungen, die die Effektivität von CI-Maßnahmen belegen. Beispiel: die Aktienkurse von Gesellschaften, die CI praktizieren, liegen durchschnittlich um ca. 40 Prozent höher als die Kurse von „identitätslosen" Unternehmen! Ein weiterer Maßstab ist die Abnahme der Fluktuationsrate und die Verringerung des Krankenstandes. Die Mitarbeiter sind begeisterungsfähiger, und das läßt sich wiederum messen an den steigenden Verkaufszahlen bei der Verkäufermannschaft, an einer verringerten Ausschußquote, an einer Verbesserung des Betriebsklimas.

Fragen Sie sich nun selbst einmal: Wie stellen Sie sich „Herrn Mercedes" vor? „Herrn BMW?" Eine „Frau Cartier"? Einen „Herrn Sony"? Mehr unbewußt als bewußt verbinden wir mit bestimmten Marken zugleich bestimmte *Eigenschaften*, die durchaus menschlichen Charakter haben! Und was noch wichtiger ist: Oft übertragen wir solche Eigenschaften auch auf den Käufer der Marke. Die CI eines Unternehmens darf daher nicht im Widerspruch zur Identität seiner Zielgruppe stehen! Bevor wir diese Theorie mit Beispielen aus der Praxis veranschaulichen, seien zunächst die exakten Schritte aufgezeigt, wie man sich eine CI erarbeitet.

Geben Sie sich ein neues Gesicht

Als allerersten Schritt muß sich ein Unternehmer darüber klar sein, warum er sich bzw. sein Unternehmen gerade so und nicht anders darstellen möchte. Diese Selbstanalyse ist ein langer, beschwerlicher Weg, und Sie werden jetzt vielleicht denken: so ein Kinderkram. Aus dem Alter bin ich doch raus. Machen Sie trotzdem mit – Sie sind nicht allein! Es kostet Sie nur ein paar Minuten. Zuerst beantworten Sie diese ganz zentralen Fragen in bezug auf Ihr Unternehmen bzw. Ihre Aktivität in diesem Unternehmen (in bezug auf Sie als Unternehmer oder leitender Angestellter, als Vertriebsleiter oder Verkäufer ebenso wie in bezug auf Ihr Unternehmen):

- ❐ Wer sind wir?
- ❐ Was stellen wir in den Augen der Öffentlichkeit dar?
- ❐ Wo stehen wir in Relation zum Wettbewerb?
- ❐ Welches traditionelle Image bringen wir mit?
- ❐ Was wollen wir erreichen, wie und in welcher Zeit?

Diese im Grunde simplen Fragen führen dazu, Ihre *Unternehmensphilosophie* auszuformulieren und auf den Punkt zu bringen. Fällt Ihnen dazu spontan jeweils eine passende Antwort ein? Gar nicht so einfach. Sie möchten wissen, ob denn so eine tiefschürfende Feststellung überhaupt notwendig sei, und ob man nicht besser gleich zu den unmittelbaren CI-Aktivitäten des Unternehmens kommen sollte? Darauf gibt es nur eine Antwort: Alle Probleme, die Menschen mit sich und ihrem Leben haben, entstehen überwiegend aus der Nichtbeantwortung dieser substantiellen Fragen. Je gründlicher Sie sich also damit auseinandersetzen, umso besser. Es ist erst der erste Schritt – aber er gibt Ihnen Klarheit über Dinge, die Sie bislang in dieser Deutlichkeit noch nicht gesehen haben.

Human Relations, oder: Ein leerer Sack kann nicht stehen

Identifizierung mit der Identität eines anderen basiert darauf, daß die Chemie stimmt, zwischen Menschen, zwischen Unternehmen, zwischen Kunden und Anbieter. Das beginnt schon mit dem internen zwischenmenschlichen Vertrauen – dem Ihrer Mitarbeiter in ihr eigenes Unternehmen. Sie brauchen das Vertrauen der Mitarbeiter in ihr Unternehmen, um glaubhafte CI-Kampagnen betreiben zu können. Werben Sie um dieses Vertrauen! Der nächste Schritt heißt daher: Gründen Sie eine *Projektgruppe Human Relations!* Unabhängig von Ihrer Werbeabteilung. Definieren Sie das Ganze in Ihrer täglichen Konferenz und in einem außerordentlichen Rundschreiben als Experiment, das nur „Nicht-Werbeleute" durchführen können. Das ist sehr wichtig, denn damit vermeiden Sie Kompetenzrangeleien von vornherein. Achtung: Meistens fühlen sich die Unternehmer selbst bzw. die erste Führungsebene als oberste Instanz. Machen Sie jedoch nicht den Fehler, alles selbst durchführen zu wollen!

Ihre Hauptaufgabe als Mitglied des Managements bei einer konstruktiven Diskussion ist es, motivierte Mitarbeiter aus der dritten oder vierten Führungsebene auszuwählen und hundertprozentig zu unterstützen. Versuchen Sie, dafür Mitarbeiter zu gewinnen, die sich schon „von Natur aus" mit Image- und Identitätsfragen auseinandersetzen. Es versteht sich von selbst, daß diese Projektgruppe nicht mal eben einen Nebenjob für die Geschäftsführung zu erledigen hat, sondern während ihrer Arbeit teilweise vom Tagesgeschäft freigestellt werden muß! Diese Projektgruppe soll nun die folgende Aktion durchführen:

Operation Fragebogen
Lassen Sie eine hausinterne Umfrage mit den oben genannten fünf Fragen durchführen, die Sie natürlich entsprechend Ihrem Unternehmen variieren können. Dieser Fragebogen soll von jedem einzelnen Mitarbeiter ausgefüllt werden – vom Pförtner bis zum Prokuristen. Da die Mitarbeiter ihr Unternehmen oft viel realistischer sehen als die erste Führungsebene dies kann, ist eine ausnahmslose Beteiligung aller obligatorisch. Selbstverständlich anonym, das erhöht den Wahrheitsgehalt erfahrungsgemäß ungemein. Denken Sie an Ihre Schulzeit!

Denkbare Fragen sind zum Beispiel:

1. Wie beurteilen Sie (Noten von 1–6 möglich)
   - Ihre eigene Produktivität?
   - Das Leistungsangebot des Unternehmens?
   - Den Führungsstil?
   - Die architektonische und technische Ausstattung des Unternehmens?
   - Den Informationsfluß innerhalb der Abteilungen?
   - Das Ansehen des Unternehmens am Markt/in der Öffentlichkeit?
2. Wie definieren Sie Ihre Zukunftsperspektive?
3. Werden Ihre Veränderungsvorschläge gewöhnlich registriert oder eher ignoriert?
4. Fühlen Sie sich in unserem Unternehmen wohl?
5. Wie sehen Sie das Unternehmen im Vergleich mit der Konkurrenz?
6. Was würden Sie als erstes ändern, wenn Sie einen Tag lang volle Entscheidungsbefugnis in allen Abteilungen hätten?

Stellen Sie sich darauf ein, unbequeme Antworten zu bekommen. Das ist nicht gerade angenehm, aber vergessen Sie nicht: Motivierte und engagierte Mitarbeiter sind

Ihr wertvollstes Kapital! Und Sie sind auf das Vertrauen Ihrer Mitarbeiter angewiesen. Zu 100 Prozent. Also nehmen Sie die Antworten nicht zu persönlich, sondern dankbar als konstruktive Kritik an. Nur so können Sie auf schlafende Problemherde aufmerksam werden und sie bekämpfen.

Die Projektgruppe wird nun diese Antworten auswerten – spätestens hier ist die Werbeabteilung heilfroh, mit diesem Job nichts zu tun zu haben! – und eine Statistik erstellen, die unter den genannten Fragen jeweils die am häufigsten auftauchenden Antworten in eine Art Fazit umformuliert. Das ist eine echte Sysiphusarbeit – aber es lohnt sich. Sie werden die eine oder andere Überraschung erleben – positiv wie negativ! Oft werden Sie über grob formulierte, aggressive Beschwerden stolpern – schließlich ist die Aktion anonym. Doch die werden Sie dazu bringen, sich auf neues, unbekanntes Terrain zu begeben.

Sie werden ganz automatisch versuchen, jede Anregung vor Ihrem geistigen Auge in die Tat umzusetzen. Stellen Sie sich Ihr Unternehmen in der Zukunft vor, wie es Ihren Vorstellungen zu 100 Prozent entspricht. Träumen Sie ruhig eine ganze Weile! Haken Sie sich nicht an PR fest, sondern lassen Sie in Ihrer Phantasie ganz ungewohnte, progressive Anzeigen, Aktionen, neue Produkte und neue Mitarbeiter in neuen Positionen etc. entstehen – nur so zum Spaß! Natürlich könnten Sie auch im Alleingang ein Unternehmensbild am Reißbrett entwerfen – unter Ausschluß der Öffentlichkeit, aber wie glaubwürdig wäre dies für die Mitarbeiter, wenn sie darauf keinen Einfluß gehabt hätten?

Von der CI zur CD

Vielleicht stöhnen Sie darüber, daß die Definition einer CI im Augenblick gleichbedeutend mit einem ganzen Haufen Arbeit ist, der im Zweifelsfalle intern, aber genausogut auch von einer versierten Agentur übernommen werden kann. Aber sind Sie erst einmal bis hierher gekommen, dann ist der nächste Schritt sehr viel einfacher. Denn diese interessante, vielfältige und starke Persönlichkeit, Ihr Unternehmen, Ihre Marke möchte jetzt ins rechte Licht gesetzt werden. Wir sprechen vom Corporate Design oder kurz CD. Dazu gehören im einzelnen:

- ❒ Der Firmenname und die Formulierung einer griffigen Wortmarke (vgl. BMW, AEG, AOK, Quelle, Maggi ...),
- ❒ Gestaltung des Namenszuges,
- ❒ Gestaltung einer Hausschrift,
- ❒ Auswahl der Firmenfarben,
- ❒ Layout der Geschäftspapiere,
- ❒ Layout für Messestände, Gebäude, Möblierung etc.,
- ❒ Formulierung der Design-Richtlinien für Produkte,

- ❐ Formulierung eines Firmenslogans,
- ❐ Festsetzen von Werbeschwerpunkten,
- ❐ Kleidungsrichtlinien für Außendienst und Repräsentation,
- ❐ Auswahl des Fuhrparks,
- ❐ Entwicklung der Richtlinien für Gebrauchsanweisungen, Verpackungen...

Vielleicht sind Sie der Meinung, daß eben diese Punkte bei Ihnen bereits seit Jahren eingeführt und bewährt sind? Täuschen Sie sich nicht! Kunden gewöhnen sich an vieles, aber sie verlieren das Interesse, wenn sie spüren, daß sich in einem Unternehmen über Jahre hinweg nichts verändert! Deshalb: Zögern Sie auf keinen Fall, ein überkommenes und angestaubtes Corporate Design im Rahmen einer Corporate-Identity-Aktion einfach über den Haufen zu werfen und sich in einem neuen Outfit zu präsentieren. Irgendwann spüren Sie, wie sich eine neue, aufregende Persönlichkeit, eine Identität aus den verschiedenen Punkten herauskristallisiert. Nun ist es aber auch höchste Zeit, die graue Theorie mit einigen griffigen und bekannten Praxisbeispielen zu untermauern. (Die hier angegebenen Beispiele wurden nach Möglichkeit direkt an der Quelle, also den jeweiligen Agenturen oder den Unternehmen selbst recherchiert, teilweise auch anhand von Fachpublikationen.)

Der Weg zum Felsen

Das Unterfangen klingt äußerst schwierig: Nach seiner 163jährigen Firmengeschichte beschließt die *Württembergische Versicherung AG* in Stuttgart, sich ein neues Outfit, ein neues Image zuzulegen. Wie würden Sie vorgehen? Richtig: Zuerst ist eine gründliche Bestandsaufnahme erforderlich.

1. Die Situation

Die Württembergische kann zwar auf eine lange Firmenhistorie zurückblicken, in der kompetente Beratung und Betreuung im Vordergrund standen. Sie verfügt jedoch nur über eine mangelhaft ausgeprägte CI, welche wenig Identifikationsmöglichkeiten für die Zielgruppen bietet. Im Klartext: Die Zielgruppe kann sich kein konkretes Bild von der Württembergischen machen, weil Assoziationsmöglichkeiten und griffige Claims und Symbole fehlen. Dadurch ist ein leicht angestaubtes Versicherungsklischee entstanden – das nun beseitigt werden soll.

2. Die Analyse

Die Marketingabteilung der Württembergischen sichtet und analysiert verschiedene relevante Marktuntersuchungen und definiert die anzusprechenden Zielgruppen. Dabei stellt sich heraus, daß gerade bei jungen Paaren und Familien ein entsprechender

Versicherungsbedarf besteht. Also: Die „neue Württembergische" muß auch imstande sein, jüngere Personen zu begeistern. Doch wie bekommt man nun ein junges, frisches Image mit den Firmencharakteristiken Seriosität und Zuverlässigkeit unter einen Hut?

3. Die Zielsetzung

Die Württembergische soll als das solideste, seriöseste Versicherungsunternehmen auf dem deutschen Markt dargestellt werden. Ziel ist es deshalb, ein neues, positives Image aufzubauen, das sowohl Beständigkeit als auch Weiterentwicklung und Vertrauen symbolisiert. Das bedeutet, kein werblicher Einsatz von Leistungsangeboten, sondern eine klare, ansprechende Orientierung, die unabhängig vom Leistungsangebot steht. Und das Ganze mit der Auflage, das überkommene Klischee von der angestaubten Versicherung durch eine neue Firmenidentität zu ersetzen.

4. Die Ausschreibung

Natürlich läßt sich solch ein Vorhaben nicht in den eigenen Büros konzipieren. Deshalb wird der Etat ausgeschrieben, woraufhin vier namhafte Agenturen ihre Ideen vorstellen. Die Württembergische holt den Rat von Experten ein und testet die Wirkung dieser unterschiedlichen Entwürfe durch ein Marktforschungsinstitut an 400 Personen, während die Versicherungsgesellschaft intern ebenfalls umfangreiche Tests vornimmt. Die Ergebnisse sind überraschend eindeutig: Der „Fels in der Brandung" von der Agentur Baums, Mang und Zimmermann aus Düsseldorf erzielte die höchste Akzeptanz. Weshalb?

5. Die Kampagne

Gute Ideen erkennt man häufig daran, daß sie spontane Reaktionen auslösen. Die Befragten reagierten emotional positiv auf den Felsen als Symbol für Sicherheit und Solidität. Unmittelbare Assoziationen zum Motiv: Stabilität, Ruhe, Langfristigkeit, Solidität. Auch die Mitarbeiter der Württembergischen wurden in diese „Testphase" einbezogen. Stichworte zur Kampagne waren unter anderem: sympathisch, verständlich, klar, originell und: emotional. 92 Prozent aller Befragten hielten die Idee für unverwechselbar – womit der entscheidende Schritt zur Entwicklung einer CI bereits getan wäre. Die Zielsetzung wurde voll erfüllt, jetzt konnte es an die Umsetzung gehen.

6. Die Realisation

In Südafrika finden die Kreativen nach langer Suche schließlich die optimalen Felsformationen und Lichtverhältnisse, um die Aufnahmen für die Anzeigenkampagne zu produzieren. Der entsprechende TV-Spot wird in Portugal in Zusammenarbeit mit einer portugiesischen Filmproduktion gedreht.

7. Der Erfolg
Der gesamte Werbeauftritt hebt sich durch seine Ruhe in Darstellung und Musik positiv vom ansonsten sehr bewegten, lauten Werbeumfeld ab. Durch einen ausgeklügelten Mediamix werden die Zielgruppen in Print, Funk und Fernsehen mit insgesamt 242 Millionen Kontakten optimal erreicht. Die Kampagne erfüllt zwei wesentliche Aufgaben: Der Bekanntheitsgrad wird meßbar erhöht, während gleichzeitig die Identität der Württembergischen – Kompetenz, Vertrauen, Sicherheit – transportiert wird. Der „Felsen“ gilt bereits kurz nach Anlaufen der Kampagne als Symbol für die Stabilität der Württembergischen.

Dieses Beispiel zeigt, wie selbst ein seit über 160 Jahren aktives Unternehmen ein neues, zeitgemäßes, werbewirksames und vor allem authentisches Image aufbauen kann. Eine lange Firmenhistorie ist also kein Grund, ein konservatives, leicht angestaubtes Unternehmensbild zu kultivieren! Doch nicht immer geht es darum, ein überkommenes Image aufzupolieren. Auch junge, neu gegründete Unternehmen müssen ihre CI-Kampagne entwickeln. Wie dies mit Bravour von einem privaten Radiosender gelöst wurde, zeigt das folgende Beispiel.

Anders als die Konkurrenz – aber wie?
Wird ein neues Unternehmen gegründet, dann stellt sich ebenfalls die Aufgabe, ein einheitliches Design und eine Identität aufzubauen. Der noch junge private Radiosender FFH mit Sitz in Frankfurt/Main ist ein aktuelles Beispiel dafür, welchen Stellenwert bereits zum Zeitpunkt der Firmengründung ein nahezu perfektes CI einnimmt. Blicken wir ein bißchen hinter die Kulissen.

1. Die Situation
Der Hessische Rundfunk sendet seit Ende des Zweiten Weltkriegs sein landesweites Radioprogramm. Wer kannte ihn nicht, den legendären „Frankfurter Wecker“ während der 50er Jahre, damals moderiert von Peter Frankenfeld, der mit diesem Hörfunkjob den Grundstein seiner Fernsehkarriere legte? In Frankfurt nun einen privaten Radiosender anzusiedeln, der ebenfalls landesweit sendet und darüber hinaus noch teilweise dieselbe Zielgruppe anspricht wie der Hessische Rundfunk, bedeutet für Planer und Gesellschafter eine echte Herausforderung.

2. Die Analyse
Der HR besitzt aufgrund seiner vielfältigen Sendestruktur und zahlreicher Spezialsendungen ein festes Stammpublikum, das sowohl Jugendliche als auch Berufstätige und Senioren umfaßt. Deshalb gilt es, zuerst Lücken und Schwachstellen im HR-Pro-

gramm zu finden und diese mit einem neuen Sender effizient abzudecken. Dazu wurde systematisch analysiert:

Was vermissen die HR-Hörer? Wann schalten sie um? Welche Programmbereiche sind über- oder unterrepräsentiert? Warum? Existiert eine erkennbare Themenlastigkeit? Wie wird das musikalische Programm gestaltet?

3. Die Zielsetzung

Ein unkonventionelles, frisches Radioprogramm in landesweiter Ausstrahlung als Alternative zum Hessischen Rundfunk mit Namen Radio FFH. Charakteristische Eigenschaften: hörernah, aktuell, dynamisch, lebendig. Eigenschaften, die dem HR vom Publikum nicht mehr einhellig bescheinigt werden. Und genau hier liegt die Chance für das erklärte Fernziel: Den HR zu überrunden und Nr. 1 in Hessen zu werden. Zugegeben, ein hohes Ziel. Aber durchaus realistisch, wie sich in naher Zukunft herausstellen sollte.

4. Die Ausschreibung

Außer den genannten Charaktereigenschaften hatte der noch in Gründung befindliche Sender FFH kein Image und erst recht keine Identität. Klar war lediglich die Notwendigkeit, den Unterschied zum HR herauszustellen. Mit anderen Worten: Die Idealeigenschaften „jünger, aktueller, hörernäher" mußten in einen Slogan bzw. ein Logo gepackt werden und auf einen Blick erkennbar sein. Eine Spielwiese für die Kreativen! Also ging man ans Werk. Allen abenteuerlichen Ideen zum Trotz setzte sich der einfachste, geradlinigste Entwurf durch: Das Logo Radio FFH mit dem grünen Bogen auf weißem Grund. Dazu der Slogan: „Wir kommen rüber", eine direkte und klare Botschaft. Der Entwurf der Agentur Saatchi & Saatchi war gekauft.

5. Die Realisation

Wie der Slogan mit dem Logo entstand, weiß selbst bei den Kreativen keiner mehr so ganz genau. Eine typische Spontanidee, die schlicht und einfach jeden begeisterte und klar herausstellte, worauf es bei Radio FFH ankommt: Der Bogen symbolisiert einerseits die umfassende, landesüberspannende Berichterstattung des Senders, andererseits die solide Verbindung zwischen Hörer und Sender, die durch den Slogan unterstützt wird. Dazu entschied man sich für die Hausfarbe Mint, eine moderne, kühle und trotzdem lebendige Farbe, die sich werblich vielseitig einsetzen läßt.

6. Es geht los!

Im November 1989 fiel der Startschuß zur ersten Radio-FFH-Sendung. Nun ist ein gutes Programm zwar unerläßlich für den Erfolg eines Senders, doch die auf dem Präsentationstisch so einfach aussehenden Vorgaben müssen natürlich durch handfeste

Aktionen untermauert werden. Und damit man sich gleich von den etablierten Sendern gehörig abhob, wurde ein bedeutendes Unterscheidungsmerkmal sofort installiert: Die Nachrichten, die jeder gewohnt ist, pünktlich zur vollen Stunde zu hören, wurden einfach fünf Minuten früher gesendet als bei der Konkurrenz – um fünf vor!

7. Radio findet nicht nur im Radio statt

Darüber hinaus galt es, unabhängig vom Programm, diverse *Aktionen* durchzuführen, die auf den Sender aufmerksam machen sollten. So wurde kurz nach Sendestart im Sender der FFH-Shop ins Leben gerufen, klassisches Merchandising, bei dem Werbeartikel von der Sporttasche über die Armbanduhr, das klassische T-Shirt, Kaffeetassen, Regenschirme und Mützen bis hin zu den FFH-CDs angeboten werden. Das Logo ist fester Bestandteil der Artikel, ebenso wie die Hausfarbe Mint bei fast allen Produkten dominiert. Wozu diese Einrichtung gut sein soll? Ganz klar: Durch die FFH-Artikel werden Hörerkontakte vertieft, es entsteht eine regelrechte Insidermentalität, die beispielsweise durch eine FFH-Jacke oder das passende Sweatshirt demonstriert wird.

8. Transparenz nach innen und außen

Interessant ist auch die Präsentation der Mitarbeiter nach außen. Wo andere Sender mit Autogrammkarten arbeiten, verschickt Radio FFH ein dekoratives Poster, auf dem in Paßbildgröße sämtliche FFH-Mitarbeiter vom Pförtner bis zum Moderator abgebildet sind – ohne Jobbezeichnung, alle sind nur namentlich genannt. Was dazu führt, daß man unwillkürlich nach bekannten Namen oder Gesichtern sucht und zwangsläufig das Poster immer wieder betrachtet.

Hörernähe und Identifikationsmöglichkeit haben sich die Macher des Senders auf alle Fahnen geschrieben. Deshalb tragen beispielsweise sämtliche Firmenwagen das FFH-Logo und sind in den Hausfarben Weiß und Mint lackiert. Im gleichen Look ziehen ein Hubschrauber und zeitweise sogar ein Zeppelin[1] am Himmel ihre Runden. Zahlreiche Outdoor-Aktionen wie Festivals, Reportagen, Spiele, Konzerte etc. sorgen für Aufmerksamkeit und garantieren dafür, daß sich die FFH-Hörer auch optisch etwas unter ihrem Sender vorstellen können und immer wieder mit ihm in Berührung kommen. Geldwerte Gewinnspiele oder Publikumserschrecker am Samstagmorgen („Vorsicht, das Radio ruft ohne Vorwarnung an!“) –, alles das sind Aktionen, mit denen der Sender Zug um Zug eine wachsende Zuhörerschaft an sich bindet. Mit anderen Worten: In ihren Köpfen entsteht eine Identität, eine CI. Meßbares Ergebnis 1994: Radio FFH löst den Hessischen Rundfunk in der Gunst der Hörer, sprich Quoten, als Nummer eins in Hessen ab. Womit die Zielvorgaben der Radiomacher erfüllt waren.

1 Die Zeppelinaktion wurde nach einem tragischen Unfall abgebrochen

Und zwei weitere Beispiele in aller Kürze, die die Anwendung des Know-how um Corporate Identity und Corporate Design auf wunderbare Weise veranschaulichen.

Imagewandel auf die feine englische Art
Traditionsreiche Automarken? Da fallen uns gleich ein paar klangvolle Namen ein, formschöne Figuren ziehen vor unserem geistigen Auge vorüber. Darunter auch das alte Firmenwappen des englischen Edelfabrikanten Rover, ein stilisiertes Schiff mit vom Wind geblähten Segeln, stimmts? Doch das Image des englischen Labels hatte in den vergangenen Jahren einen schweren Stand. Zu störanfällig die Technik, zu identitätslos die Fahrzeuge. Selbst überzeugte England-Fans trauten der Marke kein Comeback mehr zu. Tenor: „Schlechte Qualität, uninteressante Autos." Bis Ende der achtziger Jahre Margaret Thatcher kurzentschlossen den Konzern privatisierte, rund 80 Prozent der Anteile an die British Aerospace verkaufte und zu guter Letzt den japanischen Qualitätshersteller Honda als neuen Partner an Land zog. Mit durchschlagendem Erfolg. Die Kooperation mit den Japanern führte zu einer Renovierung der Produktpalette. Und bald darauf machte Rover auch bei internationalen Vergleichstests der Fachpresse wieder eine gute Figur. Der Grund: Heute steckt unter den typisch englischen, nach wie vor edlen und auf Understatement zielenden Karosserien in den meisten Fällen Honda-Technik. Eine sehr verkaufsträchtige Symbiose: Feinstes Wurzelholz, stilvolle Chromakzente neben robuster japanischer Technik. Und die frisch aufgeputzte Produktpalette gefiel nicht nur den Verbrauchern, sondern sogar den Herren der bayerischen Edelmarke BMW so gut, daß sie kurzerhand in Rover einstiegen und damit ihre Marktanteile verdoppelten – sehr zum Ärger der Honda-Anteilseigner, die damit ihre Position und ihren technischen Einfluß auf die Entwicklung der Rover-Modelle gefährdet sahen. Ferner griff Rover mit seiner erweiterten Produktpalette in fremde Marktsegmente ein und konkurriert seitdem mit Saab, Volvo und Lancia.

Doch von internen firmenpolitischen Vorkommnissen bekam der Verbraucher so gut wie nichts mit. Dafür umso mehr vom geradezu revolutionären Werbeauftritt! 1994 tritt Rover mit einer ganz neuen, unverschämt frischen Werbekampagne an die Öffentlichkeit.

Dies hängt nicht zuletzt mit dem Agenturwechsel zusammen: Seit Anfang 1993 betreut nicht mehr BSB Frankfurt, sondern die Düsseldorfer Agentur Holtkamp, Müller, Kentenich & May die englische Marke. Auffälligstes Merkmal: In den Anzeigen und Plakaten wird nicht wie bei der klassischen Automobilwerbung das Auto zum Hauptgegenstand erkoren, sondern die Botschaft, die sich durch das Zusammenspiel von Bild und Text ergibt. Diese Form des Automobilauftritts ist neu und nicht ganz ungefährlich, weil auf die bisher unentbehrlichen Themen wie Design, Technik oder Modellvarianten verzichtet wird. Des weiteren verblüffend ist: Nicht englisches Understatement, nicht Bescheidenheit und „less is more" stehen im Vordergrund, sondern freche, doppeldeutige Texte. Headlines wie „Shock your Neighbour" über einem Visual, bei dem der verstohlene Blick durch die Fensterjalousie einen nagelneuen Rover zeigt, oder „Sind die Briten nicht ganz dicht?" als Titel einer Cabrioanzeige sind alles andere als schüchtern. Dazu kommt eine sehr unkonventionelle Tonart im Anzeigentext, der stets vom Abbinder „You're welcome" gekrönt wird. Parallel dazu tritt Rover mit Fernsehspots auf, die für sich sprechen: Da torkelt beispielsweise ein gutgekleideter Herr mit einem Holzbrett vor der Stirn durchs Bild, während in der linken Bildhälfte das Fahrzeug präsentiert wird. Der Off-Text erklärt in sehr britischem Tonfall sinngemäß, daß „dieser Herr wohl niemals einen Rover fahren wird, da er bereits stolzer Besitzer der Holzmenge ist, die Rover in seinen Armaturen verarbeitet". Pause, dann fügt der Sprecher ein bedauerndes „Schade eigentlich!" hinzu.

Der gewünschte Schockeffekt stellt sich unmittelbar nach dem eigentlichen Verstehen des Spots ein, ebenso bei den Anzeigen und Plakaten. Und die Zielgruppe ist gespalten: „Unverschämtheit!" beschweren sich die einen, „Genial!" jubeln die anderen. Gemeinsamer Nenner: Das Ganze fällt auf. Angesichts solch unterschiedlicher Reaktionen könnte man glauben, Rover sei mit seiner Kampagne etwas über das Ziel hinausgeschossen. Doch weit gefehlt, die Unruhe gehört zum Kalkül. Warum?

Mit dem Wechsel der Werbeagentur waren auch Überlegungen fällig, welche neu zu gewinnenden Zielgruppen Rover ansprechen wollte. Die Rover Deutschland GmbH in Neuss sprach von einem *„fast start"*, einem kurzfristigen, meßbaren Relaunch ihrer Marke. Dazu gehörte, daß binnen kurzem sowohl eine Steigerung der Marktpräsenz als auch ein spektakulärer Imagewechsel transportiert werden sollte. Also überlegte man sich, welche Käuferkreise sich wohl für die „neue" Rover-Philosophie begeistern könnten. Herausgekommen sind genau jene Kreise, die auf subtile Aggression und englischen Humor ansprechen, über einen gewissen Intellekt verfügen und sich von der breiten Masse abheben wollen. Mit anderen Worten, der sprichwörtliche Otto Normalverbraucher zählt nicht zur Rover-Zielgruppe. Statt dessen alle jene, die „anders" als andere Käufer sind und sich auch so definieren würden. Also genau diejenigen, die sich vom frechen Rover-Auftritt nicht auf den Schlips getreten fühlen.

Der individuelle Anspruch wird auch im Motto der Rover-Imagewerbung dokumentiert: „Be different, be individual." Persönlichkeit, Individualität, unkonventionelles Denken und Progressivität sind die entscheidenen Charaktereigenschaften, die sich Rover für die Zukunft auf die Fahnen geschrieben hat. Und mit denen sich die neue Zielgruppe identifizieren soll.

Unterstützt wird die klassische Werbung von zwei Händleraktionen im Frühjahr und im Herbst 1994 zur Einführung des Cabriolets bzw. des Rover 600 mit gleichzeitigen Direct-Mailings- und Promotions-Aktionen. Vorerst aufmerksamkeitsstärkster Streich der Rover-Kreativen in Düsseldorf: Eine Anzeige mit dem Titel: „Steuertricks sind fies, aber machen Spaß!“ Darunter wurden die enorm günstigen Leasingkonditionen für den Rover 827i erläutert... Alles in allem ein spektakulärer, unkonventioneller Auftritt, der der traditionsreichen Marke Rover nicht nur sprunghaft ansteigende Verkaufszahlen, sondern vor allem ein deutlich charmanteres Image beschert hat – die beste Voraussetzung für einen kontinuierlichen Erfolgskurs!

Ein prägnante Identität ist jedoch nicht nur für das Unternehmen selbst unverzichtbar, um glaubwürdig am Markt auftreten zu können. Auch die *Produkte* besitzen im Idealfall eine eigene Persönlichkeit, die sie klar von den Alternativprodukten der Konkurrenz unterscheidet. Und genau wie eine Unternehmensidentität ist auch die *Markenpersönlichkeit* einer kontinuierlichen Entwicklung unterworfen, sie verändert sich und paßt sich der Marktsituation an. Ein eindrucksvolles Beispiel für die Entwicklung einer Markenpersönlichkeit ist die Erfolgsstory eines kleinen, unansehnlichen Hustenbonbons.

Fisherman's Friend – vom Hustenbonbon zur Trendpastille der 90er Jahre

Die steile Karriere des braungrauen Zuckerovals begann 1865 im englischen Fleetwood. James Lofthouse, seines Zeichens Kneipenwirt, braute aus Lakritze, Eukalyptus und Menthol einen Hustentrunk, der den bronchitisgeplagten Hochseefischern helfen sollte. Leider waren die historischen Glasflaschen dem rauhen Seegang nicht gewachsen, weshalb Lofthouse das Gebräu mit Zucker eindickte und kleine Kügelchen aus der Masse formte. Richtig: Die Rede ist von den scharf-würzigen Rachenputzern *Fisherman's Friend.* Trotz des durchschlagenden regionalen Erfolgs dieser wohltuenden Pastillen reichte der Ruf der Hustenbonbons nicht über die Grenzen der Küstenregion hinaus. Bis die Frau des Enkels von James Lofthouse das Potential der würzigen Fischerfreunde erkannte und sie international vermarktete. Heute produziert das Lofthouse-Unternehmen rund sechs Milliarden Bonbons pro Jahr, das bedeutet: Rein statistisch verspeist fast jeder Mensch rund um den Erdball ein Fisherman's Friend im Jahr. Unglaublich, finden Sie nicht?

Wie muß nun eine so geschichtsträchtige Marke über die Jahre hinweg präsentiert werden, um erfolgreich zu bleiben? Zumal sie ja ursprünglich ausschließlich als Fischermedizin gedacht war und nicht auf den internationalen Markt zugeschnitten. Antwort: Man sucht nach weiteren potentiellen Zielgruppen. Und achtet darauf, das Produkt stets zeitgemäß zu präsentieren. Hier hat Fisherman's Friend mit seiner schlichten Papiertüte keine Probleme, sie liegt ganz im Öko-Trend der Zeit. Ebenso die streng kontrollierten, rein natürlichen Zutaten. Darüber hinaus wurde im Zuge des „Sugarfree“-Booms in der 80er Jahren die Produktpalette um eine zuckerfreie Fisherman's-Friend-Version erweitert. Doch wie ist das mit den Zielgruppen? Fischer gibts nun mal nicht überall, schon gar nicht im europäischen Binnenland, und der zugegeben strenge, scharfe Geschmack der Pastillen ist nicht unbedingt Sache der verwöhnten Städtergaumen. Also muß gerade diese Eigenschaft möglichst überzeugend und exklusiv dargestellt werden. Es hätte wenig Sinn, würde man Fisherman's Friend als ein mildes, harmonisch schmeckendes Bonbon verkaufen wollen – demnach hilft nur die Flucht nach vorn. Grundüberlegung: Wozu könnte so ein extremer Geschmack nützlich sein? Und wie machen wir ihn der breiten Masse im wahrsten Sinne des Wortes schmackhaft? Zuerst fällt uns natürlich die klassische Mundgeruchproblematik ein: Alkoholkontrollen auf dem nächtlichen Heimweg, Raucheratem beim privaten tête-à-tête, lästiger Knoblauchgeruch und so weiter. Plötzlich eröffneten sich ganz neue Zielgruppenkreise! Und beim Stichwort Rauchen fiel den Kreativen auch gleich eine bislang vernachlässigte Zusatzfunktion des Rachenputzers ein. In Zeiten steigenden Gesundheitsbewußtseins verzichten immer mehr Menschen bewußt auf das Rauchen. Das Problem: Die Ersatzbefriedigung, nach der sich viele angehende Ex-Raucher sehnen. Schokolade? Schlecht für die Zähne und zu ungesund. Chips? Zu fettig und ebenfalls nicht allzu gesund. Und Bonbons? Tja – hier kommt Fisherman's Friend zum Einsatz. Völlig unabhängig von Bronchialbeschwerden oder Erkältung dient das scharfe Freundchen einerseits zur Oralbefriedigung, anderseits vertreibt der scharfe Mentholgeschmack jedes noch so schwache Nikotinaroma restlos aus dem Mund.

Zusätzlich bewirkt die extreme Aromatisierung durch Menthol und Eukalyptus ein täuschend echtes Inhalierererlebnis – ein vollwertiger und gesunder Ersatz des Glimmstengels sozusagen.

Um das Image der Pastille endgültig auf den neusten Stand zu bringen, wurde eine wahrhaft erfrischende Werbekampagne entwickelt. Ziel war es, Fisherman's Friend nicht nur als akuten Hustenlöser und Atemfrisch darzustellen, sondern darüber hinaus die phönomenale Wirkung des Menthols auf die Psyche zu dokumentieren. Mittels einfachster Symbolsprache vermitteln die TV-Spots das extreme Aromaerlebnis: Ein Fisherman's-Friend-Fan steckt sich verstohlen eine Pastille in den Mund. Fragt eine zufällig daherkommende Person: „Wie schmecken denn die?" Der Gefragte reagiert nicht, statt dessen braust hörbar eine riesige Welle heran und überschüttet den Neugierigen gründlich. Dazu verkündet der Abbinder ultimativ: „Nie fragen – kaufen!" In der Variante dazu bekommt eine Fisherman's-Friend-Verwenderin das Wasser über den Kopf, begleitet vom Abbinder: „Nie antworten – anbieten!" Geistiger Vater dieser einprägsamen und wirklich gelungenen Kampagne ist übrigens der Schweizer Kabarettist Emil Steinberger. Vermutlich konnte er sich wie fast jeder andere Fisherman's-Friend-Entdecker dem Frischeschock des so harmlos aussehendes Bonbons nicht entziehen und versuchte auf diese Weise, ihm Ausdruck zu verleihen...

Fassen wir noch einmal zusammen. Natürlich kann ein CI weder Qualität noch Kompetenz ersetzen – es ist demnach absolut zwingend, die angestrebten Erscheinungsweisen in der Öffentlichkeit auch durch Tatsachen zu untermauern! Schon allein deshalb, weil sich jeder im Unternehmen damit identifizieren sollte. Denn wenn Sie nicht dahinter stehen, weshalb sollte es dann Ihr Kunde tun?

Die Leitlinien für ein CI-Programm beginnen wie gesagt stets bei einer tiefschürfenden Rundum-Bestandsaufnahme. Es gibt Unternehmen, die eine sehr genaue Vorstellung davon haben, für welche Kunden und Verbraucher sie da sind. Sie lassen die Finger weg von Zielkreisen und Märkten, auf denen sie entweder nicht operieren wollen oder von denen sie zu wenig verstehen. Sie konzentrieren sich voll auf ihre Präsenz in den angepeilten Märkten... Noch einmal zur Erinnerung: Corporate Identity steht für die Identität Ihres Unternehmens einschließlich des CD in Form von optischer Präsenz durch Geschäftspapiere, Visitenkarten und Ausstattung. Human Relations sind die zwischenmenschlichen Verknüpfungen und das interne Vertrauen – und Public Relations sind erforderlich, um das Ganze medienwirksam nach außen an die Öffentlichkeit zu transportieren. Und damit direkt zu Ihren Kunden.

AUF EINEN BLICK

1. Ihre Corporate Identity ist die erkennbare Unternehmenspersönlichkeit, mit der Sie an Ihre Kunden herantreten und mit der sich Ihr Kunde identifizieren sollte. Je klarer die CI, desto einfacher ist es für Ihre Kunden, Sie „wiederzufinden“.
2. Entwickeln Sie eine klar erkennbare Unternehmensidentität. Dazu müssen Sie innerhalb des eigenen Unternehmens eine Arbeitsgruppe gründen. Umfragen bei den Mitarbeitern helfen dabei, die CI klar herauszuarbeiten.
3. Genauso wie Sie eine konkrete Vorstellung vom Charakter und der Identität Ihrer Zielgruppe benötigen, braucht der Kunde ein faßbares Bild Ihres Unternehmens, Ihrer Dienstleistungen. Dabei hilft Ihm Ihr Corporate Desing. Bieten Sie ihm eine klare, optische Linie (z.B. durch gutes Briefpapier, attraktive Prospekte etc.) und eine verständliche Firmenphilosophie, unter der man sich auch ohne Hintergrundinformationen etwas vorstellen kann.
4. Bleiben Sie Ihrer CI und Ihrem CD, nachdem sie einmal entwickelt wurde, auf jeden Fall in den wesentlichen Charaktermerkmalen unbedingt treu.

3. So meistern Sie Ihre Public Relations

Wenn ein junger Mann ein Mädchen kennenlernt
und ihm erzählt, was für ein großartiger Kerl er ist,
so ist das Reklame. Wenn er ihm sagt, wie reizend
es aussieht, so ist das Werbung. Wenn es sich aber für
ihn entscheidet, weil es von anderen gehört hat,
er sei ein feiner Kerl, dann war das PR.

Alwin Münchmeyer

Der auffälligste Unterschied der Public Relations zur klassischen Werbung liegt in der Plazierung. PR beginnen dort, wo Anzeigen und Werbespots aufhören. Bei Zeitschriften und Tageszeitungen im redaktionellen Teil, bei den audiovisuellen Medien beim sogenannten „Product Placement" und in redaktionellen Beiträgen. Kritiker mokieren sich häufig, daß PR eine Grauzone zwischen seriöser Berichterstattung und reiner Werbung darstellen. Tatsache ist, daß nachweislich in bestimmten Fällen der nachhaltige Markterfolg eines Produktes erst durch aufmerksamkeitsstarke, informative PR-Maßnahmen erzielt werden konnte. Und wie sollte ein Unternehmen um öffentliches Vertrauen werben, wenn es dabei nicht auf Berichterstattungsebene arbeiten darf? Schlagworte wie Krisenkommunikation, Aufklärungsarbeit oder Informationspflicht gehen weit über die Möglichkeiten der klassischen Werbung hinaus und sind erst durch professionelle Public Relations verantwortungsvoll zu bewältigen.

Werbung um öffentliches Vertrauen – was ist das?
Wir alle sind PR-Profis von bestem Format. Bereits als Neugeborene betreiben wir PR: In der Klinik, im Kinderwagen, im Kindergarten und die ganze Zeit danach bis zum Erwachsensein sind wir damit beschäftigt, uns in einem möglichst vorteilhaften Licht darzustellen. Wer kennt sie nicht, die Teenager und Jugendlichen, die hinter dem Rücken der Erwachsenen den gröbsten Unfug treiben und trotzdem niemals dafür bestraft werden? Sie haben ein so überzeugendes Bild von sich in der Öffentlichkeit, sprich im Familien- und Bekanntenkreis gezeichnet, daß niemand auf die Idee käme, sie für derbe Streiche verantwortlich zu machen. PR-Profis mit Rotznase: kaum zu glauben, nicht wahr? Für fast alle funktioniert der Weg zur berühmten „weißen Weste" in den Augen der Umwelt bereits als Kind durch die Regel: „Tu Gutes und rede darüber." Und wenn es nichts zu reden gibt, laß Dir etwas einfallen. Deshalb sind PR und Imagepflege kaum voneinander zu trennen. Während PR vorwiegend der Steigerung

des positiven Bekanntheitsgrades dient, sorgt die konsequente Imagepflege für einen Sympathievorschuß und Vertrauen in der Öffentlichkeit.

Was verändert sich während einer PR-Kampagne?

Die erste und stärkste Veränderung kann man in der *Einstellung der Mitarbeiter* zu ihrem Unternehmen beobachten. In der Regel überschauen die Mitarbeiter nur einen kleinen Teil ihres Unternehmens. Oft ist das „Schwarze Brett" die einzige Informationsplattform. PR-Aktionen hingegen zeigen ihnen, wo es langgeht. Sie können sich besser orientieren, engagieren und wissen, wofür sie arbeiten. Sie haben nun das Gefühl, „ich bin nicht nur eine Nummer auf der Gehaltsliste, sondern ein wichtiger Teil dieses Betriebes". Das Wir-Gefühl wird durch konsequente PR erheblich gesteigert. Dies wird unter anderem durch rückläufige Krankmeldungen dokumentiert.

Die zweite Veränderung spielt sich beim *Kunden* ab. Durch PR wird ein Unternehmen transparent – sowohl für die Mitarbeiter als auch nach außen hin. So kommt es, daß manche Kunden durch eine PR-Kampagne überhaupt erst einmal erfahren, mit wem sie es eigentlich zu tun haben. Die Reaktion ist erfahrungsgemäß sehr positiv und stabilisiert die Kundenbeziehung entscheidend.

Die dritte Veränderung liegt in der *Zukunftsperspektive*. Unternehmen entwickeln durch die im letzten Kapitel beschriebene CI-Kampagne und die daraus folgenden PR-Aktionen automatisch Zukunftsvisionen und Pläne, die quer durch alle Abteilungen die Mitarbeiter beflügeln. In hitzigen Diskussionen werden Gedanken ausgetauscht, neue Konzepte entwickelt und unkonventionelle Ideen zur Realisation gebracht. Hier werden plötzlich kreative, produktive Kräfte freigesetzt, die sonst vielleicht nie aktiviert worden wären.

PR beginnen im eigenen Büro!

Die Verantwortung der Public Relations wird häufig ausschließlich in der Arbeit mit den Medien gesehen. Doch aus diesem Fehlschluß können irreparable Schäden entstehen! In dieser Eindimensionalität liegt nämlich ein entscheidender Denkfehler:

Jede nach außen gerichtete Information – sei es an die Presse oder an die Kunden des Hauses – hinterläßt spürbare Veränderungen innerhalb des Unternehmens. Die Mitarbeiter nehmen jede Berichterstattung seismographisch wahr. Positive wie negative. Der interne Schaden z.B. einer negativen Pressemeldung kann daher erheblich sein! Unternehmenserfolg ist eindeutig von qualifizierten, motivierten Mitarbeitern abhängig. Natürlich ist kein Unternehmen sicher vor tendenziöser Berichterstattung. Kein Pressesprecher kann sie verhindern. Doch jedes Unternehmen kann Präventivmaßnahmen betreiben und damit ein wirksames Immunsystem gegen die zerstörerische Wirkung negativer Publicity aufbauen.

PR ist offene Kommunikation nach innen

In diesem Zusammenhang zwei goldene Regeln: Ein Unternehmen, welches minderwertige Qualität produziert und verkauft, kann sich um öffentliches Vertrauen bemühen, soviel es will – ohne Qualität geht gar nichts. Und ein ausgesprochen unsoziales Unternehmen, dessen Personalpolitik und Sozialleistungen stark zu wünschen übrig lassen, hat auch keine Chance, in einem vertrauenswürdigen Licht zu erscheinen. Denn sowohl für Produkte als auch die Mentalität eines Unternehmens fungieren die Mitarbeiter wie kleine Spiegel. Sie reflektieren ihre Einstellung zum Unternehmen nach außen – bewußt und unbewußt. Sie sind also in allererster Linie auf funktionierende Human Relations angewiesen!

Der erste Schritt dorthin war die Operation Fragebogen. Wer sich über die oben genannten Fragen klar ist, entwickelt ein sehr klares Selbstbewußtsein. Und aus diesem Bewußtsein erwachsen große Kräfte. Persönlichkeit. Identität. Gestärkt durch ein gesundes Selbstbildnis, das in einem unmerklichen Prozeß vom Unterbewußtsein jedes einzelnen Mitarbeiters nach und nach verinnerlicht wird, stehen einem Unternehmen dann alle Wege der Public Relations offen. Denn: Spektakuläre PR-Aktionen wirken glaubwürdiger und sehr viel effizienter vor dem Hindergrund einer starken Unternehmensidentität.

Grundsätzlich unterscheiden wir zwei Formen der Public Relations: Die reine *Produkt-PR* und die *Unternehmens-PR*, wobei eine glaubhafte Unternehmenskommunikation häufig lange vor der Produkt-PR stattfindet.

Zur Unternehmens-PR gehört eine transparente Darstellung der Firmenidentität nach innen und außen. Hauszeitschriften, Firmenzeitung und Imagebroschüren – die Möglichkeiten sind vielfältig. Und wichtig – nicht nur für Kunden! Sie müssen Ihr Unternehmen den Mitarbeitern immer wieder genauso schmackhaft machen wie den Kunden. Dazu sind nicht unbedingt teure Hochglanzbroschüren geeignet. Vielmehr sollten Sie sich auf folgende Punkte konzentrieren:

1. Geben Sie eine Hauszeitschrift heraus. Halten Sie die Mitarbeiter immer und jederzeit über aktuelle Tendenzen auf dem laufenden: neue Kunden, personelle Veränderungen der ersten und zweiten Führungsebene und die daraus resultierenden Konsequenzen – beschönigen Sie nichts!
2. Definieren Sie darin die mittel- und langfristigen Ziele Ihres Unternehmens so, daß sie jeder Mitarbeiter verstehen kann. Vermeiden Sie unternehmerisches Fachchinesisch!
3. Informieren Sie die Mitarbeiter durch Rundschreiben, Hausmitteilungen etc. über neue Produkte, neue technische Einrichtungen und damit verbundene Neuerungen!

4. Veranstalten Sie firmeninterne Wettbewerbe!
5. Richten Sie einen „Hausbriefkasten“ ein, in den die Mitarbeiter Verbesserungsvorschläge einwerfen können. Bieten Sie attraktive Geldprämien für gute, realisierbare Ideen. Das motiviert enorm!
6. Führen Sie ein Archiv, in dem alle Pressemeldungen und Publikationen, die das Unternehmen betreffen, aufbewahrt werden.

PR ist offene Kommunikation nach außen

Die öffentliche Meinung entscheidet, ob ein Produkt gekauft wird oder nicht. Was kann also wichtiger für Sie sein, als Ihre interne Unternehmenskultur und Philosophie so vorteilhaft und glaubwürdig wie möglich nach außen zu tragen? Betrachten wir zum Beispiel die Namensänderung der Texaco-Tankstellen in „DEA Service“ in den späten 80er Jahren. Zugpferd: die DEA-Öltheke. Diese wurde PR-technisch als Symbol und Beweis für den neuen, umweltfreundlichen und serviceorientierten Trend bei Tankstellen eingesetzt. Ein bisher exklusiver Service, der den kundenfreundlichen Charakter (nämlich die CI!) des Unternehmens dokumentieren soll. Vergleichbar sind auch die BP-Tankstellen. Mit einem neuen, freundlichen Outfit und erstklassigen TV-Auftritten, bei denen nicht etwa der Service, sondern die vielseitige Qualität des Treibstoffes und der enorme Forschungsaufwand der BP im Vordergrund standen, wurde eine Frequentierung der Tankstellen erzielt, die durch klassische Werbung ohne die optischen Veränderungen und zusätzlichen Leistungen nie möglich gewesen wäre.

Wie findet man nun heraus, welche PR-Maßnahmen konkret für welches Unternehmen geeignet sind?

Unkonventionelle Allianzen

Nehmen wir wieder ein wirkliches Beispiel aus dem Leben: Eine Restaurantkette möchte nicht länger mit ihrer Speisekarte allein werben und denkt über eine fetzige, aufmerksamkeitsstarke PR-Kampagne nach. Einige Zeit später verkünden die Tageszeitungen in dicken Lettern:

„PIZZA HUT ADOPTIERT FRANKFURTER FLAMINGOS!“

Tatsächlich hatte das Unternehmen ganz offiziell die Patenschaft der Flamingos im Frankfurter Zoo übernommen. Eine Aktion konzipiert von der Agentur J. Walter Thompson in Frankfurt. Hier steht keineswegs eine besonders große, phantasievolle Pizza im Vordergrund – die armen Flamingos! –, sondern es soll ein Sympathievorschuß für das Unternehmen, sprich: die Marke Pizza Hut, an sich aufgebaut werden.

Was am Ende wie das Ergebnis eines lustigen, kreativen Brainstormings klingt, ist das Ergebnis langer und komplexer Vorbereitungen.

Am Anfang war das Wort

Beginnen Sie mit einer akribischen Sammlung und mediengerechten Aufbereitung von Informationen über das Unternehmen. Damit sind alle nur denkbaren Informationen gemeint, die sich auch nur im entferntesten mit der Firma in Verbindung bringen lassen. Lesen Sie, was immer Sie in die Finger bekommen! Danach ist es wieder einmal Zeit für ein Brainstorming. Machen Sie eine Liste aller nur denkbaren Anlässe für eine publicityträchtige Berichterstattung über das Unternehmen im weitesten Sinne. Um nur einige zu nennen:

- ❒ Publikationen für Aktionäre,
- ❒ Aktivitäten in der Gemeinde,
- ❒ Spenden und Benefizveranstaltungen,
- ❒ Zusammenarbeit mit Schulen und Vereinen,
- ❒ Aufklärungsaktionen, z.B. über innovative Forschungstätigkeiten,
- ❒ Vorträge und Veranstaltungen,
- ❒ Regierungskontakte,
- ❒ Freizeitveranstaltungen, Workshops,
- ❒ Betriebsbesichtigungen,
- ❒ Kontakte mit den Medien,
- ❒ Pressekonferenzen,
- ❒ Pressemappen,
- ❒ Bilderdienst,
- ❒ Einrichtung einer Info-Hotline,
- ❒ Herausgabe von Broschüren und Büchern,
- ❒ Tag der offenen Tür,
- ❒ Jubiläumsfeste,
- ❒ Richtfeste,
- ❒ Einführung und Präsentation neuer Produkte,
- ❒ Ausschreibung von Berufsausbildungsplätzen.

Die Liste ließe sich beliebig erweitern. Kombiniert man nun einige dieser Punkte, können sehr spannende und mitunter originelle Aktionen herauskommen. Keine Angst vor unkonventionellen Ideen! Sie sind unter Umständen besser als ihr Ruf – siehe Flamingos…

Wie wird aus einem trägen Meeting ein kreatives Brainstorming?

Kreative Arbeit muß Spaß machen. Deshalb: Bevor Sie ein Meeting oder Brainstorming einberufen, sind Sie für die Atmosphäre verantwortlich. Gehen Sie mit Ihrem Team schwimmen, in die Sauna oder aufs Land zu einer zünftigen Weinprobe – nur schaffen Sie um Himmels Willen keine Prüfungssituation, in der jemand vor lauter Nervosität kaum frei sprechen kann. Die Teilnehmer müssen sich auf ein Meeting mit Ihnen freuen, es sollte im Idealfall der Höhepunkt der Woche sein. Beachten Sie im Hinblick auf solche Brainstormings folgende Regeln:

1. Gut vorbereiten! Erwarten Sie von Ihren Mitarbeitern nicht mehr als Sie selbst bereit sind zu tun. Sorgen Sie dafür, daß als Gesprächsgrundlage eine klar formulierte Zielsetzung vorliegt!
2. Paradiesvögel auswählen! Lassen Sie nicht immer die selben Leute über kreative Aufgaben nachgrübeln, sondern rufen Sie immer wieder neue, unverbrauchte Personen hinzu, die ursprünglich gar nichts mit dem Thema zu tun haben!
3. Gleichberechtigung ist absolut wichtig! Lassen Sie nicht zu, daß sich einzelne in den Vordergrund drängen und anderen das Wort abschneiden oder sie beeinflussen. Wer Ideen verlacht oder vom Tisch fegen will, muß sofort den Raum verlassen, denn selektiert werden darf hier auf keinen Fall!
4. Fragen sind die Basis für eine Lösung! Lassen Sie auch abschweifende, unorthodoxe Fragen zu, animieren Sie die Teilnehmer, nachzubohren und immer mehr Fragen zu stellen – und beantworten Sie diese!
5. Lassen Sie keine einzige Idee verlorengehen! Jeder Gedanke sollte unbedingt festgehalten werden. Setzen Sie einen Schriftführer ein oder lassen Sie ein Diktiergerät mitlaufen!
6. Humorvoll bleiben! Sorgen Sie dafür, daß eine entspannte, heitere Stimmung überwiegt. Machen Sie Witze, lassen Sie Kalauer zu und lachen Sie mit Ihren Mitarbeitern. Lachen entspannt die Nerven und fördert Kreativität!

Die Kampagne ist fertig konzipiert – und jetzt?

Sie sind ein mittelgroßer Papierfabrikant mit dem Schwerpunkt Schul- und Bürobedarf. Sie sind bisher überwiegend durch Produktwerbung und vereinzelte Umweltdiskussionen in der Öffentlichkeit präsent gewesen. Jetzt planen Sie einen positiven Auftritt, der unabhängig von Ihrem Produkt erfolgen soll. Ihre CI ist auf dem neuesten Stand, das Erscheinungsbild stimmt.

Vor Ihnen liegt das Konzept zur „Aktion Fahrradweg“. Ihr Unternehmen wird die Patenschaft für alle Radwege der Stadt übernehmen. Vom schmuddeligen Rotbraun werden Sie sie mit Ihren Firmenfarben in knallbunte Eye-catcher der Stadt verwandeln und überall, wo bisher auf den Radwegen gnadenlos geparkt wurde, stellen Sie Pflanzenkübel als Trennung zwischen Straße und Radweg auf. Was erreichen Sie damit?

Erstens: Die Sympathie der Radfahrer. Zweitens: Radfahrer, sprich Studenten, Angestellte und Schüler bilden einen erheblichen Anteil Ihrer Kunden. Drittens: Eine positive Presse über längere Zeit ist Ihnen sicher. Hervorragend! Was wollen Sie mehr? Richtig, da wäre noch etwas. Ihnen wird flau im Magen, wenn Sie an die Medien denken. Verständlich, im Zeitalter von Sensationsgeilheit und der Mode, sich mit vernichtender Kritik in Print und audiovisuellen Medien einen Namen zu machen, will der Umgang mit Presseleuten gelernt sein.

Vom Umgang mit Journalisten

Eines dürfen Sie niemals vergessen: Die Quelle sind Sie! Je detaillierter und klarer Sie Ihre Pressemitteilungen formulieren, umso weniger können die Journalisten hineininterpretieren. Sie reduzieren die Möglichkeit einer Verdrehung ins Negative ganz erheblich, wenn Sie statt zögernd und zurückhaltend ganz sicher und forsch auf die Presse zugehen, frei nach dem Motto: Druck es – oder laß es bleiben. Das klingt nicht gerade wie die feine Englische, aber Sie werden lachen: Wenn Sie es richtig machen, gewinnen Sie dadurch viel eher die Sympathie der Presseleute als wenn Sie zu unterwürfig und schüchtern auftreten.

Und um auf unser Beispiel zurückzukommen: In Sachen „Fahrradwege“ bedeutet das konkret:

1. Veranstalten Sie eine Pressekonferenz! Laden Sie alle regionalen Tageszeitungen, Radio- und TV-Stationen dazu ein, indem Sie ein kurzes, unkonventionelles Mailing an die betreffenden Redaktionen schicken. Bieten Sie einen kleinen Snack, ein paar Getränke und vor allem eine fertig vorbereitete Pressemappe an. Diese sollte enthalten: ein oder zwei Schwarzweißfotos, die auf Ihre Aktion Bezug nehmen (oder in diesem Falle beispielsweise eine Skizze der Fahrradwege, angefertigt durch ein Städteplanungsbüro), einen kurzen Pressetext von ca. einer Seite mit einer knackigen Headline, einige Hintergrundinformationen über Ihr Unternehmen.
2. Schalten Sie Anzeigen, in denen Sie den Beginn der Aktion als echtes Ereignis ankündigen! Das könnte ein Straßenfest sein, bei dem Sie oder ein Repräsentant Ihres Unternehmens den berühmten „ersten Pinselstrich“ durchführt. Denken Sie an das Motiv!
3. Geben Sie eine kleine, attraktive Broschüre heraus, in der Sie die Aktion mit vielen schönen Fotos dokumentieren!

4. Veranstalten Sie jedes Jahr eine Ausschreibung, bei der die originellsten Entwürfe zu Gestaltung der Fahrradwege prämiert und selbstverständlich in die Tat umgesetzt werden. Dadurch bleiben Sie präsent und die Presse kann sicher sein, immer wieder „Futter“ zu bekommen!

Das Geheimnis der PR-Sprache

Informationen wirken auf jeden anders. Deshalb ist es unumgänglich, Schrift und Sprache als Stilmittel einzusetzen, um eine positive Wirkung der Nachricht zu erreichen. Ganz wichtig: Die PR-Sprache, so es sie denn überhaupt gibt, darf auf keinen Fall mit Superlativen und reißerischen Floskeln gespickt sein. Vergessen Sie nicht: Sie schreiben für Journalisten und diejenigen, die Ihr PR-Ereignis mediengerecht verwerten, aber dadurch auch indirekt für Ihre Kunden!

1. *Sachlich bleiben!*
   Superlative haben in unserer Zeit eine ganz verheerende Wirkung auf die Glaubwürdigkeit einer Information. Das kann dazu führen, daß eine im Ansatz wahre Information durch inflationären Gebrauch von Übertreibungen mißverstanden und ins Gegenteil verkehrt wird.
2. *Bei der Wahrheit bleiben!*
   Die tollste Textidee wirkt in einer Pressemitteilung nur mäßig, wenn die Fakten zu wünschen übriglassen. Warten Sie nicht auf eine künstlerische Inspiration, sondern halten Sie sich an beweisbare und verifizierte Fakten, dann kommt die Idee von ganz allein!
3. *Lesefreundlich bleiben!*
   Sie schreiben nicht für Literaten und Nobelpreisträger. Sie produzieren Gebrauchsliteratur für Ihr Unternehmen, die von ganz gewöhnlichen Sterblichen gelesen werden soll. Nicht mehr und nicht weniger!
4. *Spannend bleiben!*
   Sie wollen Ihren Leser für Ihr Unternehmen begeistern und mobilisieren, sich eine positive Meinung darüber zu bilden. Es darf weder nach Manipulationsversuch noch nach oberflächlicher Phrasendrescherei aussehen.
5. *Persönlich bleiben!*
   Stehen Sie zu den Ereignissen in Ihrem Unternehmen? Dann schreiben Sie auch so. Verbindlich, freundlich und immer im „Wir-Stil“. Nicht selbstbeweihräuchernd von oben herab, sondern in der Sprache und auf dem Niveau Ihrer Kunden. Dann werden die Presseleute Ihre Meldung auch genauso wiedergeben.

6. *Aktuell bleiben!*
   Berichten Sie nicht wiederholt über alte Hüte, sondern lassen Sie sich immer wieder neue Aktionen einfallen. Und beziehen Sie immer und unter allen Umständen aktuelle Geschehnisse aus Politik und Gesellschaft mit ein.
7. *Übersichtlich bleiben!*
   Auch die Form eines Pressetextes ist wichtig. Schließlich soll Ihre Mitteilung dem Redakteur die Arbeit erleichtern. Achten Sie auf die folgenden Punkte:

- ❒ Unbedingt A4-Format verwenden.
- ❒ Auf dem ersten Blatt grob skizzieren, um was es geht. Das kann eine Schlagzeile sein oder auch einige Stichpunkte, die im Telegrammstil das Thema anreißen.
- ❒ Rechts und links einen mindestens drei Zentimeter breiten Rand für Korrekturen/Ergänzungen des Redakteurs lassen.
- ❒ Rechnen Sie damit, daß der Redakteur Ihre Meldung sofort mit seinen Korrekturen in den Satz gibt. Vermeiden Sie daher handschriftliche Texte oder umständliche Darstellungen.
- ❒ Definieren Sie die Rubrik, unter der Ihre Meldung veröffentlicht werden soll. Das Umfeld kann über die Wirkung Ihrer Information entscheiden!
- ❒ Schicken Sie Ihre Texte nur an den zuständigen Redakteur, nie an eine Redaktion allgemein. (Den zuständigen Redakteur kann man leicht durch einen Telefonanruf in Erfahrung bringen lassen.)
- ❒ Nennen Sie das Datum, ab wann die Meldung veröffentlicht werden darf, und bitten Sie vorab schon um ein Belegexemplar.

Diese Checklisten sind eine wichtige Hilfestellung, die ausschließlich dazu dient, auf Ereignisse innerhalb des Unternehmens aufmerksam zu machen und eine positive Grundstimmung zu erzeugen.

Kein Betrieb ist so klein, daß er auf PR verzichten sollte
Erinnern wir uns: Bereits als Kinder waren wir um gute Public Relations bemüht. Da verwundert es dann doch, wenn wir beobachten, daß nur die wenigsten Kleinbetriebe konsequente PR betreiben, während die meisten – unabhängig von ihrer Branche – diesen Bereich der Werbung ganz einfach vernachlässigen, dafür aber verhältnismäßig viel Geld in Anzeigenwerbung und Prospekte investieren. Das Geheimnis hierbei ist die elegante Verbindung zwischen verkaufsfördernden Aktionen und Öf-

fentlichkeitswerbung, mit anderen Worten: PR, die unmittelbar zum Verkauf führen. Wie funktioniert das?

Zuerst müssen Kontakte zur Presse geknüpft werden. Die Eintrittskarte zur Präsenz in einer Fachzeitschrift oder Tageszeitung führt in fast allen Fällen über die Bekanntschaft mit einem Redakteur, der für den Betrieb zu begeistern ist. Wenn nun Hausmessen oder Ausstellungen veranstaltet werden, gilt es, einen kurzen, produktbezogenen Pressetext zu verfassen. Verfügen Sie zum Beispiel über einen exklusiven Service, den Ihre Mitbewerber nicht bieten können? Dann reden Sie darüber!

Es könnte doch sein, daß Sie als kleiner aber feiner Anbieter von maßgeschneiderter Lederkleidung eine Garantie für Ihre Stücke geben. Und zwar führen Sie jede Änderung oder Reparatur, die innerhalb der ersten fünf Jahre nach dem Kauf fällig ist, *kostenlos* durch. Mal ehrlich, der Aufwand hält sich in Grenzen, aber Ihre Kunden haben einen klaren Nutzen davon und fühlen sich bei Ihnen gut aufgehoben. Schon haben Sie ein PR-Element! Verzichten Sie auf Sonderangebote oder andere Preisstürze, die Ihnen außer den Kosten für Zeitungsanzeigen und Handzettel unter dem Strich nichts bringen und die Kunden nur kurzfristig für Sie interessieren. Sondern werben Sie mit Ihrem exklusiven Service. Was glauben Sie, wie schnell sich das herumspricht!

Das Ergebnis: Man vertraut Ihnen. Parallel dazu könnten Sie in einer Frauenzeitschrift einen Artikel über gefährliche Schadstoffe in Lederkleidung veröffentlichen, der mit einem deutlichen Hinweis auf Ihr selbstverständlich chemisch unbehandeltes Leder, das Sie aus speziellen Einkaufsquellen beziehen, endet. Das steigert das Vertrauen der Öffentlichkeit in Ihr Unternehmen und die Produkte noch um ein Vielfaches! Stellen Sie sich immer und jederzeit die Frage: Was könnte die Öffentlichkeit an meinem Unternehmen interessieren? Dann finden Sie ganz automatisch die richtigen Themen für PR-Aktionen. Und dann kann es Ihnen auch nicht passieren, daß Sie mit Nebensächlichkeiten und internem Geschwätz an die Öffentlichkeit gehen und diese sich zu Recht fragt: Was geht mich denn das an?

Public Relations im Kaufhaus

Karstadt, Deutschlands größtes Warenhausimperium, ist der lebende Beweis dafür, daß ein Unternehmen auch ohne die Mitarbeit einer Werbeagentur einen professionellen und erfolgreichen Auftritt konzipieren und durchführen kann. Sowohl der Slogan „Gut einkaufen, schöner leben“ als auch das Corporate Design stammen aus den eigenen Reihen und werden seit 1987 konsequent angewendet. Charakteristisch für den Karstadt-Auftritt ist die Verbindung von absatzfördernder Werbung und Imagewerbung. Eine eigene Werbeabteilung mit weit über 100 Mitarbeitern kümmert sich um den Auftritt des Unternehmens und die nicht ganz einfache Verknüpfung von Erscheinungsbild und spezieller Markenwerbung. Das ist kein Widerspruch, wenn die Zusammenarbeit stimmt. Das oberste Ziel der Karstadt-Werbung ist trotz produktlastiger TV-Spots und Printkampagnen nicht, primär Produkte zu verkaufen, sondern die Kunden immer wieder zu einem Besuch des Kaufhauses zu animieren. Erst dann setzt die direkte Produktwerbung ein. Die Übernahme der Hertie-Kette durch Karstadt zeigt, wie erfolgreich diese Strategie ist.

Das Zauberwort in der Warenhaus-PR heißt: *Abenteuer*. Der alltägliche Einkauf wird zum öffentlichen Event erhoben, und auch wer einfach nur bummeln möchte, genießt die freundliche, zuvorkommende Atmosphäre. Schön wärs? In den USA ist dieser Luxus bereits Realität. Populärstes Beispiel: In jedem zweiten amerikanischem Spielfilm, der sich um das Thema Weihnachten dreht, sieht man früher oder später den berühmten geschenkeverteilenden Weihnachtsmann vor den Toren eines großen Warenhauses. Der Freund aller Kinder betreibt mit seiner rührenden Großzügigkeit eine Kundenakquise, die schon lange vor der Erfindung des Wortes „Public Relations“ Erfolg hatte. In Deutschland finden solche Aktionen in eher bescheidenerem Rahmen statt. Und Geschenke gibt es höchstens in Form von Testmustern oder Süßigkeiten. Der König Kunde fühlt sich hierzulande noch nicht so richtig geehrt. Und das liegt nicht in erster Linie an der Dekoration oder der technischen Ausstattung des Hauses. Nein, auffällig ist die schon sprichwörtliche Unfreundlichkeit und Nachlässigkeit des Personals. Die folgende Szenerie klingt makaber und überzeichnet, ist aber in unseren Kaufhäusern und Supermärkten leider allzu häufig Realität:

Montagvormittag. Lebensmittelabteilung. Ein Gabelstapler transportiert in halsbrecherischem Tempo Paletten voller Konserven zwischen den Regalen herum, und die Kunden können sich nur in allerletzter Sekunde in Sicherheit bringen. Junge Verkäuferinnen stehen in Grüppchen zusammen und tauschen den Klatsch vom Wochenende aus. Wehe, man wagt sich als Kunde mit einer bescheidenen Frage z.B. nach einem nicht vorhandenen Preisschild dazwischen! Szenenwechsel. Die Abteilung für Haushaltswaren und Elektroartikel. Die Kompetenz der Verkäufer spottet jeder Beschreibung. Haben Sie schon einmal versucht, in einem Einkaufszentrum der gehobenen Preisklasse nach eigentlich gar nicht so exotischen Produkten wie Dübeln, Elektrolitzen, Halogenleisten, Butterdosen oder Fußmatten zu fragen?

Wenn Sie Glück haben, ignoriert das Personal Ihre Anfrage. Es kann Ihnen aber auch passieren, daß man Sie gleich postwendend hinauskomplimentiert mit den Worten: „Sowas führen wir hier nicht, keine Ahnung, wer das haben könnte.“ (Und dabei war es doch ganz deutlich in der Wochenendbeilage zu sehen…)

Um es in kurzen Worten zu sagen: Öffentliches Vertrauen funktioniert nur mit *kompetentem Personal*. Die beste PR ist der gute Ruf, den Sie durch freundliches Personal kreieren. Und: Keine noch so gut ausgedachte PR-Kampagne kann den Scherbenhaufen wieder zu einem wohlaussehenden Ganzen zusammenkleben, den inkompetente und unfreundliche Mitarbeiter verursacht haben.

PR beginnt also beim eigenen Mitarbeiterstab. Dazu gehören gute Umgangsformen, ein freundliches, verbindliches Auftreten und die Freude am Job. Die wird natürlich durch eine kontinuierliche Motivation erzeugt, und hier sind Sie wieder gefragt! Bevor Sie also jetzt die ganze Schuld auf Ihre Mitarbeiter schieben, sollten Sie sich besser etwas einfallen lassen: Regelmäßige Schulungen, Ausflüge, Betriebsfeiern, Gratifikationen, Prämiensysteme, Belohnungen durch zusätzliche freie Tage, einen Kummerkasten inklusive Gesprächstermin... alles, was dazu dient, die Mitarbeiter bei der Stange zu halten und zu motivieren! Sie müssen über das Sortiment im Schlaf Bescheid wissen. Wenn Sie jemanden einstellen – und sei es nur zum Auffüllen der Kühlregale –, dann nehmen Sie sich die Zeit und führen Sie ihn durch den Betrieb, stellen ihn den Kollegen vor und geben ihm das Gefühl, nicht in einer Absteige gelandet zu sein, sondern in einem Unternehmen, in dem Wert auf gewissenhaftes Arbeiten gelegt wird. Arbeiten wie das Auffüllen der Regale oder die Auszeichnung darf auf keinen Fall die Kunden behindern oder den Zugriff auf die Ware versperren. Das klingt logisch, ist aber in der Regel Ihrem Personal nicht klar! Machen Sie doch einmal einen Incognito-Besuch in Ihrem Haus. Aber seien Sie auf böse Überraschungen gefaßt – und stellen Sie sich danach einmal vor, Sie dürften wie Ihre Kunden täglich in diesen Genuß kommen... Meinen Sie nicht, daß es hier einiges zu tun gäbe?

Vergessen Sie niemals: Freundliches und kompetentes Personal ist nicht teurer als unzuverlässige, unfreundliche Mitarbeiter – bringt aber Sympathien und damit immer wieder neue Kunden! Und ist somit eine solide Grundlage für eine gute Public-Relations-Kampagne.

AUF EINEN BLICK

1. Public Relations bedeuten Werbung um öffentliches Vertrauen. Die Öffentlichkeit wiederum besteht zu einem großen Anteil aus potentiellen Kunden. Was könnte also wichtiger für Ihre Kundenakquise sein, als das Vertrauen der Öffentlichkeit zu gewinnen?
2. Gewähren Sie regelmäßig Einblick hinter die Kulissen Ihrer Firmentore. Laden Sie die Presse ein, veranstalten Sie Pressekonferenzen.

3. Zeigen Sie Verantwortungsbewußtsein – mischen Sie sich aktiv in aktuelle Probleme ein und bieten Sie Lösungen. Seien Sie originell im Hinblick auf öffentliches Engagement. Es gibt viele Flamingos auf dieser Welt...
4. Die wichtigste Grundlage für eine gute PR sind Ihre Mitarbeiter. Behandeln Sie Ihre Mitarbeiter so nett und ehrlich wie Ihre besten Kunden. Und schulen Sie Ihre Mitarbeiter, damit diese Ihre Kunden freundlich und zuvorkommend behandeln.
5. Denken Sie daran, daß PR immer der Wahrheit treu bleiben soll. Aber auch die Art, wie Sie die Wahrheit in der Öffentlichkeit darstellen, kann den Unterschied ausmachen!

4. So professionalisieren Sie Ihr Direct-Mailing

Direktwerbung ist ein etwas irreführender Begriff, denn damit wird nicht in erster Linie geworben, sondern unmittelbar verkauft.

Timothy T. Todt

Kommen wir nun zu den direkten Wegen des Verkaufs. Dem Direktmarketing. Direktmarketing kann vor allem auf drei Wegen geschehen:

- dem Direct-Mailing,
- dem Telefonmarketing,
- dem Direkt-Verkauf über TV und Radio.

Über alle drei Themen wurde bereits im ersten Teil des Buches ausführlich und praxisbezogen gesprochen. Beschränken wir uns daher auf einige wichtige praktische Anleitungen, die Ihnen dabei helfen können, das Wissen in die Tat umzusetzen.

Direct-Mailing ist hervorragend beschrieben in einer Publikation der Werbeagentur 3001 mit dem Titel *Das Direct-Mailing*. Die folgenden Auszüge werden mit Genehmigung der Werbeagentur 3001 wiedergegeben.[1]

Bewertung der Methode

Auf den folgenden Seiten wird das Know-how des *Direct-Mailings* festgeschrieben. Beim Direct-Mailing, das heißt beim unmittelbaren Verkauf per Post, handelt es sich um eine Verkaufsschiene, die wahrscheinlich in ihrer Bedeutung selbst von vielen ausgefuchsten Marketingexperten noch kaum erkannt worden ist.

Große Vermögen wurden in der Bundesrepublik per Direct-Mailing gemacht! (Otto-Versand, Quelle, Neckermann und so weiter.) Möglicherweise stehen wir am Anfang des Direct-Mailing-Zeitalters.

Auf den folgenden Seiten wird wie gesagt Direct-Mailing-Know-how vorgestellt. Es ist nicht auszuschließen, daß bestimmtes Know-how, das heute noch gilt, morgen schon wieder passé ist. Es ist also notwendig, systematisch weiteres Know-how festzuschreiben, beziehungsweise „altes“ Know-how ständig auf seine Richtigkeit hin zu überprüfen. Das heißt, das Direct-Mailing darf nicht als ein Fachgebiet mit stati-

1 Das Direct-Mailing. Wie es funktioniert. Warum es funktioniert. Was Sie wissen müssen, um es in kürzester Zeit anzuwenden. Herausgeber und Copyright Werbeagentur 3001

schen Komponenten betrachtet werden, ganz davon abgesehen, daß Kreativität immer ein Bestandteil des Direct-Mailings bleiben wird.

Aber zunächst einmal ist es von unendlicher Wichtigkeit, das momentan funktionierende Know-how festzuschreiben.

Was bedeutet Direct-Mailing?
Wörtlich übersetzt folgendes: Direct – englisch für „direkt“, Mailing – englisch für „per Post“.
Frei übersetzt: „direkter Verkauf per Post“. Noch freier übersetzt: direkter Verkauf per Brief und Antwortkarte.

Warum ist es vorteilhaft, per Direct-Mailing zu werben?
Es gibt einen ganz einfachen Grund, warum sich das Direct-Mailing so sehr lohnt: Es ist außerordentlich preiswert im Vergleich zu anderen Werbemaßnahmen!

Das heißt, Sie senden zunächst an „Ihre“ Zielgruppe z.B. 3.000 Briefe aus. Klappt der Test, schießen Sie nach. Vielleicht jetzt 30.000. Klappt es wieder, senden Sie 100.000 aus. Das heißt, Sie gehen nie ins volle Risiko. Der Geldeinsatz ist dabei am Anfang vergleichsweise gering. Klappt der Test jedoch, können Sie sehr, sehr hoch gewinnen.

Man kann Direct-Mailing vergleichen, mit „Idioten-Lotto“. Sechs Richtige muß man haben – aber es gibt nur sieben mögliche Zahlen.

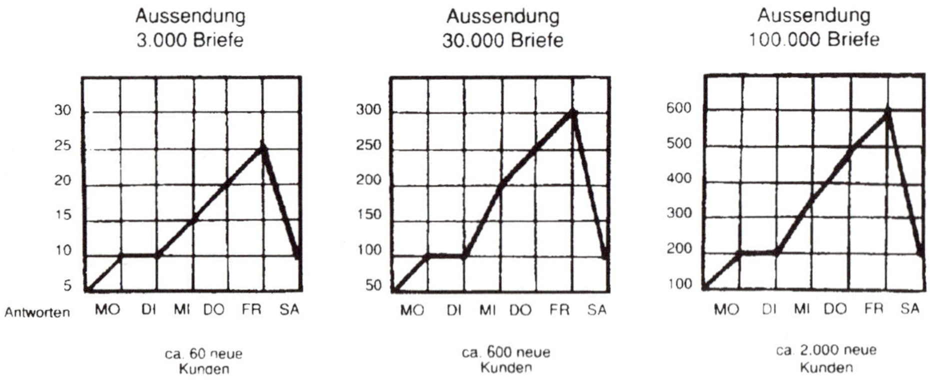

Der Test entscheidet, ob man „richtig“ Geld investiert oder nicht weitermacht. Die Testkosten sind vergleichsweise gering.

Stufenweise Aufbau

Stufenweise bedeutet ganz einfach: Zuerst testet man eine niedrige Anzahl (3.000/5.000). Danach erst testet man eine größere Anzahl (10.000). Danach mailt man 50.000/100.000 an, usw.

Aus welchen einzelnen Fachgebieten besteht das Direct-Mailing?

1. Sie müssen etwas über die Beschaffung von Adressen wissen.
2. Sie müssen die richtige Zeit für Ihr Mailing wählen.
3. Der Briefumschlag muß optimal gestaltet sein.
4. Der Anschreibetext muß nach bestimmten Regeln verfaßt werden.
5. Die Produktbeschreibung/die Antwortkarte muß „sitzen“.
6. Sie müssen Tests professionell fahren.

Man könnte noch weitere zehn „Teildisziplinen“ des Direct-Mailings hinzufügen. Das Texten ist eine eigene Profession, wo es 100 Regeln zu beachten gibt. Die graphische Gestaltung ist ein eigenes Fachgebiet. Und so weiter.

Der springende Punkt ist nun: Wird das Know-how der einzelnen Teildisziplinen, (seien es nun 6 oder 16) *nicht* beachtet, *funktioniert das Direct-Mailing nicht.*

Jede einzelne Teildisziplin ist im übrigen nicht kompliziert. Aber der *Clou* besteht darin, daß nur alle Teildisziplinen zusammengenommen das gewünschte Ergebnis zeitigen.

Die besten Adressen

Erfahrung hat das Faktum zutage gefördert, daß die besten Adressen diejenigen sind, die der Unternehmer selbst sammelt beziehungsweise gesammelt hat. Es ist dies auch einleuchtend. Längst besteht hier eine persönliche Geschäftsbeziehung. Vertrauen ist von vornherein vorhanden.

Von höchster Bedeutung ist es also, systematisch Adressen zu sammeln. Auf Karteikärtchen zu notieren. Oder besser noch in den Computer einzugeben. Alle denkbaren Methoden zu ersinnen, wie man an weitere persönliche Adressen kommt. Man kann zum Beispiel seine Mitarbeiter motivieren, kontinuierlich Adressen zu sammeln. Man kann seine Frau fragen. Man kann seine Freunde fragen. All dies sind Aktionen, die dazu führen, daß eine persönliche Adressenkartei aufgebaut wird.

Zum Aufbau einer persönlichen Adressenkartei ist es weiterhin von Bedeutung, daß dies systematisch passiert. Das heißt, der Direct-Mail-Chef könnte es in seiner Firma zur Richtlinie machen, daß mindestens einmal im Monat eine Besprechung bezüglich neuer Adressen stattfindet und einmal im Monat das Faktum der Adressensammlung kontrolliert wird. Die Adressen sind das Gold des Unternehmens. Seltsamerweise heben es die wenigsten auf, obwohl es gut sichtbar auf dem Boden liegt.

Die zweitbesten Adressen (1)

Bei den zweitbesten Adressen handelt es sich um sogenannte „Kaltadressen". Das heißt, diese Leute haben bislang noch nicht bei Ihnen gekauft. Die zweitbesten Adressen kann man wie folgt herauskriegen: Man überlegt, mit welchen Zielgruppen man bislang die besten Erfahrungen hatte.

Mit Senioren? Gutbetuchten? Ingenieuren?

Katholischen Menschen? Bauunternehmern?

Es gibt buchstäblich Tausende von Zielgruppen heute. Es ist unerläßlich für den Unternehmer, in diesen *Zielgruppen* denken zu lernen.

Und es ist weiter unerläßlich, einmal einen Zielgruppenkatalog, in dem alle denkbaren Zielgruppen aufgelistet sind, persönlich unter die Lupe zu nehmen, um sich überhaupt ein Bild zu machen, was alles existiert.

Bestellen Sie dazu einfach den Merkur-Katalog.

Die Adresse:

Merkur Direktwerbegesellschaft mbH & Co. OHG
Kapellenstraße 44
37574 Einbeck
Tel.: 0 55 61 / 3 14-0 · Fax: 0 55 61 / 7 31 89

Studieren Sie diesen Katalog sorgfältig. Wenn Sie ihn mit den Augen des Unternehmers lesen, der verkaufen will, ist diese Lektüre spannend wie ein Krimi.

Danach besitzen Sie eine Vorstellung, welche Zielgruppen es überhaupt gibt. Wählen Sie nun die Zielgruppen aus, mit denen Sie in der Vergangenheit ohnehin schon positive Erfahrungen gesammelt haben.

Diese testen Sie an. In kleiner Stückzahl. Funktioniert das ganze, schießen Sie nach. Funktioniert auch das, schießen Sie in ganz großem Stil nach.

Die zweitbesten Adressen (2)

Abgesehen von den einzelnen Zielgruppen, die Sie ganz normal einkaufen können, existiert auch noch das sogenannte „Listbroking". Wörtlich bedeutet dies: Handel mit Listen (von Adressen). Das heißt, die Schuhfirma Ypsilon z.B. hat systematisch über die Jahre Adressen von Schuhkäufern gesammelt, die Spezialschuhe brauchen. Sie besitzt 10.000 (sehr wertvolle, weil zielgruppenorientierte) Adressen. Sie bietet diese Adressen nun zum Kauf an (gewöhnlich sind sie etwas teurer als normale Adressen).

Die Firma Zett verkauft eine Salbe für Hühneraugen. Die Adressenliste der Fa. Ypsilon erscheint ihr sehr interessant. Sie kauft diese Adressen – und besitzt eine hohe Chance, daß sie damit „gewinnt".

Die zweitbesten Adressen(3)

Leider existiert auf dem Markt des Adressenhandels bereits so etwas wie eine eigene Wirtschaftskriminalität. Einige Beispiele:

1. Der Adressenbroker (Listbroker) verkauft eine alte, schlechte Liste, preist sie aber an wie das Paradies.
2. Der Adressenbroker verkauft gestohlene Adressen.
3. Des weiteren gibt es Firmen, die verkaufen 10.000 gute Adressen. Freudig kauft man 90.000 Adressen nach – die dann aber nichts taugen.

Die Lösung: Üblicherweise lernt man nur durch Erfahrung. Aber: Praktisch alle schwarzen Schafe sind in der Szene bekannt. Profis warnen sich gegenseitig vor ihnen. Die bessere Lösung lautet also: Arbeiten Sie von vornherein mit einem Profi zusammen.

Wie man die besten (Listenbroking)-Adressen herausfindet – Professionelle Fragen

1. Stimmt die Zielgruppe? Hat sie vergleichbare Produkte bereits gekauft? Stimmt die Zielgruppe? Stimmt die Zielgruppe? Stimmt die Zielgruppe? Diese Frage ist die mit Abstand wichtigste.
2. Hat diese Zielgruppe in der Vergangenheit bereits per Direct-Mailing gekauft? Wann?
3. Wann hat diese Zielgruppe zuletzt gekauft? (Vor kurzem = gut, vor zwei Jahren = schlecht.)
4. Wie häufig wurde diese Adressenliste angemietet? (Je häufiger, um so besser.)
5. Wie aktuell ist diese Liste? Wann wurde Sie das letztemal bereinigt? (Wenn sie vor fünf Jahren z.B. aktualisiert wurde, vergessen Sie die Liste!)
6. Gibt es Selektionsverbesserungsmöglichkeiten? (Kann man sie nach Mehrfachkäufern aussortieren? Sind Portoverbesserungsmöglichkeiten drin?)
7. Besitzt die Listbroking-Firma die Exklusivrechte an dieser Liste? (Je exklusiver, um so besser!)

Adressen, der Ort

Ein Tip: Je näher die eingekauften Adressen beim eigenen Firmenort liegen, um so besser. Das heißt, wenn Ihr Unternehmen in Frankfurt a.M. z.B. angesiedelt ist, und Sie kaufen Adressen aus Frankfurt, Wiesbaden, Mainz, so ist das besser, als wenn Sie Adressen aus Hamburg kaufen.

Erfahrung hat dies etabliert.

Wie müssen die Adressen in den Computern eingegeben werden?
Wie folgt:

1. Titel der Person (sofern vorhanden)
2. Nachname, Vorname
3. Firma (sofern vorhanden)
4. Straße, Hausnummer
5. Postleitzahl, Ort
6. Tel.-Nr. (sofern bekannt)
7. FAX (sofern vorhanden)
8. Was wurde gekauft?
9. Weitere Informationen, die für das Unternehmen von Belang sind.

Adressen müssen gepflegt werden!
Adressen sind zu dem Grade wertvoll, wie sie aktualisiert werden. Im Klartext: Es nützt keine Adresse, wenn der Empfänger unbekannt verzogen ist. Adressen müssen also regelmäßig aktualisiert werden. Das heißt: Änderungen müssen regelmäßig festgehalten werden. Außerdem muß man vergleichen: Welche Adressen sind doppelt? Doppelte Adressen sortiert man aus.

Adressen müssen gepflegt werden!
Weiter: Wer wurde hundertmal angeschrieben/beworben – und hat dennoch nicht gekauft? Solche kalten/toten Adressen wirft man aus dem Computer. Adressen müssen effizient gehalten werden. Es nutzen keine Adressen, wenn sie aus Personen bestehen, die nie gekauft haben und nie kaufen werden.

Adressen müssen gepflegt werden!
Schließlich muß man alle Käufe genauestens festhalten. Wenn eine Person ein weiteres Produkt oder eine weitere Dienstleistung kauft, so muß das ebenfalls im Computer „nachzulesen“ sein. Es darf niemand kaufen, ohne daß der Computer davon weiß.

Nur auf diese Weise stellt man das „Gewicht“ eines Kunden sicher.

Wann sich Direct-Mailing am meisten lohnt / nach Ansicht eines Fachmanns

Monat	*Mio. Massendrucksachen*	*Rangordnung*
Januar	186,8	(8)
Februar	201,3	(5)
März	190,3	(7)
April	232,2	(3)
Mai	152,1	(10)
Juni	139,5	(12)
Juli	140,4	(11)
August	162,0	(9)
September	246,8	(2)
Oktober	250,2	(1)
November	224,7	(4)
Dezember	193,6	(6)

Natürlich ist solches Know-how mit Vorsicht zu genießen. Abhängig von der Branche, in der sich das eigene Unternehmen befindet, können ganz andere Monate auf dem Siegertreppchen stehen.

Und abhängig von der Zielgruppe, die angemailt wird, kann sich das Ergebnis ebenfalls ändern.

Eines steht fest: Es *gibt* Monate, die für Sie besser sind als andere Monate!

Der Wochentag

Es ist darauf zu achten, daß die Direct-Mail-Post, die an private Adressen geht, nicht am Montag/Dienstag beim Empfänger eingeht. An diesen Tagen verstopft erfahrungsgemäß die meiste Post den Briefkasten. Das heißt, speziell der Montag (und auch noch der Dienstag) sind tabu als Empfangstag. Unwichtige Briefe werden an diesen Tagen zu oft aussortiert und ungelesen weggeworfen. Die besten Wochentage des Eingangs sind offenbar der Freitag und der Samstag, weil hier der Empfänger mehr Zeit für die Werbung besitzt.

Die optimale Zeit bei privaten Adressen: Wochenmitte aussenden, so daß die Post zum Wochenende ankommt.

Bei gewerblichen Adressen dagegen gilt: Vermeiden Sie, daß die Post am Wochenende ankommt.

Bezüglich Zeit – ein weiterer kleiner Tip

Es ist ungünstig, wenn es im Sommer z.B. sehr heiß ist, selbst wenn es „eigentlich" eine gute Direct-Mailing-Zeit ist, ein Direct-Mailing auszusenden. Die Leute sind zu

Zeiten großer Hitze an Post nicht wirklich interessiert. Auch wenn die Fußballweltmeisterschaft beispielsweise läuft und sich niemand wirklich für etwas anderes interessiert, ist es falsch, ein Direct-Mailing zu lancieren.

Der Golfkrieg etwa torpedierte Direct-Mailing-Erfolge ebenfalls. Man muß, mit anderen Worten, eine gewisse Nase, ein Gespür dafür entwickeln, wie dieses Land tickt und was die Zukunft bringt.

Wie sollte man den Briefumschlag an besten gestalten?
Grundsätzlich gibt es viele Techniken und Methoden.
Bei allen Methoden, die es gibt, sollte man *einen Umstand* jedoch nicht aus dem Auge verlieren:

> *Das einzige Ziel des Umschlags besteht darin,*
> *daß er aufgerissen oder geöffnet wird!*

Einige Ideen für den Briefumschlag:
1. Machen Sie auf dem Umschlag ein Topangebot.
2. Bieten Sie ein Sonderangebot.
3. Kündigen Sie eine Überraschung oder ein Spiel an.
4. Arbeiten Sie mit einem Geheimnis.
5. Einige Beispiele:
   - „Gleich öffnen und Ihr Glück prüfen und geldwertes Know-how erfahren."
   - „Sie verpassen eine einmalige Gelegenheit, wenn Sie den Umschlag nicht gleich öffnen."
   - „Angebot auf 14 Tage beschränkt; bitte umgehend öffnen."

Einige Beispiele für den Briefumschlag

Das Anschreiben

Man muß wissen, daß ein Anschreiben *dreimal* gelesen wird. Buchstäblich Tausende von Tests mit Videokameras haben zweifelsfrei bewiesen, daß der Leser

1. zunächst den Slogan, das Bild und das PS liest.
2. Danach liest er die fettgedruckten, unterstrichenen Worte.
3. Erst zuletzt, im 3. Durchgang, liest er den gesamten Werbetext.

Anbei Beispiele von Anschreiben, die gute Resultate zeitigten.

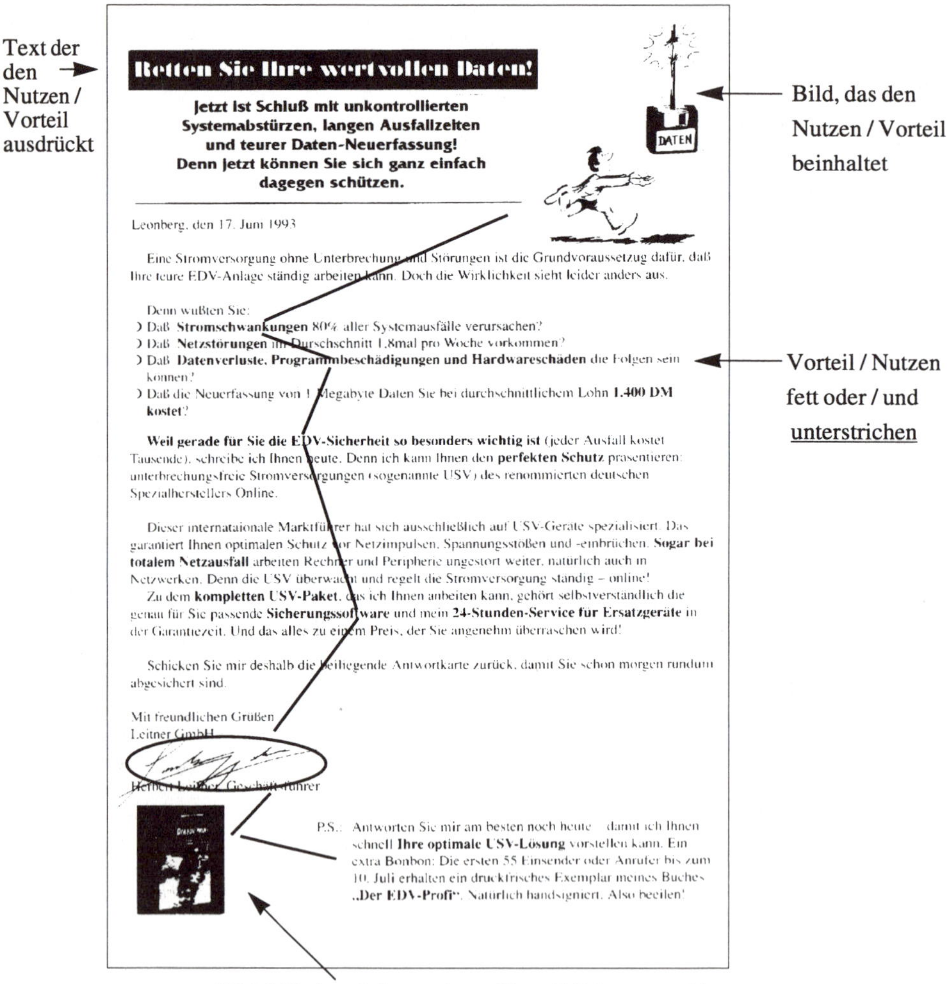

Retten Sie Ihre wertvollen Daten!

Jetzt ist Schluß mit unkontrollierten Systemabstürzen, langen Ausfallzeiten und teurer Daten-Neuerfassung! Denn jetzt können Sie sich ganz einfach dagegen schützen.

Leonberg, den 17. Juni 1993

Eine Stromversorgung ohne Unterbrechung und Störungen ist die Grundvoraussetzug dafür, daß Ihre teure EDV-Anlage ständig arbeiten kann. Doch die Wirklichkeit sieht leider anders aus.

Denn wußten Sie:

- Daß **Stromschwankungen** 80% aller Systemausfälle verursachen?
- Daß **Netzstörungen** im Durschschnitt 1,8mal pro Woche vorkommen?
- Daß **Datenverluste, Programmbeschädigungen und Hardwareschäden** die Folgen sein können?
- Daß die Neuerfassung von 1 Megabyte Daten Sie bei durchschnittlichem Lohn **1.400 DM kostet**?

Weil gerade für Sie die EDV-Sicherheit so besonders wichtig ist (jeder Ausfall kostet Tausende), schreibe ich Ihnen heute. Denn ich kann Ihnen den **perfekten Schutz** präsentieren: unterbrechungsfreie Stromversorgungen (sogenannte USV) des renommierten deutschen Spezialherstellers Online.

Dieser internataionale Marktführer hat sich ausschließlich auf USV-Geräte spezialisiert. Das garantiert Ihnen optimalen Schutz vor Netzimpulsen, Spannungsstößen und -einbrüchen. **Sogar bei totalem Netzausfall** arbeiten Rechner und Peripherie ungestört weiter, natürlich auch in Netzwerken. Denn die USV überwacht und regelt die Stromversorgung ständig – online!

Zu dem **kompletten USV-Paket**, das ich Ihnen anbieten kann, gehört selbstverständlich die genau für Sie passende **Sicherungssoftware** und mein **24-Stunden-Service für Ersatzgeräte** in der Garantiezeit. Und das alles zu einem Preis, der Sie angenehm überraschen wird!

Schicken Sie mir deshalb die beiliegende Antwortkarte zurück, damit Sie schon morgen rundum abgesichert sind.

Mit freundlichen Grüßen
Leitner GmbH

Herbert Leitner, Geschäftsführer

P.S.: Antworten Sie mir am besten noch heute – damit ich Ihnen schnell **Ihre optimale USV-Lösung** vorstellen kann. Ein extra Bonbon: Die ersten 55 Einsender oder Anrufer bis zum 10. Juli erhalten ein druckfrisches Exemplar meines Buches **„Der EDV-Profi"**. Natürlich handsigniert. Also beeilen!

Bild / PS, das ein besonderen Vorteil / Nutzen und / oder Aufforderung zum Kauf beinhaltet

Die Schlagzeile

Untersuchen wir nun die einzelnen Details genauer. Von äußerster Wichtigkeit ist die Schlagzeile. Wie sollte sie gestaltet sein?

Folgende Regeln sind zu beachten:

1. Die Aufmerksamkeit muß unmittelbar gepackt werden. In kürzester Zeit. Optisch. Und inhaltlich.
2. Ein Nutzen/Vorteil für den Leser muß ganz rasch zum Ausdruck gebracht werden.
3. Die Schlagzeile muß Neugier wecken.
4. Die Schlagzeile darf nicht abgedroschen sein, sondern muß frisch, griffig und intelligent getextet werden. Ohne komplizierte Worte. Ohne Negativworte. Ohne Fremdwörter.

Das ist eigentlich auch schon alles. Nun gibt es noch 100 weitere Regeln, aber die obigen sind die wichtigsten. Einige Beispiele für gute Schlagzeilen:

- „Manager aufgepaßt: Möchten Sie mehr Zeit für sich haben?"
- „Wie Sie mit weniger Geld zu mehr Kunden kommen."
- „Wie Sie noch raffinierter Ihr Geld anlegen."
- „Wie Sie noch besser verkaufen."
- „Für alle Männer, die eines Tages der Arbeit den Rücken kehren möchten."
- „Sie können über Ihre Geldsorgen lachen, wenn Sie sich an diesen schlichten Plan halten."
- „Die Methode, die Faulen Reichtum beschert."
- „Wie Sie ..." gefolgt von einem großen Vorteil.
- „Auf diese Weise sparen Sie ..."
- „... ist eine Revolution."

Das Bild im Anschreiben

Die Regeln:

1. Das Bild muß unmittelbar den Vorteil/Nutzen zum Ausdruck bringen.
2. Das Bild muß sehr leicht verständlich sein.
3. Wenn das Bild den Betrachter noch zum Schmunzeln bringt, so ist das die Hohe Schule.

Anbei einige solcher „Bilder".

Das eigentliche Anschreiben

Anbei einige Regeln, die *unbedingt* bei einem Anschreibebrief zu beachten sind:

1. Datum nicht vergessen. Das schafft Vertrauen.
2. Der Name des Empfängers auf dem Anschreibebrief ist sehr wichtig für die Erfolgsquote. Man nennt dies „Personalisieren“. Nicht immer ist dies möglich. Dann kann man „halbpersonalisieren“. Z.B.: Sehr geehrter Finanzexperte!
3. Die Vorteile der Zielgruppe sind von Bedeutung. Die Vorteile müssen sofort erkennbar sein. (Reicher, glücklicher, gesünder, zufriedener, Geld sparen, Gewinne machen, informierter sein).
   Funktionierende Vorteils-Vokabeln: Neu, Erfolg, Gewinn, Sparen, kostenlos, preiswert. Wenn ein Gag benutzt wird, um die Aufmerksamkeit zu bannen, so ist es in der Folge von Bedeutung, schnell den Übergang zu den Vorteilen zu schaffen.

4. Weitere Vorteile sollte man mit Positivvokabeln verkaufen. Bei Unterstreichungen und Fettdruck im Brief nur diese Vorteile unterstreichen.
5. Ferner gilt:
   - Arbeiten Sie mit großen Zwischenräumen.
   - Benutzen Sie immer nur Flattersatz, nie Blocksatz.
   - Ein deutscher Name, leicht verstehbar, sollte unterschreiben.
   - Blau = typische Unterschriftsfarbe.
   - Im PS sollten Sie einen weiteren Vorteil oder Nutzen plazieren.
   - Gegebenenfalls kann dieser Vorteil/Nutzen mit der Aufforderung, etwas zu tun (gleich zu kaufen), verbunden werden.
   - Das PS sollte nicht mehr als zwei bis drei Zeilen beinhalten.
   - Halten Sie den Brief einfach.
6. Der Anschreibebrief darf keinesfalls enthalten:
   Gerichtsstand, Bankverbindung, Ihre Nachricht vom, Ihr Zeichen.
7. Das Firmenzeichen ist ebenfalls unwichtig.
8. Benutzen Sie nur sehr kurze, einfache Sätze, auch wenn Sie Zielgruppen mit Bildung anschreiben.
9. Arbeiten Sie mit wenigen Kommata.
10. Benutzen Sie keine Fremdwörter.
11. Vermeiden Sie mehrsilbige Wörter wann immer es geht, bzw. schreiben Sie sie z.B. so: Immobilien-Profi (nicht Immobilienprofi).
12. Vermeiden Sie Hauptwörter auf -ung, benutzen Sie nicht zu viele Hauptwörter.
13. Formulieren Sie so persönlich wie möglich, („Sie“, „Ihre“, „Ihnen“, „für Sie“).
14. Benutzen Sie eine bildhafte Sprache.
15. Ein Tip: Schreiben Sie an einen Freund ... voller Begeisterung. Denken Sie nicht an alle Ihre Kunden. Denken Sie an einen einzigen.
16. Listen Sie die Vorteile auf. Nennen Sie alle Vorteile.
17. Seien Sie präzise. Ergehen Sie sich nicht in Allgemeinplätzen.
18. Schreiben Sie im Präsens. Soweit wie möglich. Die Gegenwart ist frisch!
19. Fügen Sie, wenn möglich, *Testimonials* ein. Wer kann das bezeugen, was Sie da behaupten?
20. Drängen Sie auf sofortiges Handeln. Geben Sie einen Stichtag an, zu dem das Angebot ausläuft. Sagen Sie dem Kunden, er soll handeln. Rasch. Schnell.

Weitere Formeln, die beim Texten helfen

1. AIDA

Attention, Interest, Desire, Action
Aufmerksamkeit, Interesse, Wunsch, Handeln

Diese Formel steckt in *jedem* Text und läßt sich am besten im Gedächtnis behalten durch die gleichnamige Oper von Verdi: Aida.

Angeblich wurde sie zuerst 1920 von Cyril Freer veröffentlicht, dem König der Direktwerbung im Vereinigten Königreich von Großbritannien. Freer schreibt in seinem Buch, „The Inner Side of Advertising", daß ein guter Werbebrief folgendes enthalten sollte:

„Die Eröffnung, die die *Aufmerksamkeit* des Lesers wecken und ihn zum Weiterlesen veranlassen sollte. Die Beschreibung und Erläuterung, die das *Interesse* des Lesers fesseln sollte, indem sie ihn veranlaßt, sich im Geiste ein Bild von dem Angebot zu machen. Die Beweisführung, die den *Wunsch* nach dem angebotenen Artikel wecken sollte. Den Höhepunkt, der es dem Leser leicht macht zu bestellen und dieses *Handeln* sicherstellt, indem er ihn veranlaßt sofort zu handeln."

2. KISS

Keep It Short and Simple
Machen Sie es kurz und einfach

Kurze Sätze. Kurze Abschnitte. Wörter mit nur ein oder zwei Silben: das funktioniert! Alles sollte leicht verständlich und in schnelles Handeln umsetzbar sein. Das einfachste Mailing ist in den meisten Fällen zugkräftiger als das komplizierte. Vergessen Sie nie: Intellektuelle Texte verkaufen nicht!

Joe Shugarman, ein Direct-Mailing-Hexer, verglich einmal einen guten Werbetext mit einer „gut geölten Rutsche". Sie müssen sich vergewissern, daß der Leser von einem Satz zum nächsten weiterrutscht.

So löst man einen Kaufreiz aus

Von äußerster Bedeutung ist es, daß Sie einen Kaufreiz auslösen. Um dies zu erreichen, gibt es 101 Methoden. Die wichtigsten:

1. *Zahlungsmöglichkeiten*. Mit jeder neuen Zahlungsmöglichkeit werden Sie Ihren Umsatz steigern: Schecks, Kreditkarten usw. Ferner funktioniert: Ratenzahlung. Spätere Zahlung. Wenn Sie das Zahlungsziel durch die Zahlungsbedingung „per Vorauskasse" vorschreiben, wird der Umsatz zurückgehen. Auch die „Nachnahme" funktioniert nicht.
2. *Sonderpreise*: Der Artikel kann zu einem reduzierten Preis erworben werden,

aber nur für einen bestimmten Zeitraum oder „solange der Vorrat reicht". Geben Sie einen Stichtag an.

3. *Mengenrabatt*: „Wenn Sie gleich zehn nehmen, sparen Sie..."
4. *Zusatznutzen*: „Wenn Sie innerhalb der nächsten zehn Tage bestellen, dann erhalten Sie außerdem ... !"
   Sie können und sollen den Zusatznutzen graphisch zum PS abbilden.
   Achtung: Das Bild unten links sollte kleiner sein als das Bild rechts oben!
5. Ein ganz eigenes, riesiges Fachgebiet sind *Geschenke*. Zum Beispiel ein kostenloser Taschenrechner. Es gibt hierfür eigene Firmen, die sich auf diese kostenlosen Zusatzgeschenke spezialisiert haben. Es ist nicht zu glauben: Das funktioniert wie eine Bombe! Achtung: Das Geschenk sollte mit dem Produkt, das Sie verkaufen wollen, zu tun haben, d.h. in einer gewissen Verbindung stehen.
6. *„Gimmicks"*. Das heißt Tricks.
   Wenn Sie den Leser eine Rabattmarke aufkleben lassen (die Preisvorteile für ihn bietet), so erhalten Sie höhere Rückläufe.
7. *Wettbewerbe* und *Preise* funktionieren ebenfalls wie eine Bombe. Geldpreise. Autos. Reisen. Wer will das nicht?

Anbei einige Beispiele von Kaufaufforderungen, mit denen man einen Kaufreiz auslöst.

PS: Unser **Spezial-Angebot:**
Das Buch „Verkaufen in fünf Minuten".
Sie erhalten es zum **Vorzugspreis** von DM 78,–, wenn Sie die Buch-Postkarte bis zum 30. Oktober 1994 zurückschicken. Danach ist es nur noch für DM 98,– erhältlich.

PS: Alle **Preisvorteile** sind nur auszunutzen bis zum 31. Januar 1995.
Also schnell entscheiden!

PS : „Ihr Kennenlern-Vorteil": Anbei ein Wertscheck mit abziehbarem Punkt.
Wenn Sie diesen auf eine beliebige Bestellkarte aufkleben, erhalten Sie damit automatisch 50 % Rabatt auf dieses Buch. – Also zugreifen!

GUTSCHEIN

Bei Einsenden dieses Gutscheins erhalten Sie ein

3D-Bildbuch

zum einmaligen, sensationellen Vorzugspreis von

DM 39,—

Bitte füllen Sie die Rückseite aus und senden diesen Gutschein gleich ab.

Exklusive Sonderleistungen
Das persönliche Dankeschön an unsere besten Kunden

Ihr Vorteils-Zertifikat

Werter Kunde!

Als **Dankeschön** für Ihre Verbundenheit zum erhalten Sie heute dieses Zertifikat. Damit gehören Sie zu dem **ausgewählten Personenkreis**, dem wir **exklusive Sonderleistungen** bieten:

Vorteil Nr.1:

Auf die vier **außergewöhnlichen Neuerscheinungen**, die wir Ihnen heute präsentieren, erhalten Sie **25 % Rabatt!**

Vorteil Nr.2 :

Mit diesem Zertifikat erhalten Sie bei einer Bestellung ab vier Büchern auf jeden der im beiliegenden Prospekt enthaltenen Titel **50 % Rabatt**.

Nutzen Sie die Gelegenheit und bestellen Sie zu diesen **Super-Konditionen** aus unserem Buch-Angebot alles, was Ihr Herz begehrt! Gleich auswählen!

Die Schrift

1. Die Schrift, die man verwendet, sollte einfach und leicht lesbar sein.
   Es gibt eine Schrift, die *Times* genannt wird und heute immer noch von der Londoner „Times" verwendet wird. Sie wird von fast 70 Prozent aller Zeitungen benutzt. Der Grund: Sie ist leicht zu lesen.
2. Benutzen Sie außerdem eine große Schrift. Bei uns gibt es heute mehr Senioren als Teenager. Schriften haben nicht nur unterschiedliche Namen, es gibt sie auch in unterschiedlichen Größen. Schriftgrößen werden nicht in Millimetern, sondern in *Punkt* oder *Cicero* angegeben (1 Punkt entspricht 3,76 Millimeter und 12 Punkt sind ein *Cicero*). Die Kleinanzeigen in Ihrer Tageszeitung sind wahrscheinlich in 6 Punkt gesetzt und die Schlagzeilen in Boulevardzeitungen sind bis zu 128 Punkt groß.
3. Die Serifen (die kleinen abschließenden Querstriche am oberen oder unteren Ende von Buchstaben) führen das Auge horizontal an der Buchstabenreihe entlang, anstatt es zur nächsten Zeile abschweifen zu lassen. Das Auge ermüdet, wenn es eine größere Textmenge (serifenlos) erfassen soll.
   Es ist bekannt, daß Schriftarten ohne Serifen die Rücklaufquote halbieren kann! Benutzen Sie also Serifen.
4. Jede Schrift hat eine eigene Persönlichkeit. Manche sind fett. Manche sind mager. Manche sind verspielt. Andere unglaublich sachlich.
   Wählen Sie ein Schriftbild, von dem Sie glauben, daß es Ihre spezielle Werbebotschaft am besten unterstützt.
5. Die Schrift sollte selten negativ gesetzt werden. Also: Gehen Sie mit weißer Schrift auf schwarzem Untergrund sparsam um. Und weiter: Die Schrift muß allein stehen, um wirksam zu sein. Setzen Sie keine Schrift auf Schraffierungen, Maserungen oder große Raster. Sie wird sich nicht klar abheben. Und Ihre Ware wird nicht gekauft.
6. Die Schrift sollte Luft zum Atmen haben. Lassen Sie genug Freiraum zwischen den Worten (*Spationierung*) und vor allem zwischen den Zeilen (*Durchschuß*). Machen Sie es dem Auge leicht, Ihre Botschaft zu lesen. Schauen Sie selbst, um wievielschwierigerdieszulesenist. Gibt es eine Regel für den richtigen Abstand? Natürlich. Was immer leicht lesbar ist.
7. Lange Textblöcke ohne Absätze sind schwer lesbar.
   Umfangreiche Textblöcke, ohne daß das Auge ausruhen kann, wirken abschreckend, ähnlich wie der Gedanke, zu Fuß durch die Wüste marschieren zu müssen. Machen Sie Absätze! Oder arbeiten Sie mit Zwischenüberschriften.

7\. Große Anfangsbuchstaben ermuntern zum Lesen.

Die Farbe

Möglicherweise gibt es kaum widersprüchlichere und falschere Informationen als zu dem Thema Farbe.

Anbei einige Informationen, über die Sie nachdenken sollten:

1. Farbe auf dem Papier ist ziemlich kostenintensiv. Wenn die Farbe die Rücklaufquote nicht wirklich steigert, verzichten Sie darauf.
   Unser Tip: Lieber mehr Kunden erreichen als das Geld in Farbe investieren.
2. *Manchmal* erhöht sich die Rücklaufquote durch farbiges Papier. Oder farbige Briefumschläge. Oder eine Zusatzfarbe. *Rot* verkauft am besten.
3. Die Verwendung einer zweiten Farbe steigert *manchmal* den Umsatz. Die Verwendung einer dritten und vierten höchst *selten*.

Die Postkarte

Es ist fast nicht zu glauben, aber die Gestaltung einer guten Werbepostkarte ist eine kleine Wissenschaft für sich.

Von wirklicher Bedeutung ist das optische Erscheinungsbild einer Postkarte. Vom Gesichtspunkt des Verkaufens her gesehen, muß man folgendes wissen:

1. Man braucht einen optischen „Aufmerksamkeits-Fänger“, der den Leser ganz brutal den Nutzen/Vorteil innerhalb kürzester Zeit kommuniziert. Gängige Werbung benutzt gern die nackte Frau, aber das ist mittlerweile einfallslos. Trotzdem stimmt das Konzept insofern, als beinhart und sehr direkt, sehr unmittelbar die Aufmerksamkeit gebannt wird.
   Für diesen „Aufmerksamkeits-Fänger“ muß man Ideen entwickeln. Man muß sehr hart, sehr schnell die Aufmerksamkeit gewinnen. Optisch. Durch ein Bild und durch eine Headline. Und manchmal durch ein zweites Bild.
2. Eine Postkarte darf nie langweilig gestaltet werden.
   Wie erreiche ich dies?
   (1) Indem ich mehrere Schrifttypen verwende. Jedoch nicht mehr als drei. (Vorsicht! Nie schwer lesbare Schrifttypen verwenden!)
   (2) Indem ich kleine optische Zeichen verwende. Einige Hinweise, wie das zu bewerkstelligen ist:
   durch einen Stern (in dem etwas geschrieben steht),
   durch eine Hand, die einen Hinweis gibt,
   durch das Einrahmen eines Textteils,
   durch einen Stempel (in dem etwas geschrieben steht),
   durch das Wort NEU,
   indem man einen kleinen Schriftteil weiß in schwarz setzt,

durch wahrscheinlich zehn andere Methoden mehr, wenn man ein wenig nachdenkt.

(3) Indem ich mit fettgedruckten Unterstreichungen arbeite, die die Vorteile ins Auge springen lassen.

3. Am Schluß steht bei jeder Postkarte die kompromißlose Kaufaufforderung. Die Aufmerksamkeit des Lesers muß so gelenkt werden, daß er die Karte umdreht und ausfüllt. Auch hier ist eine optische Unterstützung von Vorteil!

Einige Ideen:

1. Noch heute absenden!
2. Machen Sie sich das Wissen zunutze, schicken Sie die Karte sofort zurück!
3. Rückseite ausfüllen und ab damit in den nächsten Briefkasten!
4. Zugreifen, der Vorrat ist begrenzt!

Porto, Post, Papier

Es ist von äußerster Bedeutung, daß vor dem Direct-Mailing die Portokosten in Erfahrung gebracht werden. Parallel dazu muß das richtige Papiergewicht ausgesucht werden.

Es ist nur ein Aspekt, daß das Papier gut aussieht. Ein ganz anderer Aspekt ist, daß das Porto richtig berechnet wird. Das hat etwas mit der Papierdicke zu tun. Aber auch mit der Menge des Papiers, die man verwenden will. In diesem Zusammenhang ist es auch wichtig, zu recherchieren wie das Porto in drei Monaten aussehen wird. Fehlkalkulationen können hier fatal sein. Bei einer Aussendung von 100.000 Briefen sprechen wir bei 0,50 DM Mehrporto gleich von 50.000 DM Mehrausgaben.

Natürlich beißen sich hier auf der einen Seite die Absichten des Werbers (der alles möglichst teuer, vom Besten, vom Feinsten haben will und keine Kosten scheut) mit den Absichten des Unternehmers (der alles möglichst preiswert haben und für 0,50 DM Loge sitzen will). Die Lösung besteht ganz einfach darin, ohne auf Qualität zu verzichten, trotzdem den unternehmerischen Gesichtspunkt nicht außer acht zu lassen. Natürlich kann man künstlich einen Gegensatz konstruieren, aber das ist nicht klug.

Verbesserung der Rücklaufquoten

Wenn Direct-Mailing nicht funktioniert, gibt es im Prinzip sechs mögliche Schwachstellen. Diese sind:

1. Das Produkt. Wenn das Produkt/der Artikel nichts taugt beziehungsweise nicht gebraucht wird, kann Direct-Mailing nicht funktionieren.

2. Die Zielgruppe. Wenn man eine Nichtraucher-Versicherung an Raucher verschickt, kann es natürlich nur schiefgehen. Man kann aber auch bei einer an sich guten Adressenliste ganz knapp danebenliegen.
3. Das Angebot. Der Preis kann zu hoch sein, die Menge zu groß, die Menge zu klein. Das Angebot muß attraktiv sein, sonst verliert man.
4. Die Kreativität. Hat überhaupt jemand den Werbebrief gelesen? Wurden alle Know-how-Punkte des Direct-Mailings professionell umgesetzt?
5. Der Zeitpunkt.
6. Darüber hinaus muß man folgendes im Auge behalten:
   Direct-Mailing bedeutet nicht, daß man einmal 10.000 DM investiert und danach strömen die neuen Kunden wie gebratene Tauben ins Maul. Direct-Mailing bedeutet testen, testen und nochmals testen, so lange, bis man gewonnen hat.
   Erst nach einiger Zeit kristallisiert sich ein Ergebnis heraus. Das heißt, man darf nicht so naiv sein anzunehmen, daß man mit einem einzigen Test gleich ins Schwarze trifft, wenn es auch manchmal vorkommt. Aber im allgemeinen braucht man Geduld und Ausdauer. Die sich schlußendlich jedoch auszahlt.

Wie Sie das Resultat eines Mailings frühzeitig hochrechnen können

In der Regel zwischen dem 5. und 15. Tag, nach Aussendung der Mailings, wissen Sie bereits, ob ein Mailing funktioniert hat oder nicht.

Die Rücklaufquote berechnen Sie wie folgt:

1. Notieren Sie täglich Ihre Rückläufe.
2. Tragen Sie diese in eine Statistik-Kurve ein.
3. Finden Sie den höchsten Punkt auf der Kurve.
4. Nehmen Sie noch den nächsten Tag dazu.
5. Addieren Sie die Anzahl der Bestellungen oder Rückläufe bis zu diesem Tag.
6. Damit haben Sie die sogenannte „Halbwertszeit“. Jetzt können Sie das voraussichtliche Endergebnis wie folgt errechnen:

Beispiel: Zahl der Halbwertszeit = 113 x **2*** = 226
(siehe Seite 223)

$$\frac{226 \times \mathbf{100}^*}{\text{Anzahl der Aussendungen (z.B. 3.000 Stück)}} = 7{,}5\ \%\ \text{Gesamtrücklauf}$$

* (konstante Zahlen)

Das heißt, Sie haben jetzt die Rücklaufquote in Prozent und können in etwa ab der „Halbwertszeit“ mit der gleichen Anzahl der Rückläufe rechnen.
Ein Beispiel:

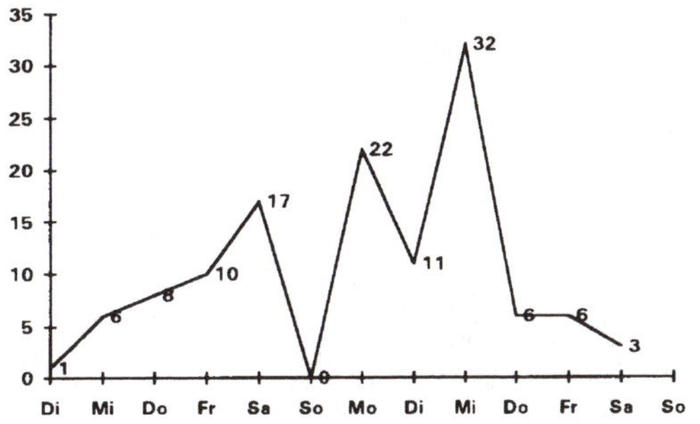

Zielgruppe:	B-Kunden, ca. 3000 Stück
Zeit:	April 1993
Raum:	Deutschland gesamt
Objekt:	Bücher, Neuerscheinungen

Hwz = 113,
das heißt mit 226 Verkäufen konnte man rechnen
Gesamtrücklauf ≈7,5%

Ein zweites Beispiel:

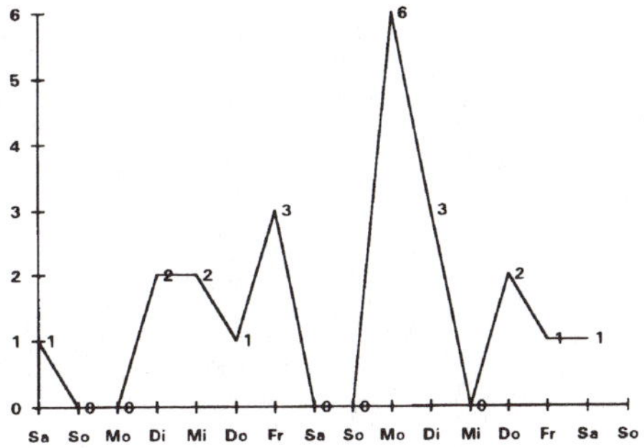

Firma:	
Ziel:	Gewinnen von Neukunden
Zielgruppe:	Finanz-Berater
Raum:	PLZ 6
Zeit:	März 1993

Hwz = 18, = 36 Rückläufe insgesamt
Gesamtrücklauf ≈3,6%

Die wichtigsten Punkte
Soweit die wichtigsten Punkte des Direct-Mailings. Man erkennt hieran sehr schnell, daß das Direct-Mailing aus zwei größeren Gebieten besteht:
1. Objektives Werbe-Know-how,
2. Kreativität.

Diese beiden Gebiete bestimmen den Erfolg des Direct-Mailings. Es sollte nicht ungesagt bleiben, daß es, abgesehen von den hier aufgeführten Techniken, noch sehr viel mehr Direct-Mailing-Know-how gibt. Aber das hier vorgestellte Know-how gestattet einen ersten Einblick. Und zeigt, daß „Werbung" eine hochprofessionelle Angelegenheit sein kann mit der sich – richtig umgesetzt – durchaus vorhersagbare Resultate erzielen lassen.

5. So steigen Sie erfolgreich ins Telefonmarketing ein

Verkaufe niemals was es ist,
sondern verkaufe was es tut.
Axel J. Bertling, Vertriebsberater

Das Telefon klingelt. Nach der ersten Schrecksekunde nehmen wir den Hörer ab, gönnen uns einen letzten, gedankenverlorenen Blick aus dem Fenster und schon gewähren wir dem Anrufer den Eintritt in unsere ganz persönliche Umgebung – via Satellit und Kabel.

Der kleine, unentbehrliche Störenfried hat eine bemerkenswerte Karriere hinter sich: von der technischen Revolution 1876 zum Massenmedium des zwanzigsten Jahrhunderts. Murray Roman, Amerikas führender Telefonmarketing-Experte, huldigte dem Erfinder des technischen Wunderapparats, Alexander Graham Bell, 1978 mit beeindruckenden Zahlen: „Was würde er wohl sagen, wenn er wüßte, daß am heutigen Tage 400 Millionen Telefonanrufe gemacht wurden? Daß noch bevor heute abend in den Haushalten von Maine bis Hawaii die Lichter verlöschen, rund sieben Millionen Amerikaner ans Telefon gehen und zuhören, wie ihnen ein völlig Unbekannter ein Verkaufsangebot macht, und daß insgesamt 46.000 das Angebotene auch kaufen werden?" *(Quelle: „Telefonmarketing", Wiesbaden 1978).*

Die Zahlen sind ungeheuerlich und haben sich innerhalb der vergangenen 15 Jahre noch vervielfacht. Ein kometenhafter Aufstieg. Dicht gefolgt vom Direktmailing. Auch hier fand vom einfachen Universalwerbebrief eine rasche Entwicklung zur individuellen Kundenansprache statt, die durch immer ausgefeiltere Techniken und immer spezifischere Zielgruppenorientierung vervollkommnet wurde.

Kein Wunder, die Vorteile des Telefonmarketing liegen auf der Hand: Bei exakter Zielgruppenanalyse lassen sich Streuverluste minimieren, Sie können jederzeit die Kosten genau überblicken, und Sie können unmittelbar nach dem Anruf den Erfolg – oder Mißerfolg – ablesen. Das heißt, unkalkulierbare Risiken sind nicht vorhanden. Dadurch ist Telefonmarketing im Gegensatz zur klassischen Werbung ein sicheres und effizientes Akquiseinstrument. Hinzu kommt: Die Kundenbesuche im Außendienst werden immer teurer. Die Kosten explodieren, viele Außendienstler verbringen mehr Zeit auf dem Asphalt als beim Kunden. Gleichzeitig beschert uns die Wunderwelt modernster Kommunikationstechnik immer mehr Möglichkeiten, Raum und Zeit kostengünstig zu überbrücken. Und schließlich ist das Bildtelefon auch in greifbare Nähe gerückt...

Wie funktioniert Telefonmarketing?
Man unterscheidet zwischen sogenannten Nachfaßaktionen per Telefon, bei denen bereits akquirierte Kunden wieder und wieder kontaktiert werden, und dem klassischen Neukunden-Marketing. Manchmal wird auch per Telefon eine systematische Vorauswahl der Adressen getroffen, die dann anschließend vom Außendienst besucht werden. Dadurch werden nicht interessierte Gesprächspartner gleich ausgesondert, und der Außendienst verliert keine Zeit mit „kalten" Gesprächen. Uns interessiert natürlich vor allem die telefonische Neukunden-Akquise. Sie können damit eine professionelle Telefonmarketing-Agentur beauftragen, die Adressen finden Sie in diesem Buch. Oder Sie arbeiten sich selbst in die Materie ein (was nicht immer der kostengünstigere Weg ist, denn es wird sehr viel Lehrgeld auf Sie zukommen!). Dennoch dazu einige wichtige Tips. Die erste Frage hierbei lautet:

1. Adressenbeschaffung – wen rufe ich an?
Seien wir ehrlich: Wie oft standen wir schon vor der Frage: Wen soll ich jetzt anrufen? Jede Art des Telefonmarketing – angefangen von der einfachen Terminvereinbarung bis hin zum Telefonverkauf und der telefonischen Betreuung – beginnt mit einer korrekten Adresse mit Telefonnummer. Und genau das ist bei vielen Verkäufern und Unternehmen der Schwachpunkt. Adressen, das Gold eines jeden Verkaufs! Glauben Sie uns, wir haben viele Profis zu diesem Thema schon gehört. Über die Bedeutung der Adresse ist man einhelliger Meinung. Darüber, wie man an die ganz heißen Adressen kommt, gibt es allerdings wenig veröffentlichtes Know-how. Denn die wenigsten verraten gerne ihre allerheiligsten Verkaufsgeheimnisse!

Einer der ganz erfolgreichen Vertriebsprofis erlaubte uns, folgende Notiz ungekürzt zu diesem Thema hier wiederzugeben:[1]

Adressen, Adressen, Adressen

Je und je hört man den Satz von einem Verkäufer oder Vertriebsleiter: „Ich habe keine Adressen, deshalb kann ich nicht telefonieren."
Nun, was ist hierzu zu sagen? Ganz einfach folgendes: Der Außendienstler sollte folgende acht Aktionen sofort unternehmen:

1. Er muß bestehende Verbindungen, die er besitzt, wirklich durchforsten. So sollte er zunächst unmittelbar in der eigenen Kartei nachschauen.
   Jeder Verkäufer, der sich nicht eine eigene Adressenkartei aufbaut, versteht seinen Job nicht. Am Anfang genügt vielleicht ein Notizbuch, aber sehr bald schon wird man sich eine ganze Computer-Adreßdatei zulegen.
   Die eigene Kartei ist das Gold des Verkäufers. Dies gilt analog auch für Unternehmen: Die eigene Kundenkartei ist das Gold, das Sie besitzen!

1 Copyright © Werbeagentur 3001 1994

Vielleicht findet man nicht immer Kunden in der eigenen Kartei. Aber man findet praktisch immer Leute, die einem weiterhelfen können.

2. Er sollte sich bei Branchenprofis, Kollegen, Bekannten nach weiteren Adressen erkundigen. Profis in einer Branche wissen oft, wie man an gute Adressen dieser Branche kommt.
3. Er kann schließlich auch Meinungsführer kontaktieren. Und von ihnen gute Adressen bekommen.
   Die gute Nachricht: Diese Methode funktioniert wie eine Bombe.
   Die schlechte Nachricht: Hiermit ist eine Menge *Arbeit* verbunden.
   Denn dazu muß man:
   Zeitschriften durchforsten, die diesen Markt abdecken, um daraus
   Adressen zu klauben.
   Die Wirtschaftspresse und Zeitungen lesen.
   Telefonisch nachrecherchieren, um Meinungsführer überhaupt ausfindig zu machen.
   Einige gute Kontakte aufbauen, um nach Adressen zu fragen.
   Sich wirklich in das Thema einarbeiten, um das es geht, z.B. durch Fachliteratur.
4. Es gibt auch die Vorgehensweise, ganz allgemein andere Menschen zu fragen, um an Adressen zu kommen. Welche „Leute“ sind dafür am besten geeignet? Natürlich solche, die ihrerseits viel mit Menschen zu tun haben. Wer hat viel mit anderen Menschen zu tun? Nun, erfolgreiche Leute. Dazu können zählen: Ärzte, Unternehmer, Geschäftsführer, Geschäftsinhaber, Verkäufer, Finanzdienstleister, Immobilienmakler etc., etc. In jeder Branche gibt es erfolgreiche Menschen, mit denen man sich treffen und die man nach Adressen fragen kann.
5. Weitere Methoden, um an Adressen zu kommen, sind:
   - ❒ Mitgliederverzeichnisse von Verbänden und Vereinen, die natürlich mit dem verkauften Produkt direkt oder indirekt zu tun haben müssen.
   - ❒ Messen und Messekataloge.
   - ❒ Veranstaltungen, Kongresse.
   - ❒ Firmenhandbücher (z.B. „Wer liefert was?“).
   - ❒ Hoppenstedt, Who ist who und andere Quellen.
6. Fachmedien, Fachzeitschriften und Fachzeitungen liefern oft exzellente Adressen.
7. „Gelbe Seiten“ und Telefonbücher gehören zu den meistgenutzten Adreßquellen und stellen nach wie vor ein unschätzbares Potential dar. Sie bieten den Vorteil, schnell an Adressen zu kommen.
8. Ausgezeichnete Adressenquellen sind natürlich die Adreßverlage und Listbroker.
   Dazu muß man wie folgt vorgehen:
   (1) Studieren Sie einen Direktmarketing- / Direct-Mailing-Katalog (z.B. von Merkur) sorgfältig durch. Das kann durchaus zwei Stunden in Anspruch nehmen.
   Wie ist er aufgebaut?
   Welche Zielgruppen gibt es darin?
   Wie kann man schnell eine Zielgruppe ausfindig machen?
   (2) Entscheiden Sie, welche Zielgruppen Sie kontaktieren wollen.
   (3) Stellen Sie einen persönlichen Draht zu mindestens drei Direct-Mailing-Agenturen her.
   (4) Bestellen Sie testweise einige Adressen *mit* Telefonnummern. Achten Sie auf rasche Lieferung.
   (5) Arbeiten Sie sich stufenweise in das Know-how ein, um an gute und bessere Adressen über Adreßverlage, Direct-Mailing-Agenturen und Listbroker zu kommen.

So weit also die Tips zu diesem Thema. Praxisnah, meinen Sie nicht auch? – Sie haben nun also einen aktiven Adressenfundus vor sich liegen. Jetzt stellt sich die Frage: *Wer* ruft diese potentiellen Käufer an?

2. Wie man gute Telefonverkäufer findet

Interessanterweise ist nicht jeder Verkäufer auch automatisch telefonstark. Wußten Sie, daß erfahrungsgemäß Spitzenverkäufer im Außendienst bei der Akquise per Telefon oft sogar eine ziemlich klägliche Figur abgeben? Und daß im umgekehrten Fall die abschlußsicheren Telefonprofis nicht selten unscheinbare Durchschnittstypen sind, die in modernen Geschäftshäusern kaum am Pförtner vorbeikämen? Ihre Kandidaten finden Sie zum einen durch Empfehlungen. Fragen Sie ruhig herum, wer jemanden kennt, der für diese Tätigkeit geeignet sein könnte. Die zweite Schiene ist die gezielte Suche per Stellenanzeige. Um zu vermeiden, daß sich zu viele gescheiterte Außendienstler angesprochen fühlen, beschreiben Sie Ihr Unternehmen so detailliert wie möglich und machen Sie deutlich, daß es ausschließlich um das Medium Telefon geht. Sagen Sie explizit, daß es sich um Telefonverkauf handelt und nicht etwa um Marktforschung.

Bitten Sie in Ihrer Anzeige um schriftliche Bewerbung und rufen Sie Ihre Wunschkandidaten dann gezielt an. Solche überraschenden Anrufe offenbaren Ihnen viel über den Bewerber. Achten Sie auf eine flexible, sichere und eindringliche Stimme. Die besten Kandidaten bei der Auswahl der Bewerber sind meist junge, aufgeschlossene Menschen. Interessant sind aber auch ältere, lebenserfahrene Leute, die viel Menschenkenntnis und Einfühlungsvermögen besitzen. Vorsicht dagegen bei den sogenannten „Vertreternaturen“, die während der vergangenen Jahre von Agentur zu Agentur, von Vertrieb zu Vertrieb wechselten und nie länger als ein paar Monate für ein Unternehmen tätig waren. Hier lohnt die Einarbeitung nicht, solche Zugvögel werden auch bei Ihnen nicht seßhaft! Absolut unwichtig sind natürlich Aussehen, Kleidung, Alter, etwaige körperliche Behinderungen oder Krankheiten. Ein echter Telefonprofi beherrscht natürlich die guten Manieren im Gespräch mit anderen Menschen, er baut auf natürliche Weise Sympathien auf und reagiert auch in kritischen Situationen nicht ärgerlich oder gereizt. Mit anderen Worten, er ist belastbar, ohne daß ihm gleich die Hutschnur reißt. Erfahrungsgemäß ist dies ein wichtiger Faktor, denn gerade Telefonverkauf ist ein Job, der „an die Nerven gehen“ kann. Allerdings meist nur bei denen, die ohnehin ein etwas schwaches Nervenkostüm mitbringen.

Haben Sie Kandidaten gefunden, müssen Sie sie trainieren, schulen, ausbilden. Es nützt aller guter Wille nichts, wenn der Telefonverkäufer sich nicht auskennt mit Ihrer Firma oder deren Produkt. Üben Sie das sichere Verkaufsgespräch anhand verschiedener Situationen.

3. Es geht los: die tägliche Telefonpraxis

Schreiben Sie sich diesen Satz wenn schon nicht hinter die Ohren, dann auf einen Zettel an Ihrer Pinnwand: Ihr potentieller Kunde ist mehr als eine Nummer auf der Karteikarte. Er lebt in einer ganz speziellen Sphäre, in die Sie mit Ihrem Anruf ungebeten eindringen. Es ist also Ihre Pflicht, diese Störung unverzüglich zu erklären und dem Angerufenen einen plausiblen Grund zu nennen, Ihnen zuzuhören und nicht etwa sofort aufzulegen. Wenn Sie oder Ihre Telefonverkäufer die folgenden Grundregeln beachten, kann eigentlich nichts mehr schiefgehen.

- ❏ Vergeuden Sie nie unnötige Zeit Ihrer Zielpersonen. Melden Sie sich mit Ihrem vollen Namen und kommen Sie nach den ersten fünf Sekunden auf den Punkt. Reden Sie nicht um den heißen Brei herum.
- ❏ Versetzen Sie sich immer in die Lage Ihres Gesprächspartners. Vielleicht ist er vor fünf Minuten aus einer heiklen Besprechung gekommen? Oder er hat gerade eine Reklamation zu bearbeiten? Stellen Sie sich vor, daß Sie in eine solche Situation platzen. Daher sollten Sie zuerst fragen, ob Ihr Gesprächspartner einige Minuten Zeit für Sie hat, und zwar unmittelbar nach der Vorstellung. Kommen Sie ungelegen, dann vereinbaren Sie fest einen neuen Telefontermin. Und halten Sie diesen auch ein!
- ❏ Sagen Sie die Wahrheit. Geben Sie klare Aussagen bezüglich einer Finanzierung bzw. möglichst genaue Produktbeschreibungen. Das reduziert die Anzahl der höchst ärgerlichen Reklamationen.
- ❏ Seien Sie für Rückrufe erreichbar. Ein Telefonverkäufer, der nicht zu erreichen ist, ist kein Telefonverkäufer! Geben Sie deshalb immer eine Nummer an, unter der Sie erreicht werden können, und zwar den ganzen Tag. Viele potentielle Kunden sind nämlich grundsätzlich einem Kauf gar nicht abgeneigt, möchten aber zu einem anderen Zeitpunkt mit Ihnen verhandeln.
- ❏ Je nach Art des Telefonverkaufs ist das Ziel Ihres Gesprächs entweder die Vorbereitung eines qualifizierten Besuchstermins durch den Außendienst oder der direkte Produktverkauf. Gehen Sie geradlinig auf Ihr Ziel zu. Denn: Die Anzahl, nicht die Länge Ihrer Telefonate ist entscheidend für die Erfolgsquote.

Vergessen Sie Argumentationskataloge

Setzen Sie jeden, der Ihnen solche Instant-Sales-Argumentationen allen Ernstes verkaufen möchte, unverzüglich an die Luft, denn er vergeudet Ihre Zeit. Diese Kataloge mit Argumenten und Gegenargumenten für angeblich alle Gelegenheiten beim Telefonmarketing sind meist so nutzlos und verbraucht wie eine Tageszeitung von vorgestern. Wenn ein Gesprächspartner die ersten fünf Argumente bereits vom Tisch gefegt hat, weshalb sollte dann das sechste noch wirken? Und glauben Sie nicht, daß Ihr Zuhörer am anderen Ende ganz schnell dahinterkommt, wie unflexibel Ihre Argumentation wirkt und merkt, nach welchem Schema Sie ihn manipulieren wollen?

Die Kunden von heute sind nicht von gestern! Dank gründlicher Aufklärungsarbeit quer durch die Medien sind Ihre potentiellen Kunden alles andere als leicht einzuwickeln. Schaffen Sie deshalb eine andere Einstiegssituation, dann brauchen Sie solche unnützen Hilfsmittel nicht. Beherzigen Sie in jedem Verkaufsgespräch am Telefon aber einige Grundregeln:

1. Sorgen Sie zuerst dafür, daß sich Ihr Gesprächspartner wohlfühlt, indem Sie ihm signalisieren: „Ich stelle mich voll auf deine Wünsche ein.“ Fallen Sie Ihrem Gegenüber am anderen Ende niemals ins Wort, sondern lassen Sie ihn ausreden und beantworten Sie – gerade zu Beginn – jede Frage sofort und möglichst prägnant. Das signalisiert Kompetenz!
2. Erkundigen Sie sich zuallererst nach den Bedürfnissen des potentiellen Kunden. Wenn er bereits über eine komplett ausgestattete Einbauküche verfügt, ist es kaum sinnvoll, ihm eine Mikrowelle oder eine Spülmaschine verkaufen zu wollen.
3. Nennen Sie Ihrem Gesprächspartner sofort den Vorteil, den er von Ihrem Anruf hat. Ein Sonderverkauf oder Restpostenversand, der offiziell im Handel erst in einer Woche beginnt, von dem die Angerufenen aber bereits jetzt profitieren können, sind gute Aufhänger.
4. Die Nebensätze sind entscheidend! Hören Sie deshalb Ihrem Gesprächspartner sehr genau zu. Alles, was er „zwischen den Zeilen“, also in Füll- oder Überleitungssätzen sagt, kommt aus dem Bauch heraus und ist wichtig für Ihre Argumentation. Greifen Sie angedeutete Bedenken oder Ängste auf und klären Sie sie sofort. Nicht, indem Sie das Problem mit rhetorischen Vertreterfloskeln zerreden, sondern mit klaren, nachprüfbaren Fakten erläutern und klären.
5. Ihre Aussagen müssen ohne optische Argumentationshilfen wirken. Konzentrieren Sie sich deshalb darauf, Ihr Produkt vor Ihrem geistigen Auge zu sehen und so detailliert wie möglich zu beschreiben. Ein grünes Handtuchset ist also nicht einfach nur grün, sondern z.B. apfelgrün, moosgrün, grasgrün etc.
6. Erzeugen Sie Bilder im Kopf Ihres Gesprächspartners. Was Sie im persönlichen Gespräch durch Gestik und Mimik veranschaulichen können, müssen Sie hier durch plastische Schilderungen ersetzen. Gebrauchen Sie Symbole. Erzählen Sie nichts über die Schärfe und Langlebigkeit eines Messersets, sondern zählen Sie auf, was Ihr Kunde damit alles schneiden kann – und wie

oft. „Schneidet sogar Gummi und Rinderknochen“ ist doch viel deutlicher als „Ist so scharf wie die neuesten Keramikschneider aus Japan“. Bei einem Schleifgerät dagegen interessiert die vielseitige Anwendung, z.B. beim Heimwerken, beim Autoreparieren etc. weitaus mehr als eine fiktive Rotationszahl.

7. Akzeptieren Sie ein klares Nein und beenden Sie das Gespräch. Damit halten Sie sich ein Hintertürchen offen, wenn Sie zufällig im Rahmen einer anderen Akquiseaktion an den selben Gesprächspartner geraten sollten.
8. Wenn Sie sich nach den ersten Telefonaten zurückziehen, um lieber doch in einem Manuskript Ihre wichtigsten Gesprächsbausteine niederzuschreiben, achten Sie darauf, niemals typisch werbliche Formulierungen zu verwenden. Sprechen Sie nicht von absurden Dingen wie „Hautverjüngung“, „porentiefer Reinheit“ oder „phänomenalen Ergebnissen bei Labortests“, denn im Gegensatz zur klassischen Werbung kann Ihr Gesprächspartner sofort Zwischenfragen stellen und mit Gegenargumenten zu diesen mehrdeutigen, vagen Produktversprechen kontern. Und was dann?

Besser gut fragen als schlecht argumentieren

Sie haben sich in eine Frage-Antwort-Situation hineinmanövriert? Ihr Gesprächspartner wirkt genervt, verbohrt und unkooperativ, ist kurz davor, aufzulegen? Ohne Ihnen zu nahe treten zu wollen, aber: Das wäre zu vermeiden gewesen. Ein guter Telefonakquisiteur muß nicht nur reden, sondern vor allem zuhören können! Wären Sie aufmerksam gewesen, dann hätten Sie die Alarmzeichen für die eingetretene Situation rechtzeitig erkannt. Denn dieser tote Punkt kündigt sich durch immer weiter auseinanderklaffende Argumente an. Ihr Gesprächspartner unterhält sich zwar noch mit Ihnen, aber nur, um Sie in Widersprüche zu verwickeln und so einen Grund dafür zu finden, das Gespräch zu beenden. Und Sie argumentieren an ihm vorbei und reagieren nicht auf seine Signale, auf die Zwischentöne. Wie Sie diese rechtzeitig erkennen?

Eine solche Situation deutet sich vor allem durch wachsende Ungeduld Ihres Gesprächspartners aufgrund unbeantworteter Fragen an. Er fühlt sich ganz einfach übergangen, überrannt, ausgenutzt. Er fällt Ihnen immer öfter ins Wort, er wird ausfallend und ungehalten, er will das Gespräch abkürzen, indem er zum Beispiel sagt: „Da habe ich schon bessere Angebote erhalten“ oder „Im Moment habe ich einen Termin, ich muß jetzt weg“ oder auch „Sie können mir viel erzählen, Vertreter sind doch alle nur auf ihre Provision aus“. Er stellt keine logischen Fragen mehr, sondern springt von einem Einwand zum nächsten, ohne gedanklichen Zusammenhang, nur, um Ihnen Kontra zu geben.

Fragen Sie ganz direkt nach seinen Erfahrungen mit Telefonverkäufern, nach etwaigen unangenehmen Erlebnissen. Interessieren Sie sich unbedingt für seine persönliche Ansicht Ihrem Produkt gegenüber. Fragen Sie, wie er über die Konkurrenzprodukte denkt. Wie er das Preis-Leistungs-Verhältnis beurteilt.

Machen Sie Ihren Gesprächspartner neugierig, er muß förmlich vor Spannung platzen und interessiert auf Ihre Informationen warten.

Und vergessen Sie dabei nicht: Sie verkaufen nicht einfach nur Produkte oder Dienstleistungen. Sondern Sie sind dafür verantwortlich, Ihrem Gesprächspartner am Telefon das Leben zu erleichtern und ihm eine wirklich kompetente Beratung zu bieten. Mit Engagement und persönlichem Einsatz.

Damit liegen einige verläßliche Tips zur erfolgreichen Telefonakquise vor Ihnen. Aber selbst wenn Sie sämtliche Regeln und Grundsätze peinlich genau befolgen, könnte es passieren, daß Sie bei Ihren Gesprächspartnern auf Granit beißen und ausschließlich mit „Auflegern" zu tun haben. Das liegt nicht unbedingt an der mißtrauischen Zielgruppe Ihres Unternehmens, sondern unter Umständen an Ihnen. Denn die wichtigste Voraussetzung für den Grundstein zum Aufbau einer Kundenbeziehung, das emotionale „Ja" Ihres Gesprächspartners, liegt in Ihrer Persönlichkeit. Unsichtbar, aber von elementarer Bedeutung!

Der Kauf vor dem Kauf

Auch wenn es absurd klingen mag: Der eigentliche Kaufentschluß des Kunden entstammt nicht Ihren Überredungskünsten, sondern Ihrer inneren Einstellung. Machen Sie sich in einer stillen Stunde doch bitte einmal bewußt, wie eine Kundenakquise abläuft, und wie sie im Idealfalle endet, nämlich mit dem Kauf bzw. dem Beginn einer langen Kundenbeziehung. Stellen Sie sich die einzelnen Abschnitte des Gesprächs so bildhaft vor, wie Sie nur können.

Sie, ein völlig Fremder, sind bei einem Gesprächspartner in der Leitung. Sie können sich weder hinter einem Plakat noch hinter Ihrem Produkt verstecken, der andere kann Sie ja nicht sehen. Sie sind in diesem Moment des gegenseitigen Erkennens allein auf Ihre Ausstrahlung, auf das Charisma Ihrer Stimme angewiesen. Vergessen Sie nie: Nicht das Produkt oder die Dienstleistung, sondern Sie allein sind der Eisbrecher beim Kunden! Sie müssen in der Lage sein, einzig durch Ihre Stimme und bereits mit den ersten Worten Ihren Gesprächspartner zu begeistern und zu faszinieren. Das erreichen Sie nur, indem Sie sich entsprechend motivieren.

Diese Selbstmotivation findet unter Ausschluß der Öffentlichkeit statt. Entspannen Sie sich! Machen Sie sich folgende Tatsachen bewußt: Ihr Gesprächspartner weiß es zwar noch nicht, aber in Kürze wird er einen für ihn wichtigen und richtigen Kauf tätigen. Denken Sie so, als wäre Ihr Telefonkunde bereits Ihr überzeugter Stammkunde, als hätte er sich schon lange für einen Kauf bei Ihnen entschieden. Dazu gehört, daß Sie *absolut überzeugt* von Ihrem Produkt sind. Sie wissen ohne den Schatten eines Zweifels, daß Ihr Gesprächspartner gar keine andere Wahl hat, als eine Kundenbeziehung mit Ihnen aufzubauen, denn Sie bzw. Ihr Produkt oder Ihre Dienstleistung sind der Schlüssel zur Lösung seiner Probleme. Sie wissen genau, welchen Nutzen Ihr potentieller Kunde durch Ihren Anruf erlangen kann und können diesen auch in einem Satz klar darlegen.

Ihre Stimme ist Ihre Visistenkarte

Ihre Stimme dürfen Sie nicht dem Zufall überlassen. Niemand kommt mit einer charakteristischen Stimme auf die Welt. Im Gegenteil, unsere Sprechweise ist ein absolut ehrlicher Ausdruck unserer Seele und gleichzeitig ein akustischer Fingerabdruck, den Sie überall hinterlassen – und an den man sich erinnern wird. Arbeiten Sie daran!

Zuerst schneiden Sie einen Teil eines beliebigen Telefonates auf Band mit und hören es sich hinterher an. Fällt Ihnen auf, wie viele Silben und Vokale Sie einfach verschlucken? Und wie oft kommt es vor, daß Sie übertriebene Atemgeräusche oder Räuspern von sich geben? Vielleicht schnalzen Sie noch mit der Zunge? Oder womöglich enthält Ihre Sprache keine Spannungsbögen? Sie heben oder senken Ihre Stimme nicht, wie es dem Thema angemessen wäre, sondern leiern wie ein monotoner Anrufbeantworter? Kann es sein, daß Sie darüber hinaus nach wenigen Sätzen von Ihrem Gesprächspartner unterbrochen werden? Das liegt nicht etwa an seinen schlechten Manieren, sondern daran, daß er Sie im wahrsten Sinne des Wortes nicht mehr hören kann. Nicht das, was Sie sagen, sondern *wie* Sie es sagen!

Vielleicht schreckt Sie diese Bestandsaufnahme? Aber seien Sie versichert, Sie können bereits nach zwei Wochen intensiver Selbstbeobachtung die gröbsten Fehler beseitigen, ohne daß Sie eine nennenswerte Anstrengung verspüren werden. An den Reaktionen anderer merken Sie, daß Sie an Überzeugungskraft und Stärke gewonnen haben.

Sie werden staunen, wie sicher, locker und souverän Sie plötzlich reden können! Das spürt auch Ihr Gegenüber am anderen Ende der Leitung, er unterhält sich gerne mit Ihnen, und im Idealfall kommen Sie sich sogar auf einer emotionalen Ebene näher. Der andere spürt Ihre Aufmerksamkeit, und Ihre Begeisterung für das Produkt wirkt durch eine sichere Sprechweise regelrecht ansteckend, der Funke springt über.

Die definitive Kaufzusage bzw. eine Terminvereinbarung ist keine feierliche, dramatische Angelegenheit, wie es Ihnen vielleicht im Moment noch vorkommt, sondern eine Selbstverständlichkeit. Eine logische Konsequenz Ihrer eigenen inneren, positiven Grundhaltung.

Finden Sie Ihren Markt!

Ein weiterer Schritt, der zur Konzeption einer Telefonkampagne gehört, ist eine realistische Einschätzung Ihrer Mitbewerber. Wenn Sie nicht gerade zu den absoluten

Newcomern gehören, die mit einem nagelneuen Patent den Markt erobern möchten, dann haben Sie es normalerweise mit harter Konkurrenz zu tun. Sie stehen neben Mitbewerbern, die ähnliche Leistungen oder Produkte anbieten wie Sie. Und vielleicht sogar mit ähnlichen Marketing-Methoden auf ihre Kunden zugehen. Versuchen Sie nicht, genau in dieselbe Kerbe zu hauen, sondern suchen Sie sich Ihren Weg und Ihre spezielle Zielgruppe. Führt Ihr Mitbewerber einen schon fast ruinösen Preiskampf? Dann vergessen Sie das Preisargument in Ihren Aktionen und stellen statt dessen Ihren besonderen Service in den Vordergrund.

AUF EINEN BLICK

1. Telefonmarketing ist angesichts steigender Vertriebskosten ein wichtiges Instrument der Zukunft. Es sollte reichlich genutzt werden. Benutzen Sie eine professionelle Agentur, dann erspart Ihnen dies möglicherweise viel Lehrgeld.
2. Möchten Sie die Sache selbst in die Hand nehmen, sollten Sie einige Grundregeln kennen:
   (1) die Adressenbeschaffung. Nutzen Sie die hier angegebenen Quellen (eigene Kartei, andere Profis, Zeitschriften, Wirtschaftspresse, Messen und natürlich vor allem Adreßverlage und -broker. Weitere wichtige Quelle: Meinungsführer)
   (2) das richtige Personal
   (3) die Schulung
3 Beim Telefonmarketing ist die Stimme Ihre Visitenkarte, das heißt: üben, üben, üben. Bieten Sie Ihrem Gesprächspartner einen Grund, nicht aufzulegen!
   (1) Eigene Tonbandmitschnitte sind oft deprimierend, aber ehrlich. Kontrollieren Sie Ihre Stimme regelmäßig!
   (2) Machen Sie Ihrem Gesprächspartner bereits in den ersten zehn Sekunden plausibel, daß er etwas von Ihrem Anruf hat: was, warum, wann und wieviel!
   (3) Fragen Sie mehr, als Sie erzählen!
   (4) Verbannen Sie die Argumentationskataloge aus Ihrem Büro!
4. Das ganze Geheimnis beim Telefonmarketing: Sprechen Sie mit Ihrem potentiellen Kunden so, daß Sie ihn überzeugen, auch ohne daß er Blickkontakt zu Ihnen hat. Geben Sie ganz einfach Ihre eigene Begeisterung für Ihr Produkt bzw. Ihre Dienstleistung an den Adressaten weiter. Dann springt der Funke über – und nur er entscheidet über das Ja oder Nein des Kunden!

6. So bereiten Sie Ihre Präsenz auf Messen vor

Wenn ich Hundefutter verkaufen will,
muß ich erst einmal die Rolle des Hundes
übernehmen: Denn nur der Hund allein
weiß ganz genau, was Hunde wollen.

Ernest Dichter

Was haben eine Luxushotelkette, ein Gitarrenbauer, ein Belletristikverlag und ein Autohersteller gemeinsam? Richtig: Es gibt sie in großer Zahl. Dem Endverbraucher ist es ohne ausführliche Hintergrundinformationen nahezu unmöglich, zwischen den einzelnen Anbietern zu unterscheiden. Der positive Nebeneffekt: Konkurrenz macht erfinderisch. Im Verdrängungswettbewerb Ende des 20. Jahrhunderts zählt nur noch absolute Spitzenqualität und Originalität. Die Unternehmen sind transparent geworden, Kommunikation gehört zum wichtigsten Marketinginstrument. Im Zuge dieser Entwicklung gewinnt das älteste aller Marketinginstrumente zunehmend an Bedeutung. Bereits um 700 n. Chr. fand nahe Paris die erste, registrierte Messeveranstaltung statt. In Deutschland avancierten die Städte Frankfurt 1240 und Leipzig 1458 zu den wichtigsten Messestandorten. Bis heute findet in Frankfurt jährlich die größte Konsumgütermesse der Welt statt. Ferner zählen inzwischen Hannover, Berlin, Düsseldorf, Essen, Hamburg, Köln und München ebenfalls zu den bedeutenden Messestädten Deutschlands.

Was ist überhaupt eine Messe?

Die Definition eines Universallexikons aus dem Jahre 1979 lautet ganz schlicht: „Messe = Ausstellung von Warenmustern, meist aus bestimmten Wirtschaftszweigen, z.B. Bekleidung, Industrie, Kfz, Bücher etc. mit dem Ziel, Interessenten zu erreichen und Kaufabschlüsse zu erzielen". Ist eine Messe also eine pure Warenpräsentation? Nein. In dieser Form finden heute nur noch sogenannte Produktschauen statt, die meist in bescheidenerem Rahmen veranstaltet werden, als dies bei den großen, internationalen Messen üblich ist.

Heute steht eine Messe in erster Linie für das Kommunikationsereignis, mit dem ein Unternehmen bzw. ein Hersteller viele verschiedene Facetten der Öffentlichkeitsarbeit gleichzeitig abdecken kann. Er hat die Chance, nicht nur seine Produkte ähnlich wie bei einer Ausstellung verkaufsfördernd zu präsentieren, sondern darüber hinaus sein Unternehmen, seine Philosophie und seine Vielseitigkeit zu dokumentieren – Seite an Seite mit seinen internationalen Mitbewerbern.

Er tritt gegenüber dem Zwischen- und Endverbraucher den Beweis für sein Produktversprechen an. Erlaubt ist dabei eine beliebige Kombination aller verfügbaren Marketinginstrumente. Wehe dem, der diesem Rahmen nicht gewachsen ist! Denn aufgrund der großen Publikumswirkung einer Messe ist es einem Aussteller nicht möglich, undichte Stellen seiner Leistungspalette zu kaschieren. Salopp gesprochen: Wenns schiefgeht, dann hat es jeder gesehen! Warum?

Auf einer Messe laufen gewissermaßen die Fäden des Marktes und der Absatzpolitik zusammen. Konkret heißt das: Die Messegesellschaft, der Aussteller, die Medien, die Besucher und selbstverständlich die zahllosen Dienstleister wie Gastronomie, Bahn- und Fluggesellschaften, Hotellerie, Polizei, Arbeitsamt, Postamt, Banken, Ladengeschäfte für Verpflegung und diversen Tagesbedarf treffen aufeinander und bilden für ein paar Tage einen dynamischen und sehr lebendigen Mikrokosmos. Gleichzeitig lassen sich auf engstem Raum die technischen Entwicklungsprozesse und ihre Initiatoren aus der gesamten internationalen Konkurrenz sehr sorgfältig miteinander vergleichen, wozu man nirgendwo sonst die Gelegenheit hätte.

Es sprechen also eine ganze Reihe von Gründen dafür, sich auf einer Messe zu präsentieren. Die Preisfrage ist: auf welcher?

Die Nadel im Heuhaufen...

In Anbetracht der zahllosen großen und kleinen Messeveranstaltungen allein in Deutschland ist es notwendig, eine „Punktanalyse“ durchzuführen. Das bedeutet nicht, eine Messe allein nach ihrem Namen als geeignet einzustufen, sondern eine ganze Menge zusätzlicher Informationen. Beschaffen Sie sich alle verfügbaren Messeplaner, Handbücher, Kalender und Infobriefe der jeweiligen Messegesellschaften. Der nächste Schritt: Stellen Sie eine Checkliste auf, in der Sie zuerst oben in horizontaler Reihenfolge folgende Punkte eintragen:

1. Zielgruppe bzw. Thema,
2. Bekanntheitsgrad, Besucherzahlen,
3. Kosten,
4. Zahl und Art der Mitbewerber,
5. Rahmenbedingungen.

Dann listen Sie ganz links untereinander die Messeveranstaltungen auf, die thematisch für Sie interessant sein könnten. Jetzt bewerten Sie die vorliegenden Informationen nach diesen fünf Eckdaten, denn sie entscheiden über Effizienz und Effektivität einer Messe für den Aussteller. Berücksichtigen Sie dabei auch Berichterstattungen in Tagespresse oder Fachpublikationen. Unverzichtbar sind auch die Besucherstrukturtests der Gesellschaft zur freiwilligen Kontrolle der Messe- und Ausstellungszahlen FKM, Lindenstraße 8 in Köln, Telefon 0221/20 90 70. Außerdem liefern die Messegesellschaften selbst gerne umfangreiches Zahlenmaterial über die jeweiligen Veranstaltungen.

Die hohe Kunst der Messeplanung

Der Einstieg ist die schwierigste Aufgabe bei der ganzen Sache. Und gleichzeitig die spannendste. Denn hier müssen die Ziele vieler Unternehmensbereiche definiert und koordiniert werden. Welche Position im Markt schwebt uns vor? Welche Strategien verfolgen wir zur Zeit, und wie möchten wir diese nach außen transportieren? Hier zeigt sich, wie eng die Art der Messepräsenz mit der regulären Öffentlichkeitsarbeit des Unternehmens verknüpft ist. Die Grundsätze der CI, die Maßstäbe in Sachen PR und das gesamte Erscheinungsbild des Unternehmens – all das findet auch auf der Messe Anwendung. Dann muß eine personelle Auswahl getroffen werden. Wer will und wer muß in die Messemannschaft?

Zuerst findet ein großes internes Informationsgespräch statt, ein Messebriefing. Dazu werden alle zusammengeholt, die in Sachen Messegestaltung Informationen beisteuern können:

Wieder ein Brainstorming

Genau. Es ist wieder soweit: Phantasten und Kreative entwickeln in Zusammenarbeit mit Marketingfachleuten, Strategen aus den verschiedenen Abteilungen, Werbe- und PR-Spezialisten und natürlich messeerfahrenen Mitarbeitern, die – ob nun für ein Konkurrenzunternehmen oder das eigene – schon Messepläne erstellt haben, ein Motto, unter das der gesamte Messeauftritt gestellt wird. Soll nur ein neues Produkt vorgestellt werden oder das gesamte Unternehmen? Wer soll angespochen werden? Sollen in erster Linie die alten Kunden erhalten bleiben oder dient der Messeauftritt dazu, neue Interessenten zu akquirieren?

Soll der Schwerpunkt des Standes nun auf dem Service, auf Produktqualität oder allein auf der Unternehmensphilosophie liegen? Es hat sich bewährt, in ein Meeting von solcher Bedeutung auch externe Kreative wie befreundete Regisseure oder Showspezialisten mit einzubeziehen. Oft entstehen auf diese Weise originellere Konzepte, als wenn ausschließlich interne Spezialisten über das Thema Messeauftritt nachgrübeln würden.

Die Art der Präsentation

Generell gibt es vier spezielle Wege, einen Messeauftritt zu inszenieren.

1. *Die kontaktorientierte Präsentation.* Hier steht die Pflege des bestehenden Kundenstammes im Vordergrund. Ziel der Messebeteiligung ist die Stabilisierung des Marktanteils mit bereits eingeführten Produkten und Dienstleistungen. Die Hauptaufgabe des Standpersonals liegt im Kontakt zu den Besuchern.
2. *Die produktorientierte Präsentation.* Sie bietet die Möglichkeit einer intensiven Neukunden-Akquise im Rahmen einer Produktpräsentation. Im Vordergrund stehen die Qualität und die Eigenschaften des neuen Produkts. Ziel dieses Auftritts ist eine Ausweitung des Marktanteils durch die Einführung innovativer Produkte.
3. *Die lösungsorientierte Präsentation.* Hier werden bekannte Produkte in einem neuen Licht bzw. in neuen Einsatzmöglichkeiten gezeigt. Erstes Ziel bei dieser Art der Präsentation ist, den Nutzen bereits bekannter Produkte so neu und erfrischend darzustellen, daß Interessenten das Gefühl haben, eine ganz neue Produktpalette zu entdecken.
4. *Die beratungsorientierte Präsentation.* Sie steht für eine Neukunden-Akquise durch eine vom Produkt unabhängige Darstellung unkonventioneller Problemlösungen. Ein spezifischer Sachverhalt wird durch die Beratungskompetenz des Ausstellers erläutert und beleuchtet. Dadurch wird beim potentiellen Kunden ein Problembewußtsein geweckt, was automatisch ein erhöhtes Interesse am Aussteller – und demzufolge an seinen Produkten – mit sich bringt.

Und wozu braucht der Kunde die Messe?

Der Aussteller kann durch die organisatorische, technische und personelle Struktur der Messepräsentation den Grad seiner Wirkung fast hundertprozentig bestimmen. Aber eben nur fast. Die große Unbekannte in dieser Gleichung ist nämlich der, um den sich all der Aufwand letztendlich dreht: der Kunde, sprich der Besucher. Was erwartet er, wenn er sich die Eintrittskarte für eine Messe kauft? Während der Endverbraucher in erster Linie an einem hohen Unterhaltungswert und Showelementen interessiert ist, haben Fachhändler ganz andere Ziele. Sie besuchen die Messe, um

1. sich über Neuheiten zu informieren,
2. die Infrastruktur der Hersteller kennenzulernen,
3. Angebote und Leistungen zu vergleichenk,
4. eine Kundenbeziehung aufzubauen.

Viele Händler richten sich in ihrer Terminierung ganz nach den für sie relevanten Fachmessen, um für neue Produkte genügend Einkaufs- und Vertriebskapazitäten bereithalten zu können. Im Gegenzug ist es für die Aussteller also unverzichtbar, sich über aktuelle Trends, Tendenzen und Präferenzen der Endverbraucher zu informieren, um die Lücke zwischen Angebot und Nachfrage zu schließen.

Nichts ist so sinnlos wie eine am Kunden vorbeigestaltete Messepräsentation! Wenn also der Grundgedanke des Messeauftritts gefunden ist und die Vorbereitungen im Detail beginnen können, muß zuerst die Standfläche angemietet werden. Dabei geht es leider oft nicht um die Philosophie des Ausstellers, sondern um die Interessen der Messegesellschaft.

Die Bausteine einer systematischen Messeplanung

1. Der Standort

Natürlich sind die Kopf- und Eckstände, die nach drei Seiten offen zum Besucher hin gestaltet werden können, die begehrtesten Messeplätze überhaupt. Leider vergeben die Messegesellschaften die Standplätze nach ihren eigenen Regeln, in denen die Wünsche der Aussteller kaum eine Rolle spielen. Das bedeutet, man wendet sich mit der gewünschten Quadratmeterzahl an die Messegesellschaft, meldet seine Branche, seine Produkte und Aktivitäten ordnungsgemäß an und bekommt kurz darauf einen Platz zugewiesen. Erst dann – und das ist wichtig – können genaue Pläne für die Gestaltung und die Architektur des Standes entwickelt werden. Sonst kann es passieren, daß ein in der Theorie wunderschöner Entwurf sich aufgrund des zugewiesenen Platzes in der Praxis als undurchführbar erweist.

2. Die Architektur

Wenn nun ein genauer Lageplan der Halle und der Besucherwege, Notausgänge, Deckenhöhe, Nachbarstände und sonstigen Einrichtungen vorliegt, werden alle notwendigen Bestandteile des Standes aufgelistet, z.B.:

- ❐ Produktausstellung,
- ❐ Sitzgelegenheiten,
- ❐ Bewirtung,
- ❐ Technik,
- ❐ Garderobe

und vieles mehr.

Die oben genannten Messeziele müssen sich unbedingt in der Gestaltung wiederfinden. Es reicht also nicht, die Quadratmeter zu buchen, die Gestaltung einem Architekturbüro zu übertragen und den Aufbau von einer Messebaugesellschaft durchführen zu lassen. Natürlich ist die Zusammenarbeit mit einem Architekten und der Baugesellschaft notwendig, aber ohne kreative Kunden kann der beste Messearchitekt keinen kreativen Stand bauen.

Jede Standvorstellung läßt sich mit sogenannten Basismodulen realisieren, und selbst mehrgeschossige Stände sind problemlos zu konstruieren. Diese Basismodule wie Stellwände, Treppen, Deckenkonstruktionen oder Kabinen müssen klar im CI des Unternehmens gestaltet werden, das heißt in den Hausfarben und gegebenenfalls mit dem Firmenlogo. Das bedeutet auch, daß die Art der Gestaltung zur Philosophie passen muß. Es sorgt für Verwirrung beim Besucher, wenn sich z.B. ein Hersteller von puristischer und schlichter, hochpreisiger Mode in einem überladenen, verspielten und knalligen Outfit präsentiert, weil der Messearchitekt ihm dazu verholfen hat. Obwohl gerade in der Werbung oft mit derartigen Kontrasten gearbeitet wird, um Spannungen und Eye-catcher zu erzeugen – hier ist diese Strategie fehl am Platze. Im Gegenteil: Der Stand muß unmißverständlich die Firmenphilosophie bzw. den Produktcharakter demonstrieren. Unmißverständlich nicht nur für Kunden, sondern auch für die Medien und die zahlreichen Laien.

Je nach Zweck des Standes wird nun die Gestaltung entweder auf beratungsintensiven Publikumsverkehr – das heißt bequeme Sitzmöbel, große Gehflächen, gut einsehbare Demonstrationsflächen, Bewirtung und dekoratives Ambiente – oder auf reine Warenpräsentation auf vorteilhaften Warenträgern, aber ohne zusätzliche Extras ausgerichtet. Natürlich lassen sich beide Ziele kombinieren, nur bedarf es hierbei einer sehr viel größeren Ausstellungsfläche.

3. Eine Erlebniswelt anbieten

Der wichtigste Grundsatz der Messegestaltung: Weniger ist mehr. Es macht keinen Sinn, auf einer großen internationalen Messe mit riesigen, tonnenschweren Stahlbaukonstruktionen beeindrucken zu wollen. Der Besucher ist auf großen Messen ohnehin einer Reizüberflutung ausgesetzt, und nach dem Besuch bleibt ihm außer einem diffusen Eindruck von großen Bauten und viel spektakulärem Aufwand nicht viel übrig. Viel konkreter erinnert er sich da an einen Stand, bei dem er in ruhiger, gedämpfter Atmosphäre verschnaufen konnte, in geschmackvoller, sparsamer Dekoration ein gutes Fachgespräch führen konnte und – ganz nebenbei – noch die Produkte kennengelernt hat.

Die Fernwirkung eines Messestandes wird in der Regel durch die Architektur des Standes oder ein grafisches Element, ein Logo oder eine ausgefallene Phantasiegrafik erzielt. Die Detailwirkung, also der „Hingucker" unmittelbar am Stand, kann alles mögliche sein. Sie brauchen eine wirkungsvolle Idee, um den Besucher an Ihren Stand zu fesseln. Und natürlich die Medien.

4. Ohne Presse keine Messe
Kreieren Sie einen Hingucker, ein Ereignis innerhalb Ihres Messeauftritts, der eine Meldung in den Nachrichten, in den Messenews oder einer Fachzeitschrift wert ist! Geben Sie vor der Messe regelmäßige Presseinformationen heraus, die Ihre „Sensation“ ankündigen, und wenn es nur verschlüsselte Hinweise und Andeutungen sind, die neugierig machen! Laden Sie die jeweiligen Redakteure zu Ihrer Präsentation ein und streuen Sie gezielt Informationen „im Vorbeigehen“ aus, die zur Berichterstattung animieren. Und bieten Sie der Presse Ihre Zusammenarbeit an. Das kann durch verschiedene Kommunikationsmittel geschehen:

❒ Pressekonferenzen
❒ Kompetenter Themenservice am Stand
❒ Exklusive Produktvorführungen unter Ausschluß der Öffentlichkeit
❒ Interviews mit Designern, Konstrukteuren etc.
❒ Datenservice über Mailbox und Btx
❒ Workshops
❒ Telefon-Hotline
❒ Redaktions- oder Verlagsbesuche
❒ Druckfertige PR-Artikel
❒ Pressefotos und Videos
❒ Technische Detailinformationen
❒ Hochwertige Pressemappen als Infopakete

5. Messe zum Anfassen?
Bleiben wir beim High-Tech-Bereich. Leider zeichnen sich gerade Aussteller in der Hifi- und Unterhaltungselektronik-Branche selten durch eine klare Standkonzeption aus. Woran liegt das?

Sie möchten zum einen ihr Unternehmensbild transportieren, Imagepflege betreiben und gleichzeitig aber möglichst sämtliche Neuheiten zum Ausprobieren bereitstellen, die dann womöglich noch durch kostenintensive Profis vorgeführt werden. Diese Vorführungen – sofern sie nicht gerade als ausgefeilte Showattraktion zur Unterhaltung beitragen, sind nur bedingt dazu geeignet, „auf die Schnelle“ den Nutzen und die Vorteile eines neuen Produktes zu demonstrieren. Viel effektiver und effizienter ist es da, statt dessen über Videowände und Diaschauen den Produktnutzen darzustellen. Klare Design- und Grafikmodule sind oft einprägsamer als lautstarke, spektakuläre Demonstrationen, und sie werden vom Unterbewußtsein schneller aufgenommen.

Natürlich ist es für den interessierten Kunden wunderschön, wenn er nach Herzenslust an den Exponaten herumspielen und jede neue elektronische Spielerei ausprobieren darf. Aber was bleibt davon übrig, wenn die Messe gelaufen ist? Ein verschwommenes Bild von Menschentrauben vor Geräten mit Fettflecken und Fingerabdrücken, schlechter Luft verbunden mit schmerzenden Füßen. Die alte Regel, den Kunden sein Produkt anfassen zu lassen, um den Kaufanreiz zu erhöhen, gehört in den Einzelhandel, aber auf keinen Fall auf eine Fachmesse!

Hier ist es unbedingt notwendig, die Fachhändler von den übrigen Besuchern zu trennen. Der einfachste Weg ist die Einrichtung einer „Händlerecke", zu der ausschließlich mit der Händlerkarte Zugang besteht. Und denken Sie zusätzlich über Möglichkeiten nach, sowohl Kunden wie auch Endverbraucher auf Distanz und gleichzeitig bei der Stange zu halten. Wagen Sie doch einmal etwas! Plazieren Sie sämtliche Neuheiten auf Podesten – aber mit wertvollem, leichtem Stoff kunstvoll verhüllt, so daß nur die schemenhaften Umrisse zu erkennen sind. Diese Verhüllung darf unter gar keinen Umständen entfernt werden! Parallel dazu lassen Sie eindrucksvolle Demonstrationen des Produktes auf einem Videobeam, einer großen Wand aus mehreren Flachbildmonitoren bestehend, ablaufen. Exzellente Ton- und Bildqualität ist ein Muß! Dazu veranstalten Sie maximal zwei bis drei Vorführungen dieses Produkts, idealerweise von einem publikumswirksamen Star bzw. Spezialisten!

Werben Sie für diese Veranstaltung. Legen Sie Listen zur Voranmeldung aus, denn selbstverständlich muß das Ganze den Charakter einer ausgesuchten Insiderveranstaltung haben. Die Aufmerksamkeit der Medien ist Ihnen sicher! Und die Kunden werden damit so neugierig auf das Produkt gemacht, daß sie nach der Messe nicht nur im Handel danach fragen, sondern darüber hinaus auch noch lange über Ihren Auftritt sprechen werden. Sie nehmen quasi einen Teil Ihrer Philosophie mit nach Hause.

6. Impulse von unten

Kennen Sie das? Sie gehen einen Gang entlang und erschrecken vor dem Geräusch, das Ihre Absätze auf dem Fußboden verursachen? Sie stellen sich auf die Zehenspitzen und bringen die Strecke mit großen, storchartigen Schritten hinter sich und hoffen, daß Sie dabei keiner beobachtet? Sie sind nicht allein. Und heute ist gerade die Auswahl des Bodenmaterials beim Messebau ein zentrales Thema. So sind z.B. statt der kostenaufwendigen Einmal-Podeste aus groben Holzgerüsten oder verschweißten Stahlplatten die wiederverwendbaren Böden aus Kunststoff oder lackierten Holzplatten stark im Kommen, was auch in Anbetracht des Messemüllbergs ein positiver Trend ist. Ferner lassen sich zum Beispiel Treppengeländer, Handläufe und Zierleisten aus gewachstem Holz ideal mit synthetischem Bodenbelag kombinieren.

Zwar galt das Linoleum lange Zeit als verpönt, weil es Assoziationen zum Küchenambiente der 50er Jahre weckte, aber inzwischen ist das schallschluckende Material in so dekorativen Dessins erhältlich, daß immer mehr Aussteller darauf zurückkommen. Wichtig ist, daß keine elektrostatischen Materialien verwendet werden. Wer nach jedem zweiten Schritt schmerzhafte Entladungen beim Berühren von Metallgeländern und Exponaten erleben muß, verliert schnell die Lust, über die Messe zu bummeln! Teppiche aus Naturfasern, Holz, Stoffe und Papp-Konstruktionen sind nicht nur aus gesundheitlichen Aspekten angenehmer, sondern vermitteln auch eine anheimelnde Atmosphäre. Und: Sie lassen sich effektvoller ausleuchten!

7. Licht lockt Leute

Setzen Sie Ihren Stand ins rechte Licht. Unglaublich faszinierende Effekte sind heute ganz leicht zu realisieren. Der ganze Trick dabei ist ein Beleuchtungsprofi als Berater, der sein Handwerk aus dem Effeff beherrscht, zum Beispiel aus der Showbranche oder aus dem Schauwerbegeschäft. Die Verhandlungstische müssen blendfrei und nicht zu kalt ausgeleuchtet werden, während die Standdekoration davon nicht beeinflußt werden darf. Sie bekommt ein ganz eigenes Lichtkonzept. Die Zauberformel heißt „Licht statt Farbe". Bunte Strahler ersetzen einen oft plump oder billig wirkenden Anstrich, und statt fester Wände um den Stand werden strukturstarke Stoffe gespannt und mit Licht effektvoll in Szene gesetzt. Das erzeugt Bewegung und wirkt nicht so steif wie Stellwände aus Holz oder Kunststoff. Experimentieren Sie ruhig ein bißchen! Verwenden Sie zum Beispiel sanft getönte Lampen, die jeweils eine bestimmte Wirkung auf die Psyche ausüben. Rotgetönte Birnen – nur getönt, wohlgemerkt, und nicht lackiert! – wirken belebend und aktivierend, während Blau entspannt und „kühlt". Grüne Töne dagegen eignen sich sehr gut, um eine natürliche, vitale Beleuchtung zu simulieren. Vermeiden Sie direkte Beleuchtung, diese verursacht oft störende Reflexe auf Monitoren und polierten Flächen. Wenn Sie ein Exponat besonders hervorheben möchten, arbeiten Sie mit indirekten Punktstrahlern. Pflanzen eignen sich übrigens gut, um eine Lichtlandschaft entstehen zu lassen!

8. Manpower am Messestand

Die Messemitarbeiter im Kundenkontakt, die sogenannten Presenter, stehen viele Stunden lang im Rampenlicht. Da ist ein gepflegtes, verbindliches Auftreten selbstverständlich. Legen Sie eine Kleiderordnung fest! Aber zusätzlich müssen die Aufgaben sinnvoll eingeteilt werden:

Da ist zunächst die Riege der *Firmenrepräsentanten*, die am Stand nur zeitweise zu finden sind, die ansonsten aber viel über die Messe bummeln und Gesprächstermine mit Mitbewerbern und Kunden wahrnehmen. Die Kontaktaufnahme zu potentiellen Kunden sollte strikt diesem Team überlassen bleiben, damit nicht aus Versehen verschiedene Mitarbeiter denselben Kunden ansprechen und damit in die Flucht schlagen!

Das zweite Team bildet den *technischen Stab*, der hundertprozentig über alle Exponate und technischen Einrichtungen des Standes Bescheid weiß und auch in Notfällen nicht die Nerven verliert. („Hilfe, ein Kurzschluß während der Präsentation, wo ist der Feuerlöscher, wie funktioniert das Licht, und wer hat die Klimaanlage abgestellt?")

Die dritte Mannschaft ist *am Stand* präsent: Sie hat den Löwenanteil der Arbeit zu bewältigen. Sie beantwortet Kundenfragen, informiert über die Neuheiten, notiert sämtliche Gespräche nebst Inhalt und Dauer, vereinbart Termine mit Interessenten für den Außendienst und kümmert sich um die Presse, d.h. gibt Auskünfte aller Art, die sich mediengerecht umsetzen lassen. Vorher genau absprechen!

Dann wären da noch die *Messehostessen*, die für einen oder zwei Tage vom Aussteller gegen Stundenlohn angeheuert werden und neben einem attraktiven Äußeren auch ausgezeichnete Umgangsformen zu bieten haben. Sie bewirten Besucher und bilden die erste Anlaufstelle für „Zaungäste", die ganz allgemeine Fragen haben („Lächeln!"). Die Investition lohnt sich, denn im Unterschied zu den Mitarbeitern des Ausstellers sind professionelle Hostessen Meister in Sachen Freundlichkeit – auch unter härtesten Bedingungen... und das kommt an! Zwischendurch bzw. abends sorgt dann ein kleines Team von Standhelfern für Reinigung, Verpackung der Exponate und Botengänge. Sämtliche Teams einschließlich Hostessen werden vom Standleiter betreut. Er sollte über alle Mitarbeiter und Zusammenhänge, die mit dem Messeauftritt zu tun haben, informiert sein. Er koordiniert den Ablauf am Stand und beantwortet spezielle Fragen, die über die Kompetenz der anderen Helfer hinausgehen, z.B. konkrete Preisanfragen oder Auskünfte über Lieferbedingungen und Infrastruktur.

Und er sammelt die Informationen, die ihm am Ende eines Messetages von den Teams in die Hand gedrückt werden. Nämlich die Kriterien, nach denen hinterher der Erfolg der Präsentation ermittelt wird:

Ziel:	**Meßlatte:**	**To do:**
Umsatzsteigerung	Zahl und Wert der Aufträge und Anfragen	Buch über Anfragen und Aufträge führen!
Selbstdarstellung	Resonanz der Besucher, Zahl der „Zaungäste", deren Verhalten und Verweildauer	Gesprächsnotizen Umfragen mit Fragebögen und Beobachten der Besucher durch „getarnte" Mitarbeiter
Neukundenakquise	Anzahl der Fachgespräche und ausgegebenen Infoprospekte	Gesprächsprotokolle führen!
Stammkundenpflege Produktpräsentation	Anzahl und Inhalt der Gespräche Besucherreaktionen und spontane Anfragen	Gesprächsprotokolle Umfragen mit Video-oder Audiodokumentation

Ferner können gerade in Sachen Selbstdarstellung und Präsentation auch externe Mitarbeiter oder Freunde als Beobachter eingesetzt werden. Sie registrieren die Reaktionen und Gespräche der Besucher unbefangen und sind daher in der Lage, unvoreingenommen zu urteilen.

8. Stichwort Interaktion

Der Kunde will mitspielen. So platt das klingt, im Grunde kann ein Interessent erst dann richtig Zugang zum Produkt oder zur Philosophie des Ausstellers bekommen, wenn er aktiv in das Geschehen am Messestand eingebunden wird.

Was fällt Ihnen spontan dazu ein? Natürlich: Die ganz großen Modenschauen. Schnellüberblick über das aktuelle Sortiment der Branche und „social event" gleichzeitig. Man sieht sich, wird gesehen, trinkt jede Menge teuren Champagner und knüpft Beziehungen.

Aber darüber hinaus gibt es noch wesentlich phantasievollere Möglichkeiten, um dem Besucher einen zusätzlichen Anreiz zu bieten. Veranstalten Sie doch einfach mal ein spannendes Seminar!

Ob es nun um eine technische Neuentwicklung geht, die für Fachleute von Bedeutung sein könnte, um ein neues Vertriebskonzept, mit dem Sie gleichzeitig junge Marketingkräfte schulen könnten, um eine Neuentwicklung auf dem Motorjachtenmarkt, die Sie im Zuge einer kurzweiligen Diskussion über den Bootssport im allgemeinen und Ihre Produkte im besonderen vorstellen, und, und, und... Themen gibts genug, Sie müssen sich nur bedienen. Wie wäre es als Buchverleger mit einem Immobilien-Workshop, bei dem sich alles um Immobilien- Literatur dreht und neben einem Intensivkurs in Anlagemodellen, Eigentumswohnungen und Steuervorteilen auch diverse Neuerscheinungen vorgestellt werden? Oder mit einem Feinschmecker-Seminar, bei dem Sie als Hersteller von Küchengeräten exotische Rezepte und ausgefallene Tischdekorationen präsentieren? Inklusive Warenpräsentation und anschließendem Resteessen, versteht sich. Oder wie wäre es mit einem Intensivkurs in Esperanto, mit einem Sicherheitstraining für Pkw, mit einer Viertelstunde im Flugsimulator, einem Karaoke-Wettbewerb, einem Intensivkurs für die neuste Version eines weit verbreiteten Textverarbeitungsprogramms oder einem Sprung vom Bungee-Turm? Oder veranstalten Sie als Reiseveranstalter live ein Gewinnspiel mit Preisfragen zu einem ausgefallenen Fernreiseziel, bei der Sie eine Traumreise verlosen und als Trostpreise jede Menge Bildbände vergeben, die Urlaubslaune verbreiten?

Nicht zu vergessen, die Möglichkeit der Werbegeschenke. Verteilen Sie an die Besucher, was immer Sie sich vorstellen können. Verboten sind lebende Tiere – dem Himmel sei Dank! – und politisch manipulatives Material. Ansonsten sind Ihrer

Phantasie keine Grenzen gesetzt. Testmuster, Zimmerpflanzen und exotische Samen zum Selbstzüchten, Druckerzeugnisse, Spielzeug aller Art, Nahrungsmittel bzw. Snacks, Kleidung wie Shirts und Sweater, Accessoires, Kosmetika, Schmuck, Modelle, Bürogeräte, Bücher, Elektroartikel, Dekogegenstände aller Art, Warengutscheine, Eintrittskarten zu kulturellen Veranstaltungen – verschenken Sie alles, was zu Ihrem Messeziel paßt und mit Ihrem Unternehmen in Verbindung zu bringen ist. Das heißt natürlich: keinen Ramsch! Nutzlose Wegwerfartikel sind out und lassen Rückschlüsse auf das Unternehmen zu...

Seien Sie um Himmels Willen nicht wie alle anderen. Langeweile ist tödlich und Kundenvergrauler Nummer eins. Aber Vorsicht: Unterhaltung ist nicht gleichbedeutend mit lautstarker Action. Siehe Punkt 3 und 4, Stichwort „Erlebniswelt"...

Ein Hauch von Abenteuer

Beispiel Novell-Network: Der Weltmarktführer für Netzwerke hatte sich für seinen Messeauftritt etwas ganz besonderes ausgedacht. Grundüberlegung: Netzwerktechnik. Klein, unübersichtlich und teuer, aber nichts zu sehen – wie demonstriert man da seine neuen Produkte? Zweite Überlegung: Der Besucher ist genervt, unter Zeitdruck und hat wunde Füße. Wie soll man in dieser optisch und akustisch ausgereizten Branche überhaupt noch Aufmerksamkeit bei eben diesem geplagten Besucher erregen? Novell suchte nach einer ganz anderen und völlig atypischen Lösung und fand sie: den schwarzen Klang- und Erlebnisraum. In einer absolut schall- und lichtundurchlässigen Tunnelkonstruktion durchliefen die Besucher verschiedene Räume. Ruhige Naturgeräusche sollten sie die laute Messewelt draußen vergessen lassen. Die Aktion fand großen Anklang und war noch lange nach der Messe sowohl bei den Medien als auch bei Kunden und Besuchern ein Gesprächsthema. Fazit: Messeziel erreicht, Kunde zufrieden. Und was lernen wir daraus? Besucher wollen unterhalten sein. Sich wohl fühlen. Und umworben werden. Sie möchten das Gefühl genießen, all der Aufwand des Ausstellers richte sich einzig und allein an sie persönlich. Egal, ob kaufkräftiger Auftraggeber oder „nur" Zaungast.

Und was haben Sie davon?

Nichts ist so schwer zu beurteilen wie der Erfolg. Natürlich können anhand steigender Verkaufszahlen Tendenzen errechnet werden. Doch der eigentliche Erfolg einer Messepräsentation liegt nicht unbedingt im Umsatz allein.

Kehren wir noch einmal an den Anfang der Messevorbereitungen zurück. Dort wurden von allen an der Planung Beteiligten die Ziele der Veranstaltung genau definiert. Rückwirkend lassen sich diese Ziele in zwei Kategorien unterteilen: in Verkaufsziele und Kontaktziele. Die vier obenstehenden Präsentationsarten umfassen die Möglichkeiten in bezug auf Kunden und Produkte. Darüber hinaus gibt es noch eine ganze Reihe „Zwischenziele“, die berücksichtigt werden müssen. Im einzelnen sind das:

- Image des Unternehmens transportieren,
- Mitbewerber beobachten und beurteilen,
- Mitarbeiter im Kundenkontakt trainieren,
- neue Mitarbeiter akquirieren,
- Kontakte zu Medien aufbauen und pflegen,
- Kontakte zu Vertrieb und Handel aufbauen und pflegen.

Wichtig ist: Die Sammlung, Archivierung und Auswertung der auf der Messe registrierten Gespräche, Aufzeichnungen und sonstigen Daten muß so angelegt sein, daß jeder Mitarbeiter, der in das Projekt eingebunden ist, sofort darauf zugreifen kann. Unternehmen, die nicht über genügend Personal verfügen, geben die gesammelten Daten an eine externe Agentur, die neben der Auswertung auch die entsprechenden Statistiken erstellen.

Wenn alles vorbei ist: nicht nachlassen!

Wichtig: Zu kaum einem anderen Zeitpunkt ist das Interesse der Medien an einem Unternehmen so groß wie zur Messezeit. Setzen Sie daher Ihre auf der Messe geknüpften Kontakte zur Presse nicht aufs Spiel, indem Sie still und leise wieder in der Versenkung verschwinden und nichts mehr von sich hören lassen. Geben Sie eine Pressekonferenz, bei der Sie Ihre Neuheiten noch einmal ausführlich präsentieren. Und veranstalten Sie eine Hausmesse – die Ausstellung nach der Messe sozusagen. Hier geben Sie dann speziell Ihren neugewonnenen Kunden die Gelegenheit, Ihre Neuheiten auszuprobieren, wozu es ja auf der Messe ganz bewußt nicht kommen sollte, erinnern Sie sich? Und geben Sie genügend Informationen an die Presse über Ihre Produkte heraus. Vielleicht interessiert sich aufgrund Ihrer Pressemitteilungen eine Fachzeitschrift für ein Portrait Ihres Unternehmens? Auf jeden Fall sollten Sie die Zeit bis zur nächsten Messe mit genügend Informationen für Kunden und Presse überbrücken, um im Gespräch zu bleiben!

AUF EINEN BLICK

1. Die Messepräsenz bietet die Möglichkeit, gleich mehrere Facetten der Öffentlichkeitsarbeit abzudecken. Nutzen Sie diese Chance! Erstellen Sie rechtzeitig einen Plan, in dem Sie neben den rein organisatorischen Aufgaben die folgenden Bestandteile des Auftritts erfassen:
   (1) Festlegung einer entweder produkt- *oder* imageorientierten Präsentation,
   (2) Kontaktpflege zu Kunden und Lieferanten,
   (3) Erstellen von besucherbezogenen Statistiken und Umfragen,
   (4) Präsentation von neuen und bekannten Produkten,
   (5) Imagetransfer hautnah am Kunden,
   (6) Konkurrenzbeobachtung,
   (7) Aufbauen und Pflegen von Pressekontakten.
2. Bieten Sie den Besuchern eine *Erlebniswelt*, in der sie Ihr Unternehmen kennenlernen können statt einer Warenpräsentation! Neue Produkte? Lassen Sie nicht sofort die Katze aus dem Sack, sondern machen Sie die Besucher neugierig.
3. Eine gute Vorführung ersetzt drei Tage Exponatschau zum Anfassen. Wer die Messe lediglich als Warenauslage sieht und nutzt, könnte sich Standflächenmiete und Personal eigentlich sparen. Denn nur wenn Sie alle Möglichkeiten eines Messeauftritts nutzen, lohnt sich der Aufwand auch nach dem Kassensturz.
4. Sorgen Sie für Follow-up-Aktionen sofort nach der Messe. Das können Kundenbesuche sein, Mailings, ein Tag der offenen Tür oder eine Hausmesse sowie weitere intensive Kontakte zur Presse. Schmieden Sie das Eisen, solange es warm ist!

7. So finden Sie neue Kunden durch neue Strategien

Ein Kaufmann, der nicht wirbt,
ist ein Stummer, der telefoniert.
Robert Lembke

Lassen Sie uns noch einige bewährte und teilweise wenig bekannte Methoden zusammenfassen, mit deren Hilfe Sie neue Kunden gewinnen – oder neue Geschäftsideen verwirklichen – können. Zugegeben, Sie werden in diesem abschließenden Kapitel sicher keine revolutionären Erkenntnisse finden, ebensowenig wie Patentrezepte zur Kundengewinnung mit Erfolgsgarantie. Aber Sie werden feststellen, daß einige wirklich erfolgreiche Methoden und Wege seit langem auf der Hand liegen und nur einen winzigen Schönheitsfehler besitzen: sie werden ignoriert. Unternehmer leiden häufig an der vielzitierten „Betriebsblindheit", einer Art Scheuklappendenken, die eine objektive Unternehmens- und Markteinschätzung unmöglich macht. Eine Folge davon äußert sich im konstanten Abwandern der Kunden. Dabei wäre es so einfach, die betriebsbedingten Schranken abzulegen und frischen Wind in festgefahrene Strukturen zu bringen, statt teure Unternehmensberater zu engagieren, die doch letztendlich genau dasselbe tun. Die Lösungen liegen direkt vor Ihnen! Beginnen wir mit einer Reise in die Zukunft. Blicken Sie in das Kaleidoskop bunter, aufregender Zukunftsperspektiven, Chancen und Möglichkeiten, die – konsequent zu Ende gedacht – einen meßbaren Erfolg versprechen!

Neue Kunden durch neue Strategien (1):
Weg vom Produkt – hin zum Kunden!

Ein Grund für das Abwandern von Kunden ist eine zu starre Produktorientierung der Unternehmen. Wer beim Stichwort Kundenakquise immer noch zuerst an seine Produkte denkt, hat ein Problem. Seine Kunden fühlen sich vernachlässigt und fragen sich: Was bietet mir diese Firma noch, die sich nur noch mit ihrer Produktentwicklung beschäftigt, ohne mich dabei zu betreuen? Die Produkte verschiedener Anbieter werden immer vergleichbarer, der Service läßt zu wünschen übrig, und der Preis liegt eventuell über dem Niveau der Konkurrenz. Der Wechsel des Kunden zum Mitbewerber ist nur noch eine Frage der Zeit. Lassen Sie es nicht soweit kommen!

Lösen Sie sich von Ihrem produktorientierten Denken und beschäftigen Sie sich statt dessen mit den *Bedürfnissen* Ihrer Klientel! Bieten Sie einen Ansprechpartner bei Reklamationen, anstatt diese lediglich als Störenfriede im firmeninternen Ablauf zu empfinden. Mal ganz ehrlich: Wie betreuen Sie Ihre Kunden, gerade diejenigen, die Sie als Stammkunden bezeichnen? Oft vernachlässigt man gerade die Adressen, die schon längere Zeit in der Kartei schlummern, anstatt sie regelmäßig neu zu aktivieren. Und wann haben Sie sich zuletzt bei einem Ihrer Kunden mit einem kleinen Präsent für seine Treue bedankt? Informieren Sie die Kunden regelmäßig über Preislisten, Neuerscheinungen etc. (oder müssen Ihre Kunden womöglich alle Neuigkeiten aus der lokalen Presse erfahren?).

Seit sich die Produkte innerhalb der Branchen immer ähnlicher geworden sind, können Sie sich nicht länger hinter Ihrer Angebotspalette verstecken und Ihr Denken nur um neue Technologien und innovative Produkte kreisen lassen. Sie müssen Ihr Büro verlassen, sich „unter das Volk" mischen und Trends, Bedürfnisse und Meinungen aufspüren. Verlassen Sie Ihr fachkompetentes Terrain und begeben Sie sich auf die Ebene Ihrer Kunden! Dann werden Sie am ehesten feststellen, woran es „draußen" fehlt.

Was so selbstverständlich klingt, ist leider noch nicht gang und gäbe in den meisten Unternehmen. Immer noch blicken viele Geschäftsführer nicht über ihre eigenen Firmentore hinaus, sondern nach innen und damit auf unter Umständen jahrzehntealte, überkommene Strukturen. Sie zerbrechen sich den Kopf über die Ursachen ihres rückläufigen Kundenbestandes. Dabei wäre es so einfach, frischen Wind in die Kundenakquise zu bringen!

Neue Kunden durch neue Strategien (2):
Optimieren Sie Ihren eigenen Service!

Die Leistungen Ihres Kundendienstes werden vom Kunden sehr genau registriert. Er vergewissert sich vor dem Kauf über den Zusatzwert des Produktes, also die Leistungen, die zwar im Preis enthalten sind, aber nicht unmittelbar mit dem Produkt in Zusammenhang stehen. Beobachten Sie deshalb über einen längeren Zeitraum Ihr Servicepersonal und die Reaktionen der Kunden, wenn sie den Kundendienst in Anspruch nehmen. Erstellen Sie eine Liste, in die Sie die folgenden Kriterien eintragen und regelmäßig überprüfen:

- ❐ Biete ich einen kaufmännischen oder einen rein technischen Kundendienst?
- ❐ Was leistet mein Service überhaupt?
- ❐ Wird die Kaufentscheidung der Kunden durch meinen Service unterstützt?
- ❐ Welche Zielgruppe soll mein Service ansprechen?
- ❐ Welche Lieferzeiten und sonstige Verzögerungen entstehen?
- ❐ Sind meine Leistungen den Kunden alle bekannt?
- ❐ Haben sie eventuell Erwartungen, die ich nicht erfülle?
- ❐ Worüber beschweren sich die Kunden?

- ❒ Wie werden Reklamationen bearbeitet?
- ❒ Was könnte man zusätzlich bieten?
- ❒ Arbeitet mein Kundendienst wirtschaftlich?
- ❒ Was tut die Konkurrenz, um ihre Kunden zu halten?

Diese Selbstdiagnose ist unentbehrlich für eine realistische Einschätzung Ihrer Serviceleistungen. Führen Sie doch einmal eine großangelegte Umfrageaktion per Postkarte oder Fragebogen unter Ihren Kunden durch! Ein attraktiver Gewinn, der unter allen Beteiligten verlost wird, erhöht den Anreiz und rührt die Werbetrommel!

Beobachten Sie als Musterbeispiel für perfekten Service den Möbelkonzern IKEA: Da gibt es Kinderspielplätze, Restaurants, Lieferdienste, sanitäre Anlagen, übersichtliche Warenpräsentation, kundenfreundliche Beleuchtung und Bodenbeschaffenheit, freundliche und kompetente Beratung – und reibungsloser Umtausch von falsch gekaufter oder beschädigter Ware. Vermissen Sie noch irgendetwas? Nein? Kein Wunder – IKEA hat alle serviceintensiven Bereiche vor, während und nach dem Kauf flächendeckend berücksichtigt. Mit durchschlagendem Erfolg, wie die Umsätze beweisen, und hat damit die weitverbreitete These „das verkauft sich von alleine“ der Unternehmer überzeugend widerlegt. *Nichts* verkauft sich von alleine, es sei denn, der Kunde fühlt sich wohl und wird gut betreut! Dann ist der Kauf in der Tat eine Selbstverständlichkeit. Aber dieser Zustand kommt eben nicht vom Himmel geschneit. Deshalb: Behandeln Sie Ihre Kunden nicht nur wie Könige. Sondern gehen Sie mit ihnen um wie mit gerngesehenen Gästen, guten Freunden und Geschäftspartnern. Unabhängig vom tatsächlichen Umsatz. Die Erfahrung hat gezeigt, daß z.B. ein Kunde, der die Anschaffung einer hochwertigen Stereoanlage plant, auf zwei charakteristische Arten kauft: entweder cash & carry, also preiswert, aber ohne jeden Service und ohne Beratung vor dem Kauf. Oder er informiert sich durch mehrere Besuche in Fachgeschäften und kauft einen kleinen Versuchsballon, z.B. einen Walkman, um die Kompetenz des Ladens zu testen und die Beratungsfreundlichkeit auszuprobieren. Fertigen Sie niemals einen Kunden unfreundlich und knapp ab, weil er „nur“ einen kleineren Artikel kauft! Hinter einer preiswerten Bestellung kann ein dicker Folgeauftrag stecken, also behandeln Sie alle Kunden gleich korrekt und zuvorkommend!

Neue Kunden durch neue Strategien (3):
Verwandeln Sie Reklamationen in Gewinne!

Wer sich beschwert, will Kunde bleiben. Diese Regel gilt sowohl für den Einzelhandel wie auch für Großhandel, Telefonmarketing und Vertrieb. Denn jede Reklamation ist gleichzeitig eine Bitte nach intensiverer Betreuung. Wäre dem Kunden Ihr Unternehmen oder das Produkt gleichgültig, dann würde er einfach stillschweigend zur Konkurrenz wechseln, anstatt bei Ihnen anzurufen oder gar einen Brief zu schreiben. Beachten Sie dabei unbedingt die Art der Reklamation. Man unterscheidet zwischen konstruktiver und destruktiver Reklamation. Die Bedeutung liegt eigentlich schon im Wort, aber woran erkennen Sie nun den Unterschied?

Konstruktive Reklamation findet auf einer intellektuellen, kompetenten Ebene statt. Der Kunde ist entweder verärgert, weil ein Produkt nicht seinen Erwartungen entspricht, weil er eine zu lange Lieferzeit in Kauf nehmen mußte oder weil er ganz einfach unprofessionell beraten wurde. Vielleicht hat er auch Ihr Produkt für einen deutlich geringeren Preis bei einem Ihrer Mitbewerber entdeckt und beschwert sich über die Differenz? In jedem Fall ist dieser Kunde offen für Verbesserungsvorschläge und Alternativen und an einer langfristigen Beziehung mit Ihrem Unternehmen interessiert. Bieten Sie ihm verschiedene Lösungen an! Preisnachlaß, Gutschein, Umtausch mit Garantieleistungen, raschere Erledigung der Bestellungen, zusätzlichen Service, Adressen von Vertragspartnern oder Werkstätten, Rabatt bei der nächsten Bestellung, Angebote von Peripheriegeräten oder Zusatzleistungen etc. Fragen Sie ihn nach seinen Kritikpunkten und zeigen Sie ihm, daß Sie seine Vorschläge ernst nehmen! Und vor allem: Bearbeiten Sie sein Anliegen rasch und zuvorkommend. Vermeiden Sie das für Versandhäuser typische interne Weiterverbinden per Telefon. Geben Sie auf den Rechnungen immer eine Durchwahl an, unter der Ihre Kunden gleich den richtigen Ansprechpartner erreichen können.

Lassen Sie sich bei diesem Kunden niemals dazu hinreißen, ihn auflaufen zu lassen. Denn der Schneeballeffekt bei einer Mund-zu-Mund-Propaganda wirkt bei negativer Kritik noch schneller als bei positiver. Umgekehrt gilt: Ist Ihr Reklamationsservice besser als der irgendeines Mitbewerbers, werden Sie sich vor guter Mund-zu-Mund-PR kaum noch retten können!

Destruktive Reklamationen laufen ganz anders ab. Hier melden sich unzufriedene Kunden zu Wort, die an einer Erledigung der Angelegenheit überhaupt nicht interessiert sind, sondern die Chance wahrnehmen, wieder einmal so richtig Dampf ablassen zu können. Die schlechte Nachricht: Solche Kunden *müssen* Sie ziehen lassen, wenn Sie nicht an nervlicher und organisatorischer Belastung drauflegen wollen! Die gute Nachricht: Fast 97% aller Reklamationen laufen unter konstruktiven Vorzeichen ab! Und die wenigen ewigen Nörgler werden Ihnen keinen Schaden zufügen, selbst wenn sie ab und an mal über Sie meckern. Denn jeder andere weiß: Sie meckern immer über alles!

Neue Kunden durch neue Strategien (4):
Erarbeiten Sie eine gezielte Vorteilsstrategie!

Auch hier liegt noch ein weites Feld nahezu brach, es lohnt sich also, daran zu arbeiten! Jede Vorteilsstrategie hängt davon ab, wie gut Sie die Pluspunkte des Wettbewerbs kennen – und Ihre eigenen im Unterschied dazu verdeutlichen können, ohne jedoch den Wettbewerb in ein schlechtes Licht zu rücken. Verkaufen durch Schlechtmachen der Konkurrenz ist bekanntlich ein Schuß, der meist nach hinten losgeht. Wie funktioniert nun eine gewissenhafte Beobachtung der Mitbewerber? Ganz einfach: Spielen Sie ein bißchen Sherlock Holmes! Dazu brauchen Sie nicht mit einem Vergrößerungsglas und Watson im Schlepptau durch die Büros Ihrer Mitbewerber zu schleichen und die Datenbanken zu plündern, sondern sich lediglich ein Archiv an allgemein zugänglichen Informationen aufzubauen, aus dem Sie dann immer wieder schöpfen können. Wir unterscheiden zwischen der aktiven, also der gefährlichen, weil präsenten und erfolgreichen Konkurrenz und der passiven, momentan ungefährlichen Konkurrenz. Für beide gelten ganz klare Kriterien als Stützpfeiler eines objektiven Vergleiches mit Ihrem Unternehmen. Welcher Art sind nun diese Informationen? Sammeln Sie alle nur verfügbaren Daten zu den folgenden Punkten:

- ❒ Wie ist Ihr Mitbewerber bei den Medien, in der öffentlichen Meinung präsent. Verfügt er über einen Sympathie- oder Vertrauensvorschuß, den Sie noch nicht besitzen? Warum? Fertigen Sie eine Hitliste der firmenbezogenen Themen an, über die in den Medien berichtet wird.
- ❒ Welche Produkte bietet Ihr Mitbewerber? Mit welchem Erfolg bzw. Marktanteil? Verkauft er offensichtliche Pendants zu Ihrem Angebot, vielleicht sogar Kopien? Welche Mängel weisen Ihre eigenen Produkte im Vergleich dazu auf?
- ❒ Was bietet der Service Ihrer Konkurrenten? Arbeitet er mit Methoden, an die Sie bisher noch nicht gedacht haben?
- ❒ Wie ist das Preis-Leistungs-Verhältnis zu bewerten? Was bekommt Ihr Kunde zusätzlich zum Produkt an Serviceleistungen, Garantieansprüchen, Peripherie etc. für sein Geld?
- ❒ Wie wird der Werbe- und PR-Auftritt Ihrer Mitbewerber gestaltet? Vielleicht versuchen Sie einfach einmal, einen Antitrend zum Image Ihrer Konkurrenz zu setzen. Nach dem Motto: „Wenn wir das schon nicht kopieren können, dann machen wir genau das Gegenteil."
- ❒ Wie betreibt er seine Personalpolitik? Wer sitzt auf welchem Posten? Und wie lange? Woher kommen seine Nachwuchskräfte?
- ❒ Welche Verkaufsförderungsaktionen betreibt er?
- ❒ Verfügt er über bessere Einkaufs- oder Rohstoffquellen als Sie?

- ❐ Wie ist seine Logistik strukturiert? Welche Vertriebswege nutzt er?
- ❐ Verfügt er über Kapitalvorteile, die Sie nicht besitzen?

Ihre eigenen Vorteile lassen sich viel realistischer einschätzen, wenn Sie den unmittelbaren Vergleich mit der Konkurrenz unternehmen. Danach können Sie dann eine ausgeklügelte *Vorteilsstrategie* entwickeln, mit der Sie speziell die Kunden Ihrer Mitbewerber ansprechen werden.

Neue Kunden durch neue Strategien (5):
Machen Sie durch Nischenmarketing Ihre Vision zum Markt!

Beim Stichwort Nischenmarketing denken wir an kleine, etwas miefige Winkel, in denen sich unscheinbare No-name-Produkte tummeln und darauf warten, daß ein Kunde zufällig über sie stolpert. Alles in allem eine unsichere, riskante Angelegenheit. Und dieses Image kommt nicht von ungefähr. Denn nirgends liegen Pleite und Profit so dicht beieinander wie im Nischenmarketing. Das kommt daher, daß die Regeln und Gesetzmäßigkeiten des Massenmarketings hier kaum Anwendung finden. Ein bißchen Erfolg gibt es hier nicht. Entweder geht eine Idee unter – oder sie entwickelt sich in kurzer Zeit zum Kassenschlager. Und genau dieses Risiko ist Ihre große Chance. Erinnern Sie sich noch an die riesigen Schlachtschiffe der Firma BMW, die unter anderem für die Modellkrise des Unternehmens Anfang der 60er Jahre verantwortlich waren? Und an die völlig neuartigen, schnellen und kleinen -02er-Modelle, die anschließend auf den Markt kamen? Keiner wollte an die so ganz anders anmutenden Fahrzeuge glauben, die eher an Sportwagen als an Familienfahrzeuge erinnerten. Doch der Erfolg der -02er BMW war groß, die Modelle wurden bis Mitte der 70er gebaut und sind ein Beweis dafür, wie sich mit Mut und Konsequenz ein bislang unerschlossener Markt in Gewinn verwandeln läßt. Natürlich gibt es dafür keine Garantie. Zuerst müssen die folgenden Punkte systematisch analysiert und diskutiert werden, am besten im kleinen Kreis – denken Sie an den branchenübergreifenden Ideenklau!

Prüfen Sie ganz konkret die folgenden fünf Punkte:

1. Welche Kapazitäten sind im Unternehmen noch frei?

Gibt es in Konzeption, Herstellung oder Vertrieb Potential, das im Augenblick brach liegt bzw. nur unzureichend genutzt wird? Beispiel: Die renommierten USA-Universitäten wie Harvard und Yale bieten seit kurzem Kurzstudiengänge während der offiziellen Semesterferien gegen überraschend preiswerte Gebühren und ohne Formalitäten bzw. Aufnahmeprüfungen an. Auf diese Weise erlangen völlig neue Kreise Zugang zu den erlesenen Instituten, und statt dem bisherigen Null-Ertrag während der Ferien wirft das Projekt wenigstens einen geringen Gewinn ab. Prüfen Sie genau, wo Lücken in Ihrem Unternehmen versteckt sind!

2. Ist Ihr Produkt- bzw. Dienstleistungsangebot noch zeitgemäß?
Prüfen Sie doch einmal, ob Sie in den einzelnen Produkt- bzw. Dienstleistungssegmenten noch ein optimales Aufwendungs-Absatz-Verhältnis verzeichnen können. Produzieren Sie vielleicht am Kunden vorbei, während andere Bereiche, die ausbaufähig wären, einfach vernachlässigt werden? Als Konservenhersteller, der sowohl Obst als auch Fleisch und Fisch anbietet, könnten Sie sich z.B. überlegen, ob Sie sich künftig statt auf „alles ein bißchen" auf einen extravaganten Zweig wie vegetarische Menüs, Diätgerichte oder Bio-Fleischkonserven spezialisieren. Demoskopische Analysen einholen!

3. Ähneln Ihre Leistungen denen Ihrer Mitbewerber?
Dann wird es höchste Zeit, daß Sie sich davon abheben! Klopfen Sie das Angebot Ihrer Konkurrenten genau ab, lokalisieren Sie Lücken, Schwächen und vergleichen Sie die Trends und Ihre eigenen Kundenreaktionen. Wenn Sie plötzlich das Gefühl haben „das fehlt dem Markt, danach fragt immer wieder jemand" – herzlichen Glückwunsch! Sie haben soeben eine Goldgrube entdeckt. Das klingt einfacher, als es ist, machen Sie sich auf lange, komplexe Recherchen gefaßt.

4. Sind Sie dem Trend immer einen Schritt voraus?
Sie entwickeln eine clevere Konzeption nach der anderen? Sie sprühen nur so vor Ideen für eine schmale, aber tiefe Zielgruppe? Aber Sie haben sich noch nicht selbständig gemacht, sondern warten noch auf den Kick, den Auslöser? Dann sind Sie prädestiniert für Nischenmarketing. Verfolgen Sie eine Idee, auch wenn sie sehr abenteuerlich und unkonventionell erscheint. Zukunftsträchtige Themenschwerpunkte sind Gesundheit, Homeservice und Umweltschutz. Als Geheimtip wird die Peripherie zu bereits bestehenden Produkt- und Servicelinien gehandelt, also Ergänzungen, die vom Hersteller selbst nicht angeboten werden.

5. Haben Sie ein Gefühl für Ihren Markt?
Wenn Sie vom Markt jenseits der Hauptströmungen des Massenmarketings nur eine diffuse Vorstellung haben, bleiben Sie bei Ihrer momentanen Strategie. Wenn Sie aber präzise die mangelhaft oder gar nicht abgedeckten Marktsegmente lokalisieren können, auch wenn im Augenblick noch keine allzu große Nachfrage herrscht, und Ihnen auch die potentiellen Kunden dieser Bereiche nicht fremd sind, dann sollten Sie das Nischenrisiko eingehen. Gehen Sie dabei nach Ihrem Instinkt! Viele Erfolgsprodukte wären, wenn es bei der Entscheidung streng nach rationalen Gesichtspunkten zugegangen wäre, nie aus der Taufe gehoben worden.

So beschloß zum Beispiel ein 20jähriger Design-Student, zusammen mit seiner Mutter, einer Art-Writing-Designerin (Kalligraphin), 1993 die Schriftagentur „The Script Writer“ zu gründen. Idee: Im Zeitalter der erschwinglichen Computer und vorgefertigter Grafikstandards leiden in den Agenturen und Unternehmen sowohl Grafiker als auch Computerexperten an chronischer Einfallslosigkeit. Die Software bietet oft mehr Möglichkeiten, als der Grafiker im Laufe seines Lebens jemals ausnutzen könnte. Vielfach sind dann noch die Kunden selbst von den Computerkreationen begeistert – „das sieht ja aus wie gedruckt!“ –, so daß inzwischen eine stereotype Typo in der Werbung entstanden ist. Unser Design-Student mit seiner Idee, der Werbetypographie wieder einen Hauch von Exklusivität zu vermitteln, rannte offene Türen ein: Agenturen und Großkonzerne waren begeistert von der Möglichkeit, individuelle Schriftzüge, Produktnamen etc. kreieren zu können, und die Kundenliste der ersten Schriftagentur Deutschlands wächst und wächst...

Doch das Nischenmarketing bietet nicht nur für Dienstleistungen interessante Chancen. Produktinnovationen entstehen nicht selten aus ebenso abenteuerlichen und utopischen Ideen, wie am Beispiel Pfanni nachvollzogen werden kann:

Aus der Küche sind sie nicht mehr wegzudenken, die Pfanni-Fertigprodukte. Ursprung dieser Nischenmarketing-Idee, die sich inzwischen zur Goldgrube entwickelt hat, waren drei Überlegungen:

- die Kartoffel ist das beliebteste Nahrungsmittel der Deutschen,
- sie macht viel Arbeit in der Verarbeitung,
- sie ist nur sehr begrenzt lagerfähig.

Die Frage war also, wie man die positiven Eigenschaften der Kartoffel mit bequemer Zubereitung und Haltbarkeit verbinden könnte. Bislang existierte weder Angebot noch Nachfrage für diese Fertigprodukte, ein schlafender Markt sozusagen. Doch 1949 wurde dann das erste Kartoffelpulver präsentiert, das als Grundlage für Knödel, Puffer etc. diente und mit atemberaubender Geschwindigkeit Marktpräsenz erlangte. Ein Erfolg, an den in dieser Form kaum jemand zu glauben wagte. Von Skeptik gegenüber der exotischen Idee („Das ißt bestimmt kein Mensch!“) zum Kassenschlager und Dauerbrenner. Heute kommt bereits jede dritte Kartoffel in verarbeiteter Form auf den Teller, was beweist, daß nicht nur offensichtliche Defizite erschlossen werden können, sondern auch völlig unwahrscheinliche, neue und zuweilen skurrile Ideen zum Erfolg führen.

Damit wir uns nicht falsch verstehen: Eine Erfolgsgarantie gibt es hier nicht. Nischenmarketing ist keine Spielwiese für ohnehin krisengebeutelte Klein- und mittelständische Unternehmen. Sondern lediglich eine Chance für stabile, gesunde Firmen, die experimentierfreudig genug sind und gegebenenfalls Verluste verkraften können, ohne daran zu zerbrechen. Denn die Chance auf den großen Durchbruch liegt nur bei 50% – doch gleichzeitig entstehen durch Mut, Ideenreichtum und Entschlossenheit immer wieder neue Produkte und Dienstleistungen, die meistens nach kurzer Zeit ihre Nische verlassen und sich im Markt etablieren konnten.

Neue Kunden durch neue Strategien (6):
Binden Sie den Kunden in Ihr Unternehmen aktiv mit ein!

Bereits im Kapitel „Messepräsenz" sind Sie schon einmal mit dem Zauberwort in Berührung gekommen: Interaktion, Dialog, Aktion. Der direkte Weg zum Kunden mittels einer Vernetzung von Responsemarketing und klassischer Werbung.

Beispielhaft hierfür steht die „Minister-Kampagne" der Zigarrettenmarke Philip Morris Light American, ein interaktives Kommunikationskonzept mit zukunftsorientierten und futuristischen Motiven. Die Idee dabei war, einerseits den Begriff Zukunft für die Marke in Anspruch zu nehmen und einen direkten, persönlichen Draht zur Zielgruppe herzustellen. Hierzu wurden vier fiktive Sympathiefiguren kreiert: ein „Minister for Tomorrow", einer für „Design & Fashion", ein „Minister for Music and Nightlife" und eine computeranimierte weibliche Figur mit dem Namen Chris Blue, „Minister for Love". Hinter diesen Figuren stecken kompetente Personen, die am Telefon den interessierten Kunden Rede und Antwort zu ihren jeweiligen Fragen stehen. Ob es um zukunftsträchtige Jobs, Mode, Umweltthemen oder um Liebe geht – die „Minister" wurden innerhalb kürzester Zeit zur Institution für heiße Fragen. Parallel dazu wurden Veranstaltungen promoted, die allesamt unter dem Zukunftssignet von Philip Morris standen. Höhepunkt bildet der „Talk with tomorrow", ein zukunftsorientierter Workshop, der bis Anfang 1994 mit über 200.000 Teilnehmern eine überwältigende Resonanz verzeichnen konnte.

Natürlich sind Interaktionen in dieser Größenordnung nicht für jedes Unternehmen umsetzbar. Doch das Mittel, den Kunden „mitspielen zu lassen", wirkt auch im kleinen Stil ganz groß. Denken Sie nur an die Möglichkeiten, die z.B. ein Preisausschreiben bietet. Abgesehen von der schlagartigen Erweiterung Ihrer Kundenkartei animieren Sie Ihre potentiellen Kunden dazu, sich zumindest in Form einer Postkarte einmal mit Ihnen zu beschäftigen.

Wenn Sie über die personelle Kapazität verfügen, dann versuchen Sie es mit einer Hotline. Hier ist nicht etwa die ohnehin überlastete Empfangszentrale gemeint, sondern eine separate, möglichst gebührenfreie Leitung, über die Ihre Zielgruppe Informationen zu einem bestimmten Thema einholen kann. Als Kosmetikhersteller könnten Sie z.B. ein „Trend-Telefon" einrichten, über das Informationen über Schminktips, Allergien, Tierversuche, neue Produkte etc. gegeben werden. Als Getränke- oder Nahrungsmittelfabrikant könnten Rezepte, ein Partyservice oder auch Erste

Hilfe in Sachen Küchenpannen und verpatzte Menüs interessant sein, ebenso wie was trinke ich wozu und in welchen Mengen? Longdrinks, Dekorationstips für Open-air-Parties usw. – lassen Sie Ihre Phantasie spielen!

Für eine Krankenkasse oder ein Sanitätshaus dagegen wäre eine Fitneßhotline, ein Sorgentelefon, eine Pollenallergie-, Wetterfühligkeits- oder Rheumaberatung denkbar. Sie sehen, eine Infohotline für Ihre Kunden muß nicht zwangsläufig eine vordergründig werbliche und damit für die Zielgruppe witzlose Intention erkennen lassen. Beraten statt verkaufen, heißt die Devise. Das Ganze kann auch eher den Charakter einer unterhaltsamen und kurzweiligen Pressestelle besitzen, mit dem Unterschied, daß Sie nicht mit Journalisten, sondern mit Ihren Kunden telefonieren.

Lassen Sie ihre Gedanken ruhig in abenteuerliche, nicht alltägliche Regionen abdriften. Versuchen Sie sich vorzustellen, was ganz und gar nicht mit Ihrem Unternehmen in Verbindung steht, dafür umso mehr mit Ihrer Zielgruppe. Verlassen Sie Ihren Standpunkt! Und versuchen Sie, quasi auf dem Terrain Ihrer Kunden, Punkte zu machen.

Im europäischen Ausland laufen erste Experimente mit interaktiven TV-Werbeblöcken, bei denen der Zuschauer seine Interessenschwerpunkte – Familie, Hobby, Hausbau, Reisen, Auto, Essen, Kinder und andere – per Computer an den Sender übermittelt und dann automatisch den auf ihn zugeschnittenen Werbeblock ins Haus gesendet bekommt. Das heißt, der frustrierte Mieter mit Häuslebauer-Absichten erhält Informationen über Bausparkassen, Baumärkte, Immobilienmakler, steuerrechtliche Vorteile, Einrichtungshäuser etc., während die Hausfrau sich auf Wunsch ausschließlich über Windeln, Babypflege und -nahrung, Kinderkleidung, Spielzeug und Kinderwagen informieren kann. Der zahlungskräftige Single dagegen interessiert sich weder für Windeln noch für Betonhersteller, er möchte sich vielleicht über Wertpapiere, Designermöbel, Autos oder Computer informieren. Und alternative Wohngemeinschaften sind von der herkömmlichen Werbung sowieso nicht allzu angetan und interessieren sich für Biokost, umweltgerechte Kosmetik und Greenpeace. Natürlich sind die einzelnen Interessen nicht so banal wie hier voneinander zu trennen, doch erste Pilotprojekte mit dem interaktiven Werbeblock ergaben immerhin eine große Resonanz der Zuschauer, während hierzulande – seien wir doch mal ehrlich! – der Werbeblock lediglich als Kühlschrankpause genutzt wird, was nicht zuletzt an der willkürlichen und unspezifischen Zusammenstellung liegt. Vielleicht sollten wir uns an unseren Nachbarn im Ausland auch hier ein Beispiel nehmen?

Abgesehen von den bereits erwähnten Interaktionsmöglichkeiten bieten Veranstaltungen wie Ausschreibungen für Werbestories analog der Fixies-Gedichte („Gewinnen Sie die goldene Fixies mit Ihrem Windelgedicht"), der Nescafé-Lovestory („Kriegen Sie sich oder nicht?") oder der Gilette-Story („Schreiben Sie eine Geschichte, die so scharf ist, daß sie hinter Gitter muß!") sehr gute Chancen, hautnah an Ihre Kunden heranzutreten und sie beim großen Abenteuer Marketing mitspielen zu lassen.

Vergessen Sie nicht: Entweder, ein Kunde befaßt sich aus eigenem Antrieb mit Ihnen, oder er läßt es. Zwingen können Sie ihn nicht. Aber dazu animieren. Liefern Sie ihm einen plausiblen Grund, sich mit Ihrem Unternehmen zu befassen!

Neue Kunden durch neue Strategien (7):
Nutzen Sie den Bewußtseinswandel im Konsumverhalten

Natürlich bekommen Sie mit, was um Sie herum passiert. Sie sind dicht dran am vielzitierten Zeitgeist, Sie wissen, was läuft. Und es käme Ihnen nie in den Sinn, daß Ihre Informationen eventuell längst überholt sind.

Sie sind nicht allein. Denn die Veränderungen im Bewußtsein der Kunden – und damit in unserem Bewußtsein! – sind nur auf lange Sicht zu erkennen und erfordern eine genaue Marktbeobachtung. Vergegenwärtigen wir uns einmal die Entwicklung der vergangenen vierzig Jahre.

50er und 60er Jahre

Die Freizeit ist knapp bemessen und wird sinnvoll aufgeteilt. Die Familie hat eine übergeordnete Bedeutung, viele gemeinsame Aktivitäten. Der Beruf des Mannes ist ebenso wie die Mutterrolle der Frau gleichzeitig eine festzementierte Lebensaufgabe, Nebenjobs werden mit Schwarzarbeit gleichgesetzt und sind tabu. Die Freizeit dient dem Ausgleich, die Wochenarbeitszeit liegt bei 48 Stunden. Motto: Arbeiten, um zu (über)leben und leben, um zu arbeiten. Ideale: Familie, Heim, Gesundheit, bescheidener Wohlstand für alle.

70er Jahre

Die Nebenjobs werden salonfähig, die Wochenarbeitszeit der Angestellten sinkt auf 42 Stunden. In der Freizeit wird aktiv produziert, Heimwerken, Gartenarbeit und Hausarbeit gewinnen an Bedeutung, die Familienstrukturen lockern sich. Do it yourself heißt das Freizeitmotto. Die heute klassischen Hobbies wie Angeln, Tennis, Reiten etc. beginnen sich zu etablieren. Ideale: Selbstverwirklichung, persönlicher Wohlstand.

80er Jahre

Freiberufler machen sich zaghaft, aber immer häufiger selbständig, Hobbies werden zum Beruf, Job-sharing und Halbtagstätigkeiten sind gang und gäbe. Die Vater-Mutter-Rollenverteilung löst sich auf, z.T. sind beide berufstätig. Soziales Engagement und ehrenamtliche Tätigkeiten werden populär, die Freizeit wird vom reinen Ausgleich zu einem dem Beruf gegenüber gleichberechtigten Lebensbereich. Die Wochenarbeitszeit liegt bei 38 Stunden. Der Freundeskreis ist der Familie gegenüber mindestens gleichberechtigt, hat manchmal sogar größere Bedeutung. Ideale: Neo-Konservatismus, führt zur erneuten CDU-Machtübernahme am Anfang dieses bewegten Jahrzehnts.

90er Jahre
Absoluter Existenzgründungs-Rekord! Wiedervereinigungs-Boom. Multikulturelle Zielgruppe dominiert in Handel und Dienstleistung. Krasse Angestellten-Freiberufler-Schere. Das Leid der unterbeschäftigten Angestellten ist der Profit der Selbständigen. Gnadenloses Preis-Leistungs-Prinzip. Während die Arbeitszeit der Angestellten auf unter 35 Stunden sinkt, arbeiten Selbständige rund um die Uhr und verbinden ihre beruflichen Qualifikationen, Ideen, Kontakte und Freizeitinteressen zu einer gewinnbringenden Fulltime-Beschäftigung. Persönliche Existenzängste werden von globalen Katastrophen überdeckt, die ökologische Problematik dominiert in den einzelnen Produktions- und Dienstleistungsbereichen.

Das Jahr 2000 und danach
Boom der Selbständigen und Freiberufler. Die Dienstleistungsgesellschaft setzt sich durch. Viele einstmals große Konzerne haben sich in kleine, unabhängige und selbständige Firmen aufgeteilt. Eine enorme Wachstumsdynamik durchzieht den Markt. Zigtausende neuer Arbeitsplätze werden geschaffen. Neue Berufe in Umwelt- und Sozialbereichen entstehen, die Ideale: gesünder leben, genußvoller leben, aktiver leben. Diese Entwicklung offenbart uns eine ganze Palette an schlafenden Märkten, die nur aktiviert zu werden brauchen. Im Bereich Existenzsicherung zum Beispiel sind das Produkte und Leistungen, die das Sicherheitsbedürfnis ansprechen, die Verbraucherkultur pflegen und die Bereitschaft, sich sozial zu engagieren, unterstützen. Ein ausbaufähiger Markt ist auch die gesamte Kommunikationsbranche. Technische Neuerungen wie Bildkommunikation, Netzwerksysteme, Glasfasertechnik etc. werden Einzug in die Privatwohnungen halten und die neu entstandenen „Cocoon-Offices" perfekt gestalten. Daran schließen sich die Märkte für individuelle Möbel- und Dekorationsmöglichkeiten, Lunchservice, Büromaterialservice und mehr an.

Darüber hinaus liegen Chancen in Sachen Do it yourself, Sport und Bewegung, Körperkultur, Ökologiebewußtsein und Wochenendkultur brach. Nicht zu vergessen der Bedarf an Zerstreuung durch anspruchsvollen Freizeitservice, wobei die Betonung nicht auf Freizeit, sondern auf Service liegen muß. Denn Service steht nicht mehr für eine schwammige, nebulöse Gratisleistung, sondern für ganz konkrete

Dienstleistungen gegen Honorar, die dem Klienten bzw. Kunden das Leben erleichtern und nicht zwingend im Zusammenhang mit einem Produkt stehen.

Sie sehen, es kommt in erster Linie darauf an, den Markt und seine „Macher“, sprich die Käufer und Anbieter, kontinuierlich zu beobachten. Das Wissen um die Vorgehensweise Ihrer Mitbewerber ist die halbe Miete. Wenn Sie dann noch den Mut besitzen, im richtigen Moment beherzt Ihre Idee umzusetzen, kann Ihnen nicht viel passieren. Zögern Sie nicht, dem „Machen“ den Vorzug gegenüber dem „Abwägen“ zu geben.

AUF EINEN BLICK

1. Neue Kunden werden auch gefunden durch neue, durch andere Strategien. Gehen Sie Wege, die andere scheuen! Welche Sie für Ihr eigenes Unternehmen, Ihre eigene verkäuferische Tätigkeit nutzen können, hängt von den individuellen Voraussetzungen ab.
   Diese Strategien, die neuen Wege sind:
   (1) Gehen Sie weg vom Produkt – hin zum Kunden!
   (2) Optimieren Sie Ihren eigenen Service!
   (3) Verwandeln Sie Reklamationen in Gewinne!
   (4) Erarbeiten Sie eine gezielte Vorteilsstrategie!
   (5) Machen Sie durch Nischenmarketing Ihre Vision zum Markt!
   (6) Binden Sie den Kunden in Ihr Unternehmen aktiv mit ein!
   (7) Nutzen Sie den Bewußtseinswandel im Konsumverhalten!

Adressen

Fischer & Partner
Direktmarketing GmbH
Immenhorstweg 86
22395 Hamburg (Bergstedt)
Tel.: 0 40 / 6 04 89 30
Fax: 0 40 / 6 04 66 81

Merkur Direktwerbeges.mbH & Co. KG
Kapellenstraße 44
37574 Einbeck
Tel.: 0 55 61 / 3 14- 0
Fax: 0 55 61 / 3 14-1 33

Werbeagentur 3001
Carmen Messina
Postfach 1363
65503 Idstein
Tel.: 0 61 26 / 9 16 53
Fax: 0 61 26 / 9 16 54

TAS Telemarketing Gesellschaft für Kommunikation und Dialog mbH
Alfons Bromkamp
Königsallee 178a
44799 Bochum
Tel.: 02 34 / 7 30 38
Fax: 02 34 / 7 30 19

Frey & Linkenheil GmbH
Rudolf Linkenheil
Am Sandfeld 9+15a
76149 Karlsruhe
Tel.: 07 21 / 97 77-0
Fax: 07 21 / 97 77-100

trans-o-flex
Schnell-Lieferdienst AG
Zentralleitung Weinheim
Hertzstraße 10
69469 Weinheim
Tel.: 0 62 01 / 9 88-0
Fax: 0 62 01 / 18 25 59

TROIKA
Liudger Böll
Hof Sophienthal
57644 Hattert
Tel.: 0 26 62 / 30 01
Fax: 0 26 62 / 69 67

Frank Patt – Schnelle und sichere Verkaufserfolge für mittelständische Unternehmen
Unternehmensberater
Industriegebiet „Auf der Mark“
Fischpicke 1
57482 Gerlingen
Tel.: 0 27 62 / 50 80 + 50 85
Fax: 0 27 62 / 50 57

Gerfried Boch
Institut für Kommunikations- und Marken-Optimierung, E & P GmbH
Irlenfelder Weg 50 a
51467 Bergisch Gladbach
Tel.: 0 22 02 / 3 50 38/9
Fax: 0 22 02 / 3 50 30
Auto: 0161 620 3669

Stephan Größel
Wirtschafts- & Finanzmanagement
Gesellschaft für Konzeptberatung in Wirtschafts-, Finanz- und Unternehmensfragen
Im Rheinpark
Hagenauer Str. 57
65203 Wiesbaden
Tel.: 06 11 / 92 82 4 - 0
Fax: 06 11 / 92 82 4 -20

Prof. Ralph-Peter Setzepfandt
Institut für Finanz-Marketing und Investitions-Consult GmbH
Tölzer Str. 32
83703 Gmund
Tel.: 0 80 22 / 74 30 3
Fax: 0 80 22 / 79 82

Für den nachfolgenden Adreßteil bedanken sich die Autoren bei:

DDV
Deutscher Direktmarketing Verband e.V.
Hasengartenstraße 14
65189 Wiesbaden
Tel. Öffentlichkeitsarbeit: 06 11 / 72 33 74
Fax: 06 11 / 72 33 70